02/12/18

YA NADA ES IGUAL

YA NADA ES IGUAL

LISA DE JONG

TITANIA

Argentina • Chile • Colombia • España
Estados Unidos • México • Perú • Uruguay • Venezuela

Título original: *Changing Forever*
Traducción: Yuliss M. Priego

1.ª edición Junio 2017

ISBN: 978-84-16327-16-4
E-ISBN: 978-84-9944-991-3
Depósito legal: B-3.992-2017

Fotocomposición: Ediciones Urano, S.A.U.

Impreso por Rodesa, S.A. – Polígono Industrial San Miguel Parcelas E7-E8
31132 Villatuerta (Navarra)

Impreso en España – *Printed in Spain*

«Si no cambiamos, no crecemos.
Si no crecemos, no vivimos realmente.»

GAIL SHEEHY

Prólogo

Qué fácil es recordar cada detalle de tu película favorita, ¿verdad? Recuerdas cada palabra, cada pequeña cosa y en el orden que ha sucedido. Así es aquel día para mí, pero no es una película. Es una pesadilla real... una que me despierta cada día de mi vida. Cada detalle me atormenta y a estas alturas creo que siempre lo harán.

Recuerdo todo lo que pasó aquella mañana fría y deprimente de otoño. El cielo gris y la llovizna que impedía que las hojas recién caídas se volaran con el viento. Recuerdo la camiseta roja que llevaba, el gran agujero que se abrió en un rodilla de mis vaqueros favoritos y el olor a sirope de arce y avena que impregnaba la pequeña cocina.

Recuerdo ver el coche blanco salir del aparcamiento, pero no caí en que sería la última vez. Había visto aquel rostro sonriente cada día durante años, recompensándome por todas las cosas buenas que había hecho. Aquella voz suave me tranquilizaba y me ayudaba a dormir cuando nada más podía hacerlo. Aquellas manos cálidas que sostenían las mías cuando cruzábamos las transitadas calles de nuestro pequeño pueblo.

Cuando era pequeña, no pensaba demasiado en lo que debería haber dicho o haber hecho. Eso vino mucho después, cuando tuve tiempo de mirarlo todo con perspectiva y el conocimiento necesario para procesarlo. Dicen que la sabiduría llega con la edad, pero no es debido a las cosas que se aprenden con el tiempo, sino a los acontecimientos que se viven y se sufren.

Ojalá hubiese sabido lo que iba a pasar, porque habría hecho muchas cosas de otro modo.

Pero ahora ya es demasiado tarde.

Aquella sonrisa solo la puedo ver en fotografías.

Aquella voz solo la puedo oír en mi cabeza.

Desde aquel día, he odiado el rojo y no soporto el olor a arce. Con un solo acontecimiento, mi vida entera sufrió un cambio radical.

Pero lo peor es que las últimas palabras que nos intercambiamos no fueron necesariamente las que quería recordar durante el resto de mi vida.

Ya no puedo cambiarlo, pero no es fácil aprender a dejar atrás el pasado.

Si consigo superarlo, conseguiré tener lo que siempre he querido. Seré feliz, para variar, o al menos eso es lo que creo.

1

Emery

—¿Qué haces despierta tan temprano?

Parece que he fallado en la misión de no despertar a mi nueva compañera de habitación, Kate. Se gira dentro de su pequeña cama individual y se pasa un dedo por debajo de sus ojos soñolientos.

—Es sábado —añade, cubriéndose el rostro con el antebrazo.

Sonrío al tiempo que me abrocho mis viejas zapatillas de deporte.

—Voy a echarle un vistazo al resto del campus. Vente, si quieres.

—Es demasiado temprano. Tengo intención de quedarme en la cama hasta mi cita con Beau después. Tú también deberías volver a la cama.

—Va a ser que no. Hay demasiadas cosas que quiero ver —replico, colocándome el bolso en el hombro—. Vuélvete a dormir. Luego vengo.

Kate levanta el brazo y me mira con sus ojos verdes oscuro.

—Ve a por café cuando salgas. Lo vas a necesitar. —Y tras decir esto, se da la vuelta de nuevo y se queda dormida enseguida, dejándome con mis asuntos.

He sido una chica de pueblo toda mi vida. Nunca me molestó demasiado cuando era pequeña porque, por aquel entonces, todo lo que me hacía falta para ser feliz era un par de amigas con las que jugar a las muñecas.

La vida era sencilla. Los sueños, también.

Pero cuando me hice mayor, las cosas cambiaron y quise más.

Y ahora estoy aquí, viviendo el primer día de mi nueva vida. Una vida por la que llevo años luchando. No tengo guion ni plan maestro. Solo quiero salir de ella con un título universitario para no tener que volver a ese pueblucho ¿ya ha vuelto antes?. Todo forma parte de un sueño mucho más ambicioso.

Nada más poner un pie fuera, un fuerte sol de verano cae con fuerza sobre mí y me obliga a ponerme las gafas de sol, que llevo colgadas del cuello de la camiseta. Cuando llegué ayer al campus, no tuve la oportunidad de verlo todo porque estaba demasiado oscuro, así que ahora es el momento. En seguida me doy cuenta de que este lugar es casi tan grande como el pueblo donde crecí. Hay más cosas que hacer y ver, eso seguro. Si supiera que la gente no me va a mirar mal, me pondría a dar saltos por el césped como una loca, porque llevo soñando con esto durante mucho tiempo. Es un momento en el que he pensado todas las noches durante horas tumbada en mi cama.

Significa todo para mí.

Cuando mi padre me dijo que no podíamos permitirnos que yo fuera a la universidad, se me cayó el mundo se encima. Por suerte, no soy de las que se hunden fácilmente, y al día siguiente me desperté viéndolo todo desde otra perspectiva. Me pasé noches enteras estudiando, sacando unas notas perfectas en todas las asignaturas para poder obtener una beca.

Funcionó. Ahora estoy aquí y aunque nadie pueda verlo estoy dando botes de alegría por dentro. Es como un chute de adrenalina..., mi vuelta al circuito a doscientos cincuenta kilómetros por hora. Estoy intentando desacelerar, asimilarlo todo.

Aparte de algunas voces y risas, el campus está tranquilo, y me encanta la serenidad que transmite el lugar. Está lleno de vida: unos estudiantes pasean y otros están sentados sobre una manta en el césped, hablando o leyendo algún libro. Me gusta que tenga el mismo aire tranquilo del pequeño pueblo donde crecí, pero con muchas más oportunidades.

El espacio que hay entre los edificios me recuerda a un parque, lleno de verde césped de verano y de árboles maduros, pero mi parte favorita es el río que separa ambos lados del campus. Me veo a mí misma sentada ahí con un libro en días como este; el suave sonido del agua es la banda sonora perfecta para leer una buena historia.

Los mismos edificios son una mezcla de lo viejo y lo nuevo, de ladrillo y de arquitectura contemporánea. No concibo que alguien no pueda sentirse aquí como en casa; hay tanta variedad... como un Disney World para jóvenes, porque podría pasarme días explorándolo y no aburrirme jamás.

Esta experiencia es, para mí, diferente a la mayoría. ¿Es por la libertad? Sí. Pero también por poder avanzar hacia la persona que quiero ser. Creo que la mayoría viene aquí para averiguarlo, pero yo ya lo sé. Cuando termine aquí, seré la doctora Emery White, psicóloga infantil, y me mudaré a la gran ciudad. Voy a marcar un antes y un después en la vida de otras personas.

Esto es para lo que estoy destinada. Lo que hubiera querido que otros hubieran hecho por mí.

Tras cruzar, una vez más, el puente peatonal que atraviesa el río, hurgo en mi bolso y saco una goma para hacerme una cola de caballo con mi cabello castaño. Si alguna vez me mudo de Iowa, algo que nunca echaré de menos es la humedad y lo que le hace a mi largo y abundante cabello.

Mientras cierro el bolso con torpeza, me choco contra un cuerpo grande y robusto, lo que me hace retroceder un par de pasos. He estado sudando desde el momento en que salí del dormitorio, y la vergüenza con la que arde ahora mi rostro hace aún más intenso el calor.

—Deberías mirar por dónde vas —señala una voz grave y masculina, unos pasos por delante de mí.

Lentamente, alzo la vista y miro perpleja unas pantorrillas torneadas y un torso definido. Dios mío... este tío no lleva camiseta, y unos shorts negros de rejilla le cuelgan bajos de sus esbeltas caderas, dejándolo casi todo a la vista. Tiene una tableta de chocolate de seis onzas, puede que incluso de ocho. No me permito regodearme la vista lo suficiente para averiguarlo. Lanzar miradas lujuriosas no suele ser lo mío, pero es imposible no hacerlo con este tío.

Tras quitar los ojos de su musculoso pecho, que brilla con una fina capa de sudor, me centro en su rostro. Sé por experiencia que un tío o bien tiene un cuerpo de infarto o una cara bonita, pero no ambas cosas. Parpadeo, tratando de mantenerme inexpresiva para no mostrar mi asombro. No hay tíos como este de donde yo vengo. Eso, o yo no los veo debido a las camisetas y vaqueros anchos que llevan.

—¿Has terminado? Tengo que acabar un partido. —El tono divertido de su voz hace que levante la cabeza de golpe, sin ni siquiera pensar en ello.

Mi teoría se termina de hundir cuando acabo de ver el resto. Incapaz de hablar, contemplo su cabello rubio empapado y sus descarados ojos azules, que resaltan aún más por la intensa luz del sol. Increíble.

Sus labios esbozan una sonrisa mientras examina mi cuerpo con lentitud. No sé si debería sentirme aliviada o avergonzada por haber elegido unos shorts más cortos y un top blanco esta mañana. Quiero decir que... estoy en forma porque no paro en todo el día, pero no tengo ni idea de qué le parezco a él. Probablemente soy menos de un cinco en su escala.

Quiero girarme y echar a correr en la dirección contraria, pero él interrumpe mi plan antes de tener oportunidad de llevarlo a cabo.

—¿Sabes hablar? —pregunta, mientras se masajea el fuerte mentón, que está cubierto por una sombra de vello facial. No me gustan demasiado las barbas, pero a él le queda bien y lo hace parecer mayor de lo que es probablemente.

Me ajusto la tira del bolso sobre el hombro, deseando haberme maquillado un poco esta mañana. En casa nunca me importó demasiado, pero este es un mundo completamente nuevo..., uno al que me va a llevar algo de tiempo acostumbrarme.

—Perdona —por fin contesto tras haberme obligado a salir de mi estupor—. Supongo que no sé hacer dos cosas a la vez.

Una arrogante sonrisa aparece en su rostro, lo que marca aún más sus fuertes y masculinos rasgos. Mentón cuadrado. Pómulos esculpidos. Si mis pulsaciones estaban ya altas por la caminata de hoy, el corazón me va ahora mismo a trescientos por hora.

—Si alguna vez quieres clases de multitarea, llámame. Podría enseñarte un par de cosas.

Acaba de perder unos cuantos puestos en el ranking de tíos buenos. Conozco a los tipos como él. Lo único que les va son las chicas y pasarlo bien, o mejor dicho, pasarlo bien con chicas. Son tan vanidosos... y él todavía no lo sabe, pero soy su peor pesadilla. No soporto a los de su calaña y nunca le daré lo que quiere, así que no debería malgastar el tiempo conmigo. Con su atractivo, habrá muchas otras chicas que estarán encantadas de complacerle.

—Creo que paso. Prefiero salir con gente que no sea tan creída —digo con la vista fija en sus ojos, para evitar distraerme de nuevo con su magnífico cuerpo. Su aspecto es lo único que todavía mantiene mi interés.

—Chambers, esta parece estar loquita por ti —interviene su amigo, de cuya presencia ni siquiera me había percatado.

Retrocedo y observo cómo Don Medio Desnudo y Sudado lanza una mirada a su amigo que mandaría derechito a su casa a un luchador de lucha libre. Funciona. El tipo regresa al césped y lanza el balón de fútbol al aire para que lo atrape otro chico sin camiseta.

—Gavin es imbécil. Ignóralo —explica, y yo vuelvo a centrar temporalmente mi atención en él.

—No pasa nada. Conozco a muchos imbéciles, así que no es nada nuevo.

—Qué directa, ¿no?

—Siempre.

Escudriño los alrededores e intento crear un plan de escape. Esta situación es rara e incómoda; estoy más que lista para regresar a mi idea de sábado ideal. Por ahora, mi vida universitaria ha sido impecable. Mi día ha sido perfecto... No voy a dejar que este tío me lo arruine.

—¿Cómo te llamas? —pregunta, pasándose la mano por el cabello y haciendo caer sus mechones a cada lado. Posee un atractivo innato, pero igualmente sabe lo que se hace.

—Chambers, date prisa. ¡Tu chica nueva puede esperar! —grita su amigo con el balón de fútbol bajo el brazo.

—¡Espera, joder! ¡Ya voy! —Su voz se suaviza cuando vuelve a centrar su atención en mí—. Debería volver.

—Nada te retiene —digo al tiempo que me coloco un mechón de pelo que se había volado tras la oreja.

Cuando retrocedo un par de pasos, su amigo Gavin vuelve a acercarse pasándose el balón de una mano a otra.

—Somos impares —señala, repasándome con la mirada—. Quizá tu nueva amiguita quiere jugar con nosotros.

Una sonrisa aparece en el rostro de Don Buenorro mientras me mira.

—No sé, Gavin. Quizá se hace daño jugando con los mayores.

Cambio el peso de un pie al otro y me cruzo de brazos.

—Tampoco es tan difícil coger un balón y lanzarlo.

—No soy una niña, y tampoco juego como las niñas.

Gavin se ríe y le lanza el balón al chico que se ha convertido este sábado en mi distracción.

—Demuéstrale lo que sabes hacer. Las palabras son solo eso, Chambers.

Abro la boca para discutir, pero el balón que cae a mis pies me detiene. El tipo que ahora conozco como «Chambers» se inclina delante de mí para recogerlo y roza mi pierna desnuda con su hombro. Yo me encojo y doy un paso atrás. Debería irme ahora mismo, pero no lo hago. Cuando se endereza, su cuerpo vuelve a estar cerca del mío. Un olor a almizcle y sudor me golpea cuando él levanta la mano para apartarme un mechón de la cara.

—Hagamos una apuesta. Voy a ir hasta ese roble de allí y te voy a lanzar la pelota. Si la atrapas, te puedes ir. Si se te cae, esta noche eres mía.

Mis ojos se abren como platos, impresionada por sus atrevidas palabras. La universidad promete ser toda una aventura.

—Va a ser que no.

—No quería que sonara como lo que has pensado. Además, debe de haber una razón por la que sigas aquí. —Se relame el labio inferior mientras mira fijamente los míos—. A lo mejor deberíamos descubrirla.

—Te crees que me tienes calada, ¿no?

—Demuéstrame que me equivoco —me reta, con sus ojos clavados en los míos—. No creo que sepas recibir un balón... no uno que yo lance, al menos.

Me está retando y yo nunca he sido de las que se achantan ante un desafío.

—Un lanzamiento. Si lo recibo, me voy.

Sonríe y asiente en dirección al césped.

—Ponte allí.

Hago lo que me pide, mientras él se aleja unos metros de mí. ¿Por qué estoy haciendo esto?

—¿Lista? —grita, haciendo el amago de lanzar la bola.

Respiro hondo y me coloco una mano sobre los ojos para protegerme del sol. Tras recuperar un poco la compostura, dejo las manos en los costados y asiento. Ahora solo queda esperar a que la pelota salga volando. *Por favor, que la atrape.*

Hace de nuevo el amago de lanzarla, antes de enviarla directa hacia mí. No sé mucho de fútbol americano, pero parece ser un lanzamiento muy bueno. Alzando las manos, me muevo un poco hacia la derecha y cuando siento el cuero en la palma de mi mano, agarro con fuerza el balón.

Todo sucede en cuestión de segundos. Bajo la mirada y siento el balón en mi mano. Sonrío y me lo coloco bajo el brazo, al tiempo que observo a Chambers caminar hacia mí. Cuando está lo bastante cerca para poder lanzarle el balón, lo hago.

—Parece que he ganado. Tendrás que buscarte a otra con la que jugar esta noche.

—Dime tu nombre. —Se me queda mirando con la cabeza ladeada y las manos en sus esbeltas caderas.

—No hay razón para decírtelo, ya que no tengo intención de volver a hablar contigo. —Sonrío, orgullosa de mí misma por haber sido capaz de pensar tan rápido ante el dios que tengo delante.

—Buena suerte, entonces. Puede que la necesites por aquí. —Retrocede, comiéndome con la mirada y mordiéndose el labio inferior. Un cosquilleo me recorre la espalda; aunque su personalidad no me haya impresionado, su atractivo sí lo ha hecho. Este tío es puro sexo, pero por suerte ya se está alejando de mí.

Ni siquiera un tío bueno paseándose por el campus sin camiseta va a lograr distraerme de mi objetivo en la universidad.

Antes de regresar a los dormitorios, me paso por la cafetería a por un café latte. El pintoresco lugar se parece mucho al resto del campus: está lleno de estudiantes, algunos leyendo y otros charlando alrededor de las mesas. Las paredes son de un amarillo chillón y el rústico suelo es de granito. Otro lugar en el que me imagino pasando muchas tardes durante los próximos cuatro años.

Pido un café latte con caramelo y saboreo con fruición el primer sorbo. Este tipo de café es algo que no tengo en casa, así que voy a darme el capricho tanto como pueda. Un capricho que mi padre diría que es un derroche de dinero. Y quizá lo sea, pero vida solo hay una.

Cuando por fin llego a la puerta de mi habitación, respiro hondo; una parte de mí desea que Kate ya se haya marchado a su cita. Solo la conozco desde ayer y parece una chica agradable, pero también necesito tiempo para mí misma. Tiempo para asimilarlo todo y adaptarme.

Al abrir la puerta, lo primero que veo es su larga cabellera cobriza frente al espejo. Al menos se está arreglando, creo.

Su sonrisa se refleja en el espejo cuando me ve.

—Hola, ¿dónde has estado todo el día? Pensé que solo ibas a salir a pasear.

—Y lo hice. Pero me distraje un poco y me recorrí el campus entero. He disfrutado de un poco de libertad, ya sabes.

Sonríe.

—Oye, ¿qué haces esta noche?

Paso la tira del bolso sobre mi cabeza y me siento en el borde de la cama, mientras la veo colocarse perfectamente cada mechón.

—No lo sé. Probablemente me quede leyendo o algo. Ha sido un día largo.

Altas temperaturas, un paseo largo, chicos universitarios arrogantes... sí que ha sido un día largo.

Deja las tenacillas y se da la vuelta en la silla.

—Es sábado por la noche. ¿No quieres salir y ver de qué va todo esto de la universidad? Se pueden hacer muchas cosas fuera del campus, ¿sabes?

Solo nos conocemos de hace veinticuatro horas, pero ya se está haciendo una idea de lo divertida que soy. Si espera que sea el alma de la fiesta, ya puede ir manejando la decepción. Así será más fácil para ambas.

—Ya saldré otro día. Hoy estoy muy cansada —respondo, quitándome los zapatos. Me alegro de haberme decantado esta mañana por las zapatillas de deporte en vez de las chanclas, porque habré caminado ocho kilómetros por lo menos.

—Puedes venirte si quieres al cine con Beau y conmigo. Vamos a ver la nueva peli de Liam Hemsworth de la que todo el mundo habla. No te va a hacer falta usar mucha energía... Prometido. —Lo dice como si creyera que me dejo convencer fácilmente por un chico con un cuerpo de infarto y una sonrisa a juego. Y puede que sí, pero no cuando me lo está ofreciendo por pena. Además, ya he tenido más que suficiente de eso por hoy.

—No, estoy bien. Además, empezasteis a salir justo ayer, ¿no? —Ella asiente, observándome con curiosidad mientras prosigo—. No me voy a acoplar en vuestra primera cita.

Ella se ríe, volviéndose de nuevo al espejo.

—No se la puede considerar primera cita cuando nos conocemos desde hace quince años.

No la conozco tanto como para entender la dinámica de su relación con Beau, pero tengo la sensación de que ahí hay una historia que merecería la pena escuchar algún día.

—Sinceramente, me apetece relajarme antes de que el lunes empiecen las clases. Pero iré en otra ocasión —digo, mientras me dejo caer en la cama.

—Si estás segura...

—Sí.

—¿Esto me queda bien? —me pregunta, mirándose las cuñas marrón claro y el maxivestido negro sin tirantes que lleva puestos.

Me río.

—Es justo lo que yo hubiera elegido para una cita. Pero llévate un jersey si vais al cine. Siempre hace frío ahí.

—Cierto. Siempre caigo en eso cuando ya es demasiado tarde.

—Pero bueno, a lo mejor no tienes de qué preocuparte si vas con Beau.

La veo poner los ojos en blanco por el espejo.

—¿En serio? Estará tan concentrado en hundir la mano en el cubo de palomitas que no tendrá tiempo de preocuparse por mí.

—Hombres...

—Y que lo digas.

La habitación se queda en silencio mientras Kate continúa arreglándose. Para mí el silencio es un trocito de cielo, una delicia de la que rara vez disfrutaba con mi padre en casa. Y no ayudó para nada que mi madre se fuera, porque no tenía a nadie más con quien hablar o compartir las tareas domésticas. Tampoco ayudaba que viviéramos en una casa de campo de dos habitaciones y un solo baño. No había lugar al que escapar. Durante muchos años, creí que mi padre intentaba castigarme con esos cuartos tan pequeños, pero enseguida me di cuenta de que no vivíamos así por gusto. Vivíamos con lo que tenía. También me enteré de que esa fue una de las razones por las que ella se fue.

Alguien llama a la puerta y las dos pegamos un bote. Debería ofrecerme para abrirla, pero ya sé que es Beau, el novio perfecto de Kate. Cuando anoche la dejó en la habitación, no pude evitar oír su despedida. Al principio pensé que era asco lo que sentía ante tanta dulzura, pero luego me di cuenta de que era un deje de envidia.

Nadie me ha hablado nunca como él le habla a ella. Pero bueno, tampoco he dejado que nadie se acerque tanto a mí. Estuve saliendo con Clay durante la mayor parte del instituto, pero antes de que nuestra relación despegara siquiera, me convencí a mí misma de que no íbamos a durar y mantuve las distancias con él.

—Emery, ¿me estás escuchando? —Abro los ojos y veo a Kate de pie, junto a mi cama, con Beau justo detrás de ella. Sí que es una chica con suerte. Su novio es monísimo y posee una actitud igualmente protectora. El tipo de chico con el que sueña la mayoría de chicas.

—Lo siento, supongo que estoy cansada —miento en un intento de regresar a la realidad.

—¿Estás segura de que no quieres venir? Odio dejarte aquí sola.

Casi temo volver a decirle que no porque es evidente, por cómo me lo está preguntando, que está siendo totalmente sincera.

—Estaré bien. Pasadlo bien, chicos.

—Vale. —Sonríe, devolviendo su atención a Beau. Ver la adoración con que la mira hace aflorar de nuevo mis celos de la noche anterior. Cada día me recuerdo que yo no quiero eso ahora mismo, pero quizá sea porque no he encontrado a nadie por quien merezca la pena cambiar las reglas del juego.

2

Drake

Mientras atravieso el campus, me relajo y disfruto de los últimos minutos de libertad antes de que comiencen las clases. Son los últimos momentos de cordura antes de que el estrés de las clases se una al de los entrenamientos de fútbol, que comenzaron hace semanas. Siempre siento una cierta calma cuando estoy en el campus, pero no en el campo de fútbol o en alguna aula, escuchando información inútil durante horas.

Estar en la universidad también significa que no estoy en casa, y cualquier lugar es mejor que ese. Este es un mundo diferente, apartado de todo.

Siempre se espera de mí que rinda al cien por cien en un partido cuando tengo la posesión del balón. Hay dones con los que nacemos y otros talentos que aprendemos, y para mí el fútbol tiene un poco de ambos. Mi padre solía sacarme al jardín un par de veces por semana para lanzarme su vieja pelota. Aprendí todo lo que me enseñaba con rapidez y después de un tiempo, ya podía lanzar el balón mejor que él. Sin importar lo que hiciera, siempre me salía una espiral perfecta.

A veces desearía poder esconderme de mi talento. Ser como cualquier otro chico universitario y no llevar todo este peso sobre los hombros. Pero es lo que Dios me ha dado y, con suerte, un día ganaré bastante dinero para cuidar de mi madre y mis hermanas pequeñas. Tengo que dar lo mejor de mí durante los próximos dos años para tener alguna oportunidad como profesional.

Solo tengo que aguantar un poco más.

Tengo que permanecer centrado.

Joder, es tan difícil... Siempre tengo que ser el héroe, pero cuando esperan la perfección, se vuelve demasiado. Algunos días no lo soporto más y quiero desaparecer, fundirme con el mundo. Algunos días no quiero ser Drake Chambers.

Respiro hondo cuando abro la puerta para entrar en el aula de Oratoria. Otro semestre. Otra clase a la que tendré que obligarme a asistir. *Tres años más*, me digo a mí mismo.

Escojo un asiento al fondo de la clase y tiro la mochila al suelo antes de acomodarme en la silla. Con suerte, la profesora nos dará la programación del curso y nos dejará marchar.

—Por favor, siéntense y saquen lápiz y papel —indica la profesora desde el pódium. Mantengo la vista fija en ella lo bastante para percatarme de que no es la típica profesora estirada. Es más joven, tiene el pelo largo y pelirrojo, y lleva un vestido negro por las rodillas y unas sandalias. Por lo menos, puedo pasarme los lunes, miércoles y viernes por la mañana desnudando ese esbelto cuerpo con la mirada—. Sé que es nuestra primera clase, pero me gustaría que trabajarais en un proyecto. Si creíais que la clase iba a ser fácil, o que os ibais a quedar ahí sentados mientras hablamos de la programación del curso durante toda una hora, quizás os convendría replantearos las clases.

Joder, su actitud le resta atractivo. Niego con la cabeza, hundo la mano en mi mochila y saco mi horario de clases. Qué pena que esta asignatura sea obligatoria para poder graduarse; no puedo permitirme no hacerlo.

—Mi asistente os a va a repartir un librito. Cuando lo tengáis, abrido por la página dos y leed lo del proyecto en grupo. Contará como el veinticinco por ciento de la nota final de la asignatura. —Hace una pausa y comprueba que todo el mundo le está prestando atención—. Una última cosa. Os dejaré que elijáis a vuestro compañero de proyecto, pero, por favor, evitad trabajar con alguien a quien ya conocéis. Sacaréis más provecho del trabajo así.

Genial. Odio los trabajos de clase y aún más los trabajos en grupo. Ya es difícil sacar tiempo para quedar con gente cuando tengo entrenamientos, partidos y sesiones en el gimnasio. A lo mejor me busco a una tía buena y la convenzo de que haga ella sola el proyecto. Ya lo he hecho antes y puedo volver a hacerlo.

Observo que el tipo que hay dos filas más abajo me está mirando como si fuese su próxima presa, así que me pongo de pie y me muevo en dirección contraria. Cuando paso junto a la alumna del último curso, que es a quien la profesora McGill llama su asistente, cojo uno de los libritos y echo una mirada por toda la clase.

Necesito encontrar a la adecuada... a la chica que me va a ayudar a aprobar esta asignatura. Es evidente, por cómo me miran un par de rubias al fondo de la clase, que saben quién soy. Esas son las que evito; esperarán algo de mí que no estoy dispuesto a darles. Ya aprendí el año pasado que hay demasiadas chicas que quieren ser «las que domen al salvaje quarterback». El único problema es que no soy tan salvaje como todos piensan.

No tengo novia porque no tengo tiempo. Puedo contar con los dedos de una mano todas las chicas con las que he tenido sexo. Siempre me aseguro de terminar las cosas antes de que ellas se involucren demasiado emocionalmente. Ahora mismo ya tengo suficiente con el fútbol, el trabajo a media jornada y los problemas familiares como para añadir una relación amorosa a la ecuación.

Cuando oigo hablar a algunos de los del equipo sobre sus conquistas, me siento como un santo. Uno de mis receptores se liga a una chica diferente cada fin de semana, literalmente. He visto infinidad de veces a la chica del fin de semana anterior toparse con él cuando está con la nueva. Todavía no se ha dado cuenta de lo fácilmente que se pillan algunas chicas, así que estoy esperando a que eso le explote algún día en la cara.

Tras recorrer casi entero el pasillo central, empiezo a dudar de mi plan. Las opciones son limitadas y si no encuentro a alguien, no tendré más remedio que abandonar la clase e intentar aprobarla el siguiente semestre. No tengo tiempo de lidiar con esta mierda ahora mismo.

—Hola —oigo decir a una voz dulce y suave tras de mí. Como no me giro al momento, ella continúa, un poco insegura esta vez—. Esto... perdona.

Miro por encima del hombro y la observo bien por primera vez. Es mona..., de un modo inocente y dulce, con ese cabello largo y castaño y esos grandes ojos marrones. Apuesto a que esos ojos la han sacado de algún problema más de una vez. También resulta ser la misma chica que se chocó conmigo el sábado, cuando estaba jugando con los chicos. La que sabe recibir un balón y lanzarlo en una espiral perfecta. Entonces no parecía saber quién era... o no le importaba, al menos.

—¿Puedo ayudarte? —pregunto y me giro por completo.

Ella abre los ojos como platos cuando me ve y se coloca un mechón de pelo detrás de la oreja. Ahora puedo centrarme en el contraste entre su piel blanca y su cabello oscuro. No me detengo ahí, sino que bajo la vista hasta llegar a sus largas piernas desnudas. Ya me fijé en ellas el otro día y, por suerte, hoy ha vuelto a ponerse pantalones cortos.

—Me preguntaba si ya tendrías compañero de proyecto. Estaba leyéndome la programación y me imagino que todo el mundo ya ha escogido.

Una sonrisa se expande por mi rostro, mientras miro esos ojos entrecerrados.

—¿Entonces tú eres la única persona de clase que no tiene compañero?

Ella echa un vistazo al aula y se aclara la garganta.

—Creo que tú y yo somos los únicos.

—¿Estás segura de que no es un truco para intentar verme sin camiseta de nuevo? —le tomo el pelo. Así es como me he desenvuelto estos últimos nueve años. No me tomo nada tan en serio como el fútbol o la familia.

Ella abre la boca y mira a ambos lados antes de volver a centrarse en mí.

—Si solo quisiera mirar a tíos sin camiseta, me quedaría en casa y buscaría en Pinterest. Al menos los de las fotos no pueden hablar. —Hace una pausa y una expresión más seria regresa a su rostro—. Imaginé que no tenías compañero porque estabas aquí parado.

—Bueno, tenías razón esta vez, pero no te acostumbres. La mayoría de la gente se equivoca conmigo.

—¿Cómo te llamas? —pregunta, colocándose más cabello detrás de la oreja.

No se me está lanzando ni está fingiendo tener un cociente intelectual bajo para que me apiade de ella. En realidad, no tiene ni puta idea de quién soy.

—Drake. Drake Chambers.

Arquea las cejas como si estuviera pensando con mucha concentración. En realidad, es un gesto adorable.

—Ese nombre me resulta familiar.

—Quizás es porque Gavin me llamó «Chambers» cuando te chocaste conmigo el sábado.

Ella hace una mueca.

—No, no es por eso.

—Ya caerás, entonces.

Asiente y alza las comisuras de sus labios.

—Nada que Google no pueda resolver.

La chica es rápida, y a mí me está gustando discutir con ella. Puede que se convierta en lo mejor del día.

—Bueno, ¿empezamos? —pregunta, mientras se aferra con fuerza a su libreta. Su expresión es difícil de descifrar. Es como si estuviéramos en medio de una partida de póker o de un acuerdo empresarial.

—Parece que no tengo otra opción. —La dejo pasar para poder observar cómo moldean su cuerpo los pantalones. Tiene las curvas donde hay que tenerlas y está tonificada donde realmente importa. No está mal. No está nada mal.

Nos sentamos en primera fila, sin que ninguno de los dos hable en un principio. Ella lee la programación de la asignatura, o mejor dicho, finge hacerlo. La he pillado varias veces levantando la vista del papel para mirarme del mismo modo que lo hizo el otro día. Si cree que no me he dado cuenta, está muy equivocada.

—Al final no me dijiste tu nombre —digo, apoyando el brazo sobre el respaldo de mi silla.

—Normalmente no se lo digo a extraños.

Enderezo la espalda y me inclino hacia ella.

—Creo que ya hemos dejado atrás lo de ser extraños. ¿Cómo te llamas?

Ella se remueve incómoda en la silla y alza la mirada hacia el reloj de pared que hay encima de la puerta. Es bueno saber que causo algún efecto sobre ella.

—Emery.

—¿Emery? Es diferente.

Ignorando mi comentario, vuelve a coger el lápiz. Sigue tratando de no mirarme.

—Vamos a ponernos manos a la obra. No nos queda demasiado tiempo.

—Voy a ser claro contigo, Emery. No voy a poder dedicarle mucho tiempo al proyecto fuera de clase.

Ella abre los ojos como platos.

—¿En serio? Tuviste tiempo el sábado para irte a jugar con tus amigos.

—Mira, tú me has elegido. No puedo hacer más con mi horario.

Se cruza de brazos y entrecierra los ojos. Quizá debería sentirme culpable por ser como soy, pero no lo hago. Además, está hasta más guapa cuando se enfada.

—Igualmente sacaremos una mejor nota si hago yo sola el trabajo.

Su comentario debería ofenderme, pero probablemente tenga razón. Tiene toda la pinta de ser perfeccionista. Apuesto a que se pasa los fines de semana leyendo y estudiando, pensando que si se toma un solo día libre, fracasará en la vida.

No pronuncia una sola palabra más mientras toma apuntes en su libreta. Pensé que esto era lo que buscaba, relajarme y verla hacer todo el trabajo, pero tengo que morderme el labio para evitar una mueca. Si esto es lo que quiero, ¿por qué me siento tan mal conmigo mismo?

—Emery. —Ella deja de escribir, pero no levanta la vista. De nuevo me abofetea esa extraña sensación de culpabilidad—. ¿Por qué no nos damos los números de teléfono? Intentaré sacar tiempo para quedar este finde.

—¿Estás seguro de que podrás hacerme un hueco? —pregunta, dándose golpecitos con el lápiz en el labio inferior. El tono que ha empleado es sarcástico y por un segundo me planteo ceñirme al plan original, pero quizá no se lo merezca.

Mi entrenador del instituto me decía siempre que yo era un engreí-do. Y que eso me traería problemas, pero por ahora se ha equivocado y no pienso cambiar. Así soy yo. Así es como me ha moldeado la vida. Así es como lidio con toda la mierda.

—Puedo intentar hacer una excepción contigo.

3

Emery

Cuando regreso a mi habitación tras la clase, Kate se encuentra frente al espejo de cuerpo entero, con un vestido negro en una mano y otro esmeralda en la otra. Tiene su gracia, porque es justo lo que yo habría hecho si hubiese tenido que decidir qué ponerme.

Al principio pensé que sería algo extraño compartir habitación con una desconocida y esperar que nos lleváramos bien viviendo en un espacio tan reducido, pero por ahora ha sido bastante fácil. Hemos encontrado suficientes similitudes en nuestras personalidades como para pasar por alto las diferencias.

Ella es extrovertida y a mí me encanta quedarme encerrada en la habitación con un libro.

Ella siempre está sonriendo y yo siempre intento encontrar alguna razón para hacerlo.

Pero, a pesar de todo, nos llevamos bien.

—¿Vas a algún sitio? —le pregunto al tiempo que lanzo mi mochila sobre la cama.

—Beau me va a llevar a cenar para celebrar mi primer día de universidad. —Sonríe con timidez y se pone el vestido verde por encima—. ¿Cuál te gusta más? Hace un calor horrible fuera y estos son los dos únicos vestidos de verano que tengo.

—¿A dónde vais a ir? —pregunto al tiempo que inspecciono el vestido. Es tan guapa... ese vestido no le hace justicia.

—Umm... Mencionó algo de pizza y alitas de pollo, pero no estoy segura. Algún sitio informal, imagino —responde, y reemplaza el vestido verde por el negro. Este me gusta más, pero aún le sigue faltando algo. Necesita algo veraniego y que refleje su alegre personalidad.

Los engranajes empiezan a girar en mi cabeza. Abro mi armario y saco un vestido colorido y con estampado de flores que me compré este verano en las rebajas. No me lo he puesto nunca, y va a quedarse sin estrenar si Kate no se lo pone.

—Toma —le digo, tendiéndoselo—. Pruébatelo. Creo que va perfecto para la ocasión.

Ella abre los ojos como platos y se coloca el vestido por encima para poder verlo en el espejo.

—Guau, es precioso. Pero, Emery, todavía tiene la etiqueta. ¿No lo quieres estrenar tú?

Le hago un gesto con la mano para restarle importancia y me siento en el borde de mi cama.

—No tengo ningún plan a la vista. Además, a ti te quedará mejor.

—Eso no es verdad, pero si tú no te lo vas a poner, entonces lo haré yo.

—Todo tuyo. —Es difícil apartar la mirada del espejo cuando mueve las caderas de un lado al otro para ver el movimiento de la falda. No suelo tener nada que ofrecerle a nadie, así que esto me hace sentir bien—. Por lo que he visto hasta ahora, creo que te ha tocado la lotería con tu novio.

Ella me devuelve la mirada, pero la expresión de su rostro no es tan alegre como la que había tenido hace unos segundos.

—Venir a la universidad ha sido un gran paso para mí. Creo que este es su modo de celebrar que he sobrevivido al primer día.

Asiento y pienso en todo lo que yo misma he pasado para llegar hasta aquí. Todo lo que he sacrificado.

—Lo entiendo. Pero sí que pienso que es genial que esté aquí contigo.

Su sonrisa regresa.

—Yo también.

Mientras ella se peina y maquilla, yo enciendo mi portátil para empezar con mi lista de tareas pendientes. Tras revisar el correo para ver si hay algo nuevo, tecleo vacilante «Drake Chambers» en el buscador, dando golpecitos con el pie en el viejo suelo de madera mientras espero a que aparezcan los resultados.

¿Y si es un criminal? O peor aún, ¿y si es un miembro de esas nuevas *boy bands* por las que las chicas se vuelven locas?

Aparecen un montón de resultados y al instante sé por qué su nombre me resultaba familiar. Es el quarterback del maldito equipo de fútbol. Bajando por la lista de artículos, encuentro varias historias sobre sus días de instituto y su incorporación al Southern Iowa. Lo querían fichar muchas universidades.

Drake Chambers es toda una estrella.

—Eh, ¿qué haces? —Kate se encuentra detrás de mí, cotilleando por encima de mi hombro. Vuelvo a mirarla y advierto que se ha puesto mi vestido y que le queda realmente bien. Mucho mejor que a mí.

—Estaba buscando en Google al chico con el que tengo que hacer un trabajo en Oratoria.

—¿Por qué?

—Porque es un auténtico gilipollas.

Se acerca más y apoya el codo sobre mi hombro.

—Espera, ¿estás con Drake? ¿Cómo demonios ha ocurrido?

—¿Lo conoces? —Por supuesto que lo conoce. Seguramente haya dejado su rastro de imbecilidades por todo el campus.

Se endereza y se muerde el labio inferior.

—Debería contártelo, pero...

—Por favor, dime que no te has acostado con él. Te lo juro, Kate, nunca más podré mirarte de la misma manera —le digo, observando cómo se dibuja otra sonrisa en su rostro.

La risotada que suelta resuena en toda la habitación.

—¡Dios, no! Puede que sea un poco adicta al fútbol, sobre todo al Southern Iowa. —Hace una pausa e intenta recuperar la compostura—. Además, creo que Beau queda con él de vez en cuando. ¿Cómo es que os han puesto juntos?

Recuerdo estar buscando por el aula a alguien que pareciera no haber escogido compañero todavía y tras una primera ronda sin éxito, lo vi a él. Estaba de espaldas y con la camiseta puesta, no lo reconocí como el chico con el que me había chocado el otro día. Su cuerpo definido y esos vaqueros que le quedaban tan bien deberían haberme revelado que era deportista.

—Pues casi que lo elegí yo —admito con timidez. Puedo ser muy tonta, pero al menos lo reconozco.

—En serio, entiendo que no veas la tele o que no sigas el fútbol, pero quizá deberías empezar a hacerlo.

—Estoy jodida, ¿no? —Al menos me dio su número al final de clase y medio se ofreció a ayudarme con el trabajo. Aunque dudo mucho que me responda la llamada.

—Creo que estás más que jodida.

Apoyo la cabeza en el respaldo de la silla y pienso en todos los posibles escenarios. En realidad, podría tener palabra y ayudarme, pero por la reacción de Kate y su propia confesión, es muy poco probable que lo haga. Tiene toda la pinta de que acabaré haciendo el proyecto yo sola.

Pase lo que pase, voy a hacer todo lo posible para estar al día. Eso es lo que siempre hago, pese a los obstáculos que se me puedan poner por delante. Drake Chambers no va a cambiar eso.

—¿Has decidido ya un tema? —pregunta Drake, mientras coloca en la mesa sus cosas junto a las mías. Pasamos todo el miércoles discutiendo sobre varios temas y no llegamos a ningún consenso. Su cabezonería compite con la mía, lo que no es buena señal para ninguno de los dos.

Me lo quedo mirando, molesta. Cuando el otro día terminó la clase, acordamos que pensaríamos en algo sobre lo que hablar durante quince minutos. Me cabrea que lo haya dicho como si solamente fuera responsabilidad mía. Estoy empezando a pensar que le gusta cabrearme.

—Obviamente tendré que hacerlo sola, porque no parece que pueda contar contigo. —Bajo la mirada de nuevo, garabateando la fecha en mi libreta y esperando a que entre la profesora. Cuanto antes empecemos la clase, antes podré perderlo de vista.

Unos segundos después, lo veo acercarse por el rabillo del ojo.

—No te enfades. Ya te lo advertí. Puede que sea un imbécil, pero al menos soy sincero.

Espero a que vuelva a sentarse en su silla para lanzar una mirada en su dirección. Realmente no entiendo a este tío. Parece haber decidido que yo haga esto por mi cuenta, pero de vez en cuando también deja entrever que tiene moral. A veces resulta muy confuso.

—¿Cómo te vas a ganar la vida si el fútbol se queda en nada? Porque, ¿sabes?, no hay nada garantizado en esta vida. Absolutamente nada.

Sus fosas nasales se dilatan mientras nos miramos fijamente el uno al otro. Quizá debería tenerle miedo, pero no es así. La vida me ha puesto obstáculos mayores que Drake Chambers.

—Tú no sabes una mierda —gruñe.

—Probablemente sepa más de lo que crees —respondo, volviendo a mirar al frente.

Muy pocas personas han logrado irritarme como Drake. Me pone de los nervios cada vez que está a menos de cinco metros de distancia, pero cuando sé que lo voy a ver, también siento una emoción que no había sentido nunca antes. Me gusta discutir con él. Es un reto para mí. Quizás es por su actitud: segura, adorable en el sentido de «no me importa ensuciarme las manos» y lo bastante ingeniosa para mantenerme a raya. Nunca he conocido a nadie como él.

La batalla constante es, estimulante e irritante, a la vez, pero no voy a parar hasta ganar. Aunque todavía no haya decidido qué es exactamente lo que voy a ganar.

La profesora McGill se pasa la hora dando clase, así que no tengo tiempo de bromear con Drake... Aunque tampoco es que tenga nada más que decirle. Siento cómo me atraviesa con la mirada. Está enfadado, pero no me importa. Él es quien ha empezado.

En cuanto acaba la clase, recojo mi mochila sin molestarme siquiera en meter la libreta dentro. Solo quiero salir de aquí lo antes posible.

—¡Emery! ¡Espera!

Debería seguir caminando, pero me detengo y me doy la vuelta. Así soy yo, intentando hacer siempre lo correcto. Algún día aprenderé a hacer lo que quiero en vez de lo que se espera de mí.

—Mira, puedo quedar esta noche después del entrenamiento, si significa tanto para ti. —El tono de su voz es diferente ahora al que ha estado utilizando las pocas veces que nos hemos visto. Neutro. Sin bromear. Sin arrogancia. A juego con la muda expresión de su rostro.

—No te preocupes. Yo me encargo.

La determinación me da alas mientras me alejo. La cabezonería no me permite mirar atrás, aunque una vocecita en mi cabeza me suplica que acepte lo que me ha ofrecido. Evidentemente no es tonto, porque ya ha jugando muy bien a este juego.

Grita mi nombre un par de veces, pero lo ignoro. Es lo que yo quería..., hacerlo sentir culpable por comportarse como un gilipollas. Pero entonces, ¿por qué me siento de repente como la mala de la película?

A veces tener conciencia es una mierda.

En vez de ir a la biblioteca entre clases, como tenía planeado, decido volver a mi habitación y disfrutar de unos momentos de tranquilidad antes de ir a Biología. Igualmente estoy demasiado alterada por este estúpido trabajo para ponerme a estudiar.

Cuando abro la puerta de la habitación, Kate está tumbada en su cama con un libro de texto en el regazo.

—Hola —me saluda, levantando la mirada de sus deberes. El estrés debe de reflejarse en mi rostro, porque ladea la cabeza y me analiza con la mirada. Nunca se me ha dado bien ocultar las emociones.

—Hola —respondo, intentando fingir una sonrisa.

Ella se levanta y se acerca a mí con pasos vacilantes.

—¿Estás bien?

—Lo estaré. Oratoria ha sido hoy un poco intensa, eso es todo —contesto con sinceridad. Probablemente este ha sido el primero de muchos días difíciles, así que tengo que aprender a lidiar mejor con ellos. Pese a lo mucho que yo lo quiera, nada va a ser siempre perfecto.

—¿Quieres hablar de ello?

—No hay nada de lo que hablar realmente. —Es mentira, pero hablar de Drake no va a mejorar las cosas. Ahora mismo solo necesito unos minutos a solas para poner en orden mis emociones. Odio sentir que no tengo el control—. Ahora vengo.

Ella asiente y vuelve a sentarse en el centro de su cama. No aparta la vista de mí, y sé que me analiza mientras salgo de la habitación.

Desde que era pequeña, he lidiado así con la vida cuando esta se ha vuelto abrumadora. Es mi forma de meditación. Mi forma de manejar toda la confusión que hay en mi cabeza. Me encierro en el baño y echo el pestillo, porque ese era el único lugar de la casa adonde podía escapar. Me apoyo en la pila y respiro hondo varias veces, hasta soltarlo todo: las preocupaciones y todo aquello que no me deja ser la persona que quiero ser.

Quizá no me costaría tanto controlar mis emociones si mi madre no nos hubiese abandonado. Yo era demasiado joven para entenderlo y, a la vez, demasiado mayor para poder olvidarlo. Me hizo daño. Hundió a mi padre, que se pasaba horas fuera encargándose de la granja y, aun así, sacaba tiempo para mí todas las noches. Construimos fuertes, hicimos animales de plastilina y leímos libros. Él era mi papi, mi elemento de seguridad cuando había tormenta o crujían las viejas tablas del suelo.

Después, cuando ella se fue, siempre estuvo ocupado. Si no era el campo, era cocinar o revisar las facturas. La imaginación se convirtió en mi compañera de juegos todas las noches, lo que unas veces era bueno y otras, aterrador. Solía pensar que me gustaría ser una princesa de verdad y llevar vestidos largos, rosas y brillantes. Solía fingir que era mayor y me ponía zapatos de tacón y bolsos que ella se había dejado en casa. Aquello siempre daba pie a otros pensamientos..., como lo que mis amigas estarían haciendo con sus madres. Me imaginaba cómo sería irme de compras con ella, hacernos la manicura o acurrucarnos en el sofá para ver una peli. Cosas que nunca llegué a hacer.

Un día, no mucho después de que se marchara, oí a mi padre contarle a mi abuela que mi madre siempre había tenido sueños que nunca se harían realidad si se quedaba con nosotros. Ahí fue cuando me di cuenta por primera vez de que yo también tenía mis metas. Pero yo no quiero decepcionar a nadie como lo hizo ella para poder alcanzarlas. Estoy decidida a hacer las cosas bien... antes de cometer un error irreversible.

Tengo que recordarlo ahora, aunque se me pongan delante obstáculos como Drake. «Eso es todo lo que es», pienso mientras me enderezo y me miro en el espejo. Los mechones que enmarcan mi rostro están moldeados hacia dentro por el modo en que los tenía sujetos, y la máscara de pestañas se ha corrido por haberme restregado los ojos con la palma de las manos. Nada que un peine y una toallita no puedan arreglar.

Ojalá fuera tan fácil arreglar el dolor de mi interior. Han pasado ya años, así que necesito encontrar la forma de superarlo.

Respiro hondo y vuelvo a la habitación. Kate no se ha ido todavía a clase.

—¿Quieres acompañarme a clase? —pregunto, esperando calmar su preocupación. Estudiamos la misma carrera y compartimos Biología los lunes, miércoles y viernes.

—Sí, dame un segundo —accede, mientras mete los libros en su bolso.

Es evidente, por todas las veces que la pillo mirándome mientras coloca los libros, que todavía no está convencida de que yo esté bien. Lo último que quiero es amargar a la gente con mi mal humor.

—Esta noche tenemos grupo de estudio para Biología. ¿Quieres venir? —pregunto, mientras me siento en la esquina de mi cama. Esta es la Emery de siempre.

—Quizá. Tengo que hablar primero con Beau, para ver si tiene algún plan. —Se cuelga el bolso en el hombro y se pone las chanclas.

—Parece que pasáis mucho tiempo juntos. ¿Nunca te apetece hacer tus propias cosas? ¿Cuándo tienes tiempo de estudiar? —interrogo, mientras me descascarillo la laca de uñas. Como no responde al momento, alzo la mirada. Con la extraña tensión que ya había creado, quizá no ha sido el mejor momento para mencionar a Beau. Tampoco es asunto mío.

Ella se encoge de hombros.

—Estamos recuperando el tiempo perdido. Es difícil de explicar, pero ahora mismo necesito pasar con él todo el tiempo posible. Y no te preocupes por mis horas de estudio. Las aprovecho al máximio cuando estoy con Beau.

Sonrío.

—Vale. Supongo que si Beau fuera mi novio, yo también querría pasar cada minuto que pudiera con él.

—¿Has tenido alguna vez una relación seria, Emery?

La presión en mi pecho vuelve a aumentar y la sonrisa desaparece de mi rostro. Odio lo que le hice a Clay, pero eso no significa que no fuera la decisión correcta.

—Puede que hoy no sea el mejor día para hablar de ello.

—Lo siento. No era mi intención entrometerme —se disculpa con voz dulce, en un intento de salvar la conversación.

—No pasa nada. Quizás algún día podamos hablar de eso, pero hoy no.

Me pregunto si Kate me entendería. ¿Vería cómo es capaz mi pasado de influir en todo lo que hago, en cada una de mis decisiones? Seguramente me diría que ya es hora de pasar página... y quizá lo sea.

—¿Estás lista? —pregunta Kate echando un último vistazo al dormitorio.

—Sí, salgamos de aquí.

Me levanto de la cama y me atuso el pelo sobre los hombros. Menos mal que regresé aquí entre clases, porque tras tomarme un par de minutos a solas y haber hablado con Kate, ya me siento mucho mejor. Quizá se convierta en una nueva parte de mi ritual.

Mientras cruzamos el campus, le comento algunas ideas a Kate para el trabajo. Drake no va a ayudarme, así que necesito que mis conceptos tengan sentido para alguien.

Ella asiente con frecuencia mientras le expongo mi plan.

—En realidad, es perfecto. Nunca me he parado a pensar por qué soy como soy, y yo no conocí a mi padre, así que no tengo ni idea de si me parezco a él. Por lo que dice mi madre, seguramente no. Pero está claro que tú sí que has pensado bastante en ello.

Después de encogerme de hombros, hundo los dedos en mis bolsillos delanteros.

—Gracias. Supongo que es un tema que me apasiona.

Cuando llegamos al aula, nos sentamos juntas en la parte delantera. Nuestro profesor es un señor que está a punto de jubilarse, y no siempre se le entiende u oye demasiado bien.

—¿Vais a ir al partido de mañana, chicas? —Lo juro por Dios. Pensé que no tendría que volver a verlo en todo el día pero, por lo visto, no hay forma de huir de Drake Chambers. Hasta ahora mismo, ni siquiera sabía que estuviera en esta clase. Puede que esta sea la primera vez que viene a Biología en todo el semestre.

—Tenemos cosas mejores que hacer, como memorizar en orden todos los presidentes norteamericanos de la historia —replico, sin ni siquiera molestarme en girarme. La chulería que le faltaba antes en el pasillo ha regresado, y yo he levantado mis defensas.

—¿Y tú qué? ¿También vas a memorizar presidentes con este demonio de ojos marrones? —le pregunta a Kate. Probablemente la vea como su próxima conquista, así que voy a quitarle esa idea de la cabeza ahora mismo.

—Ella va a quedar con su sexy y encantador novio —interrumpo, mirando a Kate a los ojos.

—Creo que puede responder por sí misma. —A juzgar por el sonido de la voz de Drake, sé que se ha acercado. Cuando siento su aliento cálido en mi cuello, sé que está demasiado cerca.

Kate intercede.

—No sé por qué os molestáis siquiera en hablaros.

—Si la profesora McGill no nos hubiera asignado un trabajo en grupo a los dos, no tendríamos que hacerlo —respondo, atravesando a Kate con la mirada. Ella sabe perfectamente por qué tengo que hablar con este imbécil.

Aunque no puedo ver a Drake, todavía puedo sentirlo justo detrás de mí espalda.

—Y hablando de ese maldito trabajo, ¿vamos a quedar al final esta noche?

—No puedo. Tengo grupo de estudio.

—¿Cuándo no tienes grupo de estudio?

Cierro los ojos, intentando fingir que su proximidad no me está alterando.

—Mañana —replico y vuelvo a abrirlos. Incapaz de esconderme durante más tiempo, me giro para quedar frente a él, con la esperanza de que retroceda, de que vea la ira reflejada en mi cara y me deje en paz.

No lo hace.

Advierto que sus ojos, antes neutros, son ahora ardientes. La máscara ha desaparecido y se muestra lo que había debajo. No es que me guste, pero quiero que ardan todavía más.

—Tengo partido —contesta por fin.

—Pues entonces va a tener que ser el domingo. —Intento mantenerle la mirada, pero sus perfectos labios rosados son difíciles de ignorar. Imposible, de hecho.

—Como quieras, pero no me levantaré hasta las doce por lo menos, porque hay una fiesta mañana por la noche —dice tan tranquilo. Como si fuera algo que debiera saber. Esos labios ya no me parecen tan perfectos... De hecho, cuanto más abre la boca, menos me gustan.

—Sí, odiaría que te perdieras la fiesta. Nada mejor que perder una noche emborrachándote.

Kate suelta un quejido.

—En serio, chicos. La clase está a punto de empezar.

—No lo soporto —le susurro a la vez que me giro sobre la silla.

—Ya lo veo. ¿Podéis acabar la conversación luego?

Drake vuelve a sentarse en su silla y me concede el espacio que tanto deseaba.

—Te llamaré el domingo cuando me levante.

—¿Le has dado tu número de teléfono? —pregunta Kate con los ojos como platos.

—Por supuesto. —Drake sonríe con suficiencia, mientras juguetea con el lápiz entre sus dedos.

—Dios, lo odio —digo mientras esperamos al profesor.

—A veces la gente confunde el odio con la atracción —comenta Kate ensanchando la sonrisa aún más.

—¿Alguna vez odiaste a Beau? —digo, sin perder ni un instante.

—No —contesta sin que pase un solo segundo de vacilación.

—Pues eso.

4
Drake

El día de hoy terminó con otra victoria, por lo que la fiesta de esta noche va a ser brutal. Algunos sábados por la noche me animo a ir, pero otros preferiría quedarme en casa. Esta noche me decanto más por la última opción.

Los hombros me están matando, y como tuve una caída fuerte de costado, tengo un moratón considerable en la cadera. El cuerpo me está pidiendo a gritos que descanse, pero siempre me siento obligado a ir porque soy el quarterback, el líder del equipo.

Esta noche voy en coche con Gavin y, con suerte, podré escaquearme tras un par de copas para poder dormir bien.

—¿Alguna tía en cola para esta noche? —pregunta cuando nos detenemos en un semáforo. Hemos conseguido hacer el camino hasta aquí en silencio, escuchando canciones de rap en la radio.

—No, tío, ya sabes que a mí no me va ese rollo. Eso os lo dejo a vosotros. —Desde el día que puse un pie en el campus el pasado año, sentí que no tenía nada que ver la imagen que mis compañeros de equipo tenían de mí y cómo soy realmente. Al principio me incomodaba porque era el nuevo, el pringado de primero, pero creo que ya se han acostumbrado.

—No actúes como si fueras perfecto, Drake. La universidad no debería ser tu pase a la santidad. —Aparca frente a la casa donde se va a celebrar la fiesta y apaga el motor—. Diviértete un poco.

Ignorándolo, abro la puerta y salgo al cargado aire del verano. Voy a necesitar otra ducha cuando vuelva esta noche a mi habitación, porque este tiempo húmedo y cálido resulta agobiante. Camino por la acera que lleva hasta la enorme casa de ladrillo y subo los escalones de dos en dos. Desde fuera se ve que ya está abarrotada de gente, por lo que dentro hará un calor horroroso.

Me giro antes de entrar, con lo que casi hago chocar a Gavin contra mi pecho.

—No he dicho que sea perfecto. Además, no hace falta tirarse a una chica distinta cada fin de semana solo porque juguemos a fútbol.

Bajo la luz del porche, veo a Gavin abrir los ojos como platos. Dejo que me fastidie con un montón de cosas, pero estoy harto de escuchar la misma cantinela.

—Entremos y emborrachémonos.

Sin dejar que responda, abro la puerta y entro en el vestíbulo, quedando a la vista de todos los que están en el enorme y atestado salón. La multitud estalla como cuando completo una jugada en el campo. Esta es la parte que odio. La atención. El pedestal invisible. Yo no soy así.

Gavin me da unos golpecitos en la espalda y me empuja hacia delante.

—La hora del espectáculo, Chambers.

Pongo la sonrisa de siempre y me abro camino entre la multitud, chocando los cinco al azar. Hace muchísimo calor aquí dentro, y los cuerpos están tan pegados que tengo que hacerme hueco con el hombro para poder pasar. Unas cuantas chicas se restriegan contra mí cuando paso por su lado, pero yo no les sigo el juego. No estoy de humor esta noche.

Si encuentro las bebidas y me bebo un par de ellas rápido, me soltaré. Podré poner buena cara y luego salir corriendo.

Cuando localizo el barril de cerveza junto a la puerta de la cocina, me abro paso con más ímpetu. Necesito espacio y beber algo frío. Es difícil pasar cuando todo el mundo quiere manosearte.

—¡Pero si es Drake Chambers! Buen partido, tío. —No conozco al tipo con la camiseta de la fraternidad, pero está a cargo del barril de cerveza, así que eso lo convierte en alguien aceptable.

—Gracias —digo, cogiendo de su mano un vaso lleno de líquido dorado. Me lo bebo rápido y vuelvo a pasarle el vaso para que me lo rellene.

—Perdiste un par de buenos pases abajo, cuando los receptores estaban desmarcados. ¿Cómo no los viste, tío?

Genial... de puta madre. Todas las semanas, sin importar lo bien que haya jugado, siempre oigo que lo podía haber hecho mejor. Siempre que alguien intenta darme lecciones de fútbol, recuerdo cuando era más joven y eso es lo último que quiero hacer ahora mismo. Mi padre señalaba cada lanzamiento que hacía mal, cada vez que mis piernas no eran lo bastante rápidas y cuando placaba a otros jugadores de forma innecesaria. Mi equipo ya podía ganar con una diferencia de treinta puntos, que para él nunca era suficiente.

Soporto mucha presión para tener que escuchar, además, la voz de mi padre en mi cabeza. No necesito que me digan que puedo ser mejor. No necesito oír que no soy perfecto. Me agotaba toda esa mierda. Todo el mundo me analiza. Supongo que es lo que ocurre cuando estás en el punto de mira.

—Es fácil opinar cuando no se está en el campo. Las cosas son muy distintas cuando tienes a unos tíos de ciento treinta kilos corriendo detrás de ti.

—Esos no pesaban más de cien ni de coña —se burla. Me tiende el vaso lleno y me aparto enseguida para no tener que escuchar más gilipolleces. Como la estrella del equipo que soy, se supone que debo evitar meterme en líos, y escuchar a este tío más tiempo va a provocar que me meta en uno.

Echo un vistazo rápido a la estancia y localizo a varios compañeros de equipo apiñados en una esquina, por lo que me abro paso para alcanzarlos. Ellos sí que no van a cuestionar mis habilidades.

No he avanzado demasiado cuando una mano pequeña y huesuda se encarama a mi bíceps.

—Drake.

Sé que es Olivia sin tener que girarme. El año pasado, después de una noche de mucho alcohol, acabé en la cama con ella. Me arrepentí en cuanto me desperté a la mañana siguiente y, desde entonces, no ha sido capaz de aceptar un no por respuesta.

Miro por encima del hombro y la veo ataviada con una de las minifaldas más cortas que haya visto y un top diminuto a juego. Aunque tampoco es que me sorprenda.

—¿Qué quieres, Olivia?

Mueve hacia mi hombro una mano de manicura perfecta y acerca los labios a mi oreja.

—¿Quieres venir arriba? Hace mucho que no te veo...

—Voy a estar con los chicos esta noche —me excuso, mientras intento desasirme de ella.

Sus largas uñas se clavan en mi brazo y me retienen.

—Por favor, te echo de menos. —Sus carnosos labios rosados forman un puchero mientras se enrolla en el dedo un mechón de cabello rubio, que le llega hasta los hombros. Está buena, eso se lo concedo, pero no es lo que busco. Aunque tampoco es que vaya buscando nada en particular ahora mismo.

—No vamos a estar juntos. Nunca.

Se relame el labio inferior, mientras me mira fijamente los míos.

—Ya lo estuvimos.

—Fue un error —digo en voz baja, sacudiendo el brazo hasta soltarme. Lo último que quiero es que me monte una escena.

—¡Aquí, Chambers! —me grita uno de los chicos. Paso junto a Olivia que, con suerte, se mantendrá alejada de mí el resto de la noche.

—¡Drake! —la oigo gritar a mi espalda. No miro atrás. Ojalá hubiera alguna forma de borrar esa noche que pasamos juntos, porque ahora no merece la pena. Ni entonces lo mereció.

Cuando por fin alcanzo a los chicos, me saludan chocando los cinco y con un vaso de cerveza. Si pudiera quedarme encerrado en esta esquina del salón, lo que queda de noche no estaría tan mal.

—Una semana de descanso y luego Michigan State vuelve a las andadas. ¿Estás preparado? —Es Cooper, uno de los extremos defensivos.

—Siempre lo estoy, pero con una semana extra para prepararnos, mejor que se anden con cuidado. ¿Habéis estado viendo partidos? —pregunto antes de darle otro sorbo a mi cerveza fría.

—Qué va, empezaremos el lunes. Poco a poco —responde Cooper y fija la mirada en la abarrotada multitud—. ¿Qué hay entre Olivia y tú?

Hago una mueca y me masajeo la nuca.

—Nada. Nada de nada.

—Está mirando hacia aquí, y si yo fuera tú, iría tras ella. Puede que te relaje para el gran partido.

Miro atrás y la veo apiñada con un par de amigas. Los tres pares de ojos están clavados en mí. No quiero ni pensar en lo que estarán hablando.

—Estaré relajado, no te preocupes.

Cuando vuelvo a girarme, veo que todos mis compañeros de equipo tienen toda la atención puesta en las chicas.

—A la mierda —digo, y me apuro la cerveza antes de volver a abrirme camino hasta el barril. Mi plan de irme tras un par de cervezas fracasa, y lo que queda de noche se vuelve borroso.

Si me preguntaran cuántos años tenía cuando empecé a ser un gilipollas, no sabría qué responder. Vino pieza a pieza... como un puzle. Era como si cada día me implantaran un chip en el hombro. Un nuevo problema para el que tendría que encontrar solución.

Todo ello ha creado una presión que no hace más que aumentar con los años. No tengo mucho tiempo para detenerme a pensar en ello, pero cuando lo hago, no me siento feliz con la persona en la que me ha convertido.

No era más que un niño que montaba en bici y jugaba en el equipo de fútbol del pueblo cuando, de repente, me vi cuidando de mi madre y de mis dos hermanas pequeñas. No fue justo, pero tuve que jugar con las cartas que me habían repartido.

Lo hice lo mejor que pude, pero nunca parecía suficiente. Mi madre se hundió, y no poco a poco, de un modo predecible. Cada mañana solía prepararnos el mejor de los desayunos, incluso nos quitaba la corteza de los sándwiches, pero todo eso cambió de forma radical. Se convirtió en alguien que apenas salía de su habitación y yo no lograba entenderlo a tan tierna edad.

Todavía sigo sin comprender por qué nos «dejó», pero intento mantener la compostura. Trato de ser un buen ejemplo para mis hermanas, aunque no siempre es fácil.

A mí mismo no me gusta cómo me he estado comportando con Emery. Soy un cabrón, un imbécil, un gilipollas... Cualquier insulto que me venga a la mente. Ni se merece mi basura, ni ha pedido entrar en este mundo que me he creado. Pero tampoco es que yo haya pedido que las circunstancias de mi vida me hayan hecho así.

Cojo el móvil de la mesita de noche y marco su número, en parte rezando por que no responda y a la vez deseando que lo haga. Anoche bebí un poco más de la cuenta, y estoy pagando las consecuencias esta mañana. Tengo la boca seca. Me martillea la cabeza. No estoy de humor para estudiar, pero siento que se lo debo.

—Hola —responde con voz dulce y perpleja.

—Hola, Emery, soy Drake. —Cierro los ojos con fuerza y me paso los dedos por el pelo. Probablemente haya sonado como un idiota.

—Sé quién eres... Pero la verdad es que no esperaba que llamases.

Me estremezco. Siempre dice lo que piensa; eso se lo concedo.

—Te dije que lo haría. Soy el gilipollas sincero, ¿recuerdas?

—Vale, gilipollas sincero. Intentaré recordarlo.

Tras respirar hondo, prosigo.

—Mira, siento lo del otro día. Estaba teniendo una mañana horrible y lo pagué contigo.

Su voz es suave cuando responde.

—Lo entiendo. Pero es que la universidad y mis notas son muy importantes para mí.

—Lo sé —la interrumpo. La universidad es su fútbol. Lo pillo.

—Necesito saber si vas a colaborar o no. Si no, tengo que avanzar ya por mi cuenta. —Su voz es baja, casi triste. Como si fuese a romperse algo en su interior si no la ayudo.

Esta mañana, cuando estaba tumbado en la cama, decidí que iba a tratar esto como al fútbol. Soy el compañero de equipo de Emery y sería muy cobarde defraudarla. No se trata de lo que quiera o no hacer, sino de lo que es mejor para el equipo.

—Cuenta conmigo.

La oigo soltar un profundo suspiro. Sí que he estado llevándola al límite de su paciencia.

—¿Puedes quedar esta tarde? Tenemos que escoger un tema para poder empezar a investigar —propone con la voz llena de esperanza.

—Sí, por eso te llamaba. ¿Puedes quedar en una hora? —Me restriego los ojos con la palma de una mano, tratando de estar en la mejor forma posible para estudiar.

—Sí, nos vemos en la cafetería, pero no me dejes plantada, Drake. No suelo dar segundas oportunidades.

Hago una mueca y me rasco la frente. Odio el café. En realidad, puede que «odiar» no sea una palabra lo bastante fuerte.

—Allí estaré —prometo con vacilación, y cuelgo antes de que ella tenga tiempo de cambiar de opinión.

Vuelvo a tenderme en la cama, sintiéndome un poco mejor conmigo mismo. Pasarme parte del domingo trabajando en este proyecto no va a matarme... Es lo correcto. Por desgracia, un abrumador olor a cerveza barata golpea mis sentidos en este momento, así que tengo que darme una ducha antes de ir a ningún lado. Saco un par de vaqueros limpios del armario y una camiseta gris de la cómoda. Me alegro de que sean medianamente actuales, porque son todo lo que tengo. En realidad, todo lo que me puedo permitir.

Cuando salgo al pasillo, me sorprendo del silencio. Es un cambio agradable respecto al habitual alboroto. Si mi conciencia me lo permitiera, volvería a la cama y me pasaría el resto del día durmiendo como los demás.

Me ducho tan rápido como el dolor de cabeza me permite. El agua caliente sienta de maravilla a mis doloridos músculos y me recuerda que no es tan mala idea pasar por la sauna después.

Tras vestirme y cepillarme los dientes un par de veces para eliminar el olor a alcohol, me encamino hacia donde he quedado con Emery. Lo último que quiero es llegar tarde a mi segunda oportunidad, porque algo me dice que hablaba en serio con que era la última.

El otoño está asentándose y las temperaturas son un poco más bajas que ayer. Me lleva solo unos minutos llegar a la cafetería y, para mi sorpresa, llego hasta diez minutos antes. Supongo que es preferible eso a lo contrario, dada mi actual situación con Emery. El lugar está abarrotado, y solo queda libre una silla en la barra, lo cual no nos sirve de nada. Me quedo de pie junto a la pared y la puerta, esperando a Emery antes de tomar ninguna decisión sobre qué hacer.

Por suerte, no tarda demasiado. Aparece en la puerta un par de minutos después con un enorme bolso colgado del hombro. Está buenísima con esos vaqueros ceñidos y esa camiseta negra ajustada. Creo que su sencillez la distingue del resto de chicas, y supongo que la sencillez es sexy.

—Hola —saluda, mientas se coloca un mechón detrás de la oreja. Me he fijado en que suele hacerlo a menudo.

—Hola —le contesto, metiendo las manos en los bolsillos—. No he podido coger mesa. ¿Quieres ir a algún otro sitio?

Ella sonríe y mira por encima del hombro hacia la ventana.

—¿Por qué no pedimos y nos sentamos junto al río?

Saco la mano del bolsillo y me acaricio el mentón. Lo que propone suena bien, pero también demasiado íntimo para mi gusto. No lidio bien con la intimidad.

—Hay un montón de gente estudiando fuera —añade, ajustándose la correa del bolso en el hombro. Sus ojos brillan cuando pasa la mirada de mí a la ventana. ¿Cómo se supone que voy a decirle que no a esos enormes ojos marrones?

—Vamos junto al río, pues —digo, colocando una mano en su lumbar para guiarla hasta el mostrador. No me doy cuenta de que lo he hecho hasta que estamos a medio camino, pero no soy capaz de apartarla. Me siento mejor de lo que admitiré jamás.

Retiro la mano cuando nos detenemos al final de la cola.

—¿Qué vas a pedir? —pregunta mirándome.

—No lo sé. No soporto el sabor del café.

Ella señala la carta del tablón con su uña de color púrpura.

—Apuesto a que los *smoothies* están buenos. Nunca he probado ninguno, pero sí que me he fijado en que la gente suele pedirlos.

—Sí, los probaré. ¿Tú qué quieres? Pago yo.

Ella se gira a mirarme con los ojos abiertos como platos. Mi oferta le llega por sorpresa, es evidente, ¿pero tan mal me he comportado?

—No tienes por qué hacerlo.

Me inclino hacia ella, pegando el pecho a su espalda.

—Solo es un café, Emery. No discutas conmigo por esto. Además, creo que te lo debo.

—En realidad no, pero como no estoy de humor para discutir, quiero un café moca mediano, con hielo y sin nata —indica, cruzándose de brazos. Es cabezota, pero me gustan los retos.

Retrocedo para darle un poco de espacio, pero todavía sigo lo bastante cerca para oler su perfume. Normalmente no los aguanto, pero el de ella me recuerda a fresas con un toque a vainilla. Es sexy y a la vez descarado, pero sin ser demasiado penetrante. Por lo que conozco de ella hasta ahora, le va como anillo al dedo.

—Siguiente —llama la camarera indicándome con la mano que me acerque.

Adelantándome al mostrador, pido las bebidas y pago. No me piden el nombre, pero no debe de ser un secreto porque, un par de minutos después, me llaman y nuestras bebidas aparecen al final de la barra. Tras tenderle a Emery su café, salimos y nos dirigimos al río.

Este es mi segundo año y nunca me había tomado tiempo para sentarme fuera en el césped. Es difícil que piense en esas cosas cuando rara vez tengo tiempo libre. Cada minuto extra se lo dedico al fútbol... Mi padre me enseñó a dejarme el alma en ello.

—Estás bastante callado —dice Emery, interrumpiendo mi alud de pensamientos.

—¿Entonces qué? ¿Me has buscado en Google?

—¿Qué? —pregunta, y una risa nerviosa sale de su garganta.

—El otro día, en clase... sabías que jugaba al fútbol.

—Ah, sí —admite sacudiendo la cabeza—. No pensarías que podría trabajar contigo sin saber quién eras, ¿no?

—No esperaba menos de ti.

Ella se detiene a unos cinco metros del río y saca una manta de franela del bolso. No me extraña que esa cosa estuviera tan llena.

—¿Este sitio está bien?

Analizo la zona para asegurarme de que no haya nadie que conozca. No es que me avergüence de ella, pero no quiero que nadie saque conclusiones precipitadas. Un chico y una chica, solos, sobre una manta, es como tener «pareja» escrito en la frente, y más por aquí. Y por ser quien soy, el cotilleo se extendería como la pólvora por todo el campus.

—Sí, no está mal.

Cuando vuelvo a mirar hacia ella, tiene los labios fruncidos alrededor de su pajita y un brazo sobre el pecho.

—¿Hay algún problema, Chambers?

Mis labios esbozan una sonrisa; no puedo evitarlo.

—Solo estoy asegurándome de que nadie me vea contigo. No quiero arruinar tu reputación.

Ella pone los ojos en blanco y deja caer el bolso por su brazo.

—No creo que tenga ninguna.

—Claro que la tienes... pero no lo sabes porque no es tan emocionante.

—¿Y qué te hace pensar eso? —La observo mientras se acopla en la manta con las piernas cruzadas.

Hago lo mismo que ella, sentándome a medio metro de distancia.

—Porque nunca he oído hablar de ti.

Pasa la mano por el césped y arranca un par de hierbajos. Me pregunto qué es lo que esconden sus ojos, porque no me mira.

—Aun así, es mejor que tener una mala reputación —contesta por fin.

—Sí, supongo que tienes razón.

La atmósfera que hay entre nosotros es relajada, pues ambos estamos concentrados en el agua turbia del río. El *smoothie* de frutas del bosque que pedí en la cafetería no está nada mal... Al menos me mantiene ocupado mientras Emery piensa en lo que sea. Por norma general, me da bastante igual lo que los demás tengan en la cabeza, pero esta chica es un libro cerrado. Me pica la curiosidad.

—¿En qué piensas?

Suelta la pajita de entre sus labios y mira al cielo.

—Se está genial aquí.

—¿Eso es todo? —la interrogo alzando una ceja. Sus enormes ojos almendrados se entrecierran por culpa del sol. Me fijo en ellos... son difíciles de ignorar.

Se aclara la garganta.

—Temas de los que hablar. ¿Se te ocurre algo?

—Sinceramente, lo único que conozco es el fútbol. Lo único que me interesa es el fútbol —digo, pasándome una mano por el cabello.

Ella ladea la cabeza hacia mí y entorna los ojos.

—¿En serio, Drake?

—En serio. No tengo tiempo para aprender nada más.

—Sí. ¿Qué hiciste anoche?

—Fui a la fiesta que hubo después del partido.

Asiente y apura su bebida con la pajita.

—Podemos hacerlo sobre el consumo de alcohol en adolescentes.

Tiene que estar de coña. Es lo más tópico del mundo... Paso de repetir lo que muchos ya han dicho.

—Primero, tengo veinte años. Y segundo, preferiría dar un discurso y no un sermón —aclaro, mientras dejo mi vaso vacío en el suelo y me abrazo las piernas.

—¿Y si lo hacemos de la genética en oposición a la educación? He leído sobre ello y es muy interesante.

—¿Y por qué no de coches?

Frunce los labios. Si las miradas matasen, yo ya estaría muerto en el césped.

—¿En serio?

—No, estaba de broma, pero ha merecido la pena ver la cara que has puesto. —Hago una pausa y la veo poner los ojos en blanco—. Cuéntame algo más sobre eso de genética y educación. ¿Por qué quieres hacerlo de eso?

Ella mira a su alrededor, incómoda, relamiéndose los rosados labios.

—Porque yo misma soy la prueba de que la genética es tan importante como la educación.

Estoy más perdido que un puto pulpo en un garaje.

—¿Qué?

Emery inspecciona la zona de hierba que hay detrás de nosotros antes de continuar.

—Crecí con mi padre, pero soy muy parecida a mi madre. La mayoría de mis gestos y forma de comportamiento son idénticos a los de ella.

Asiento y espero a que prosiga. La tristeza es evidente en sus ojos. Una que no suelo ver en los demás. Me hace querer saber más.

—Ella era soñadora. Yo soy soñadora. Ella era luchadora y yo siempre tengo los guantes de boxeo puestos. —Una leve sonrisa ilumina su rostro. Creo que ya la he visto con los guantes puestos, y sí que sabe cómo usarlos.

—¿Nunca viste a tu madre mientras crecías?

Asiente y baja la mirada hasta sus manos.

—Hasta que tuve cuatro años, y luego una vez más.

Esta pequeña revelación me ha hecho ver una nueva faceta de ella. No es perfecta. No ha tenido una vida perfecta. Tiene sus problemas, al igual que yo tengo los míos.

Me gustaría discutir que ambos mostramos más de educación que de genética. Cabezota. Difícil. Eso es un producto de lo que nuestros padres nos hicieron, no de lo que nos dieron.

—Lo siento.

—No pasa nada. Lo que no nos mata, nos hace más fuertes, ¿no? —dice sin mirarme directamente.

Asiento y me vuelvo a peinar con la mano. La conversación está entrando en un terreno demasiado personal; es hora de volver a lo que vinimos a hacer.

—¿Vamos a separar las partes, o cómo quieres hacerlo?

—¿Otra vez tengo que tomar yo las decisiones?

—De vez en cuando cedo el control —bromeo.

—Vale, ¿qué tal si yo hago la parte de la genética y tú la de la educación? Yo me siento más segura con esa parte, así que debería ser fácil.

—Da la casualidad de que yo pienso de la otra manera. Veremos quién convence a la clase. —Le guiño un ojo; ahora la conversación tiene también un matiz competitivo.

—Trato hecho.

—Entonces, como no lo vamos a hacer de fútbol, ¿te puedo dar unas cuantas lecciones? Sería como un intercambio.

—¿Qué te hace pensar que no conozco ya todo lo que hay que saber de fútbol?

Me río.

—Para empezar, no sabías quién era.

Pone los ojos en blanco.

—Solo es la universidad. No se trata de los equipos profesionales.

Sip, no tiene ni pajolera idea.

—En esta parte de Estados Unidos, la liga universitaria es más importante que la nacional.

—Bueno, supongo que esa era la lección número uno. ¿Podemos centrarnos ya en lo importante? —pregunta, mientras se descascarilla la laca de uñas.

Me inclino hacia ella despacio, hasta sentir que reacciona a mi cercanía. Sería tan fácil pegar mis labios a los suyos, sentir su reacción. Algo me dice que no me rechazaría.

—La próxima vez podemos trabajar en los placajes, porque los lanzamientos y la recepción ya sé que los dominas.

Ella se burla, moviéndose en dirección contraria a la mía.

—Ni en sueños, Chambers.

Nos pasamos la siguiente media hora hablando del trabajo y de la vida en general. Ahora que lo pienso, no me arrepiento de haber venido. De hecho, ojalá nos hubiésemos podido quedar más tiempo allí. Es fácil hablar con ella, y la verdad sea dicha, no me gusta hablar de cosas que no estén relacionadas con el fútbol.

5

Emery

Esta semana me ha parecido eterna, entre las agotadoras sesiones de estudio y las clases. Por una vez, me alegro de que sea viernes porque hasta yo necesito un descanso de vez en cuando.

La universidad ha sido todo un cambio al que estoy acostumbrándome.

Antes de los exámenes hay más deberes e información más compleja que memorizar. Mirándolo por el lado bueno, Drake se ha encargado de su parte de la investigación desde que quedamos el fin de semana pasado, lo que ha aliviado el agobio que tengo encima. A estas alturas, todavía no estoy segura del resultado, pero al menos no tengo que hacer todo el trabajo yo sola.

Pero esta noche no voy a pensar en todo eso. Voy a salir de mi zona de confort y dejar a un lado el tema académico. Kate no iba a aceptar un no por respuesta cuando me pidió que saliéramos hoy... y eso es lo que llevo haciendo desde que llegué. Y, además, estoy siendo realista. Sé que la situación empeorará a lo largo del curso, así que voy a disfrutar del poco tiempo libre mientras lo tenga.

—¿Estás lista? —pregunta Kate, peinándose por centésima vez.

—No me decido sobre qué ponerme. ¿A dónde dijiste que íbamos? —Esta situación me está poniendo nerviosa por alguna razón y, aunque ya me lo ha dicho dos veces, no logro recordarlo.

—Es un billar.

Suspiro. Otra vez. No se parece a mi idea de diversión.

—¿Qué lleva la gente a un billar?

Se da golpecitos en la barbilla con el dedo índice y frunce los labios.

—En realidad nunca he estado en uno, pero supongo que vaqueros. ¿Qué tal unos vaqueros y una camiseta de tirantes bonita?

Cuando devuelvo mi atención al armario, lo primero que veo son mis botas marrones de *cowboy*. Nunca me he considerado una persona que vista a la moda, pero intento estar más o menos al día.

—¿Qué tal unos pantalones cortos con las botas? ¿No es demasiado putero?

La carcajada que sale de su garganta casi la hace rodar por el suelo. Es una de las cosas que más me gusta de nosotras... Hemos sido capaces de encontrar pequeñas cosas de las que reírnos.

—No, suena mono. Ni putero, ni de zorrona, o de golfa... suena mono —dice cuando puede recuperar el aliento.

—Vale, pero ¿qué camiseta me pongo con eso?

—Umm... —Se coloca a mi lado—. ¿Y esta? —Saca una camiseta sin mangas negra con un adorno de cuentas arriba, pero yo niego con la cabeza. Las noches ya han refrescado y, para mi gusto, esa enseña demasiada piel.

Vuelve a colocarla en el armario y esta vez, saca, una camiseta blanca de manga corta. La reconozco; tiene escote en pico y se amolda a mis curvas perfectamente.

—Esa sí me sirve —asiento, agarrándola. Me visto con celeridad e, incluso, dejo que Kate me pase las tenacillas un par de veces por el pelo. Cuando termina me maquillo un poco y me quedo quieta frente al espejo. Abro bien los ojos mientras me giro a un lado y al otro. Estoy muy guapa... Quizá la universidad acaba siendo algo más que un paso clave a mi futuro.

—¿Lista? —pregunta Kate recogiendo su bolso negro de la cama.

—Sí. —Cojo un jersey amarillo del armario para más tarde y la sigo hasta la puerta—. ¿Quién decías que iba a estar allí?

Ella se encoge de hombros.

—Beau y algunos de sus amigos. Mi amiga Rachel va a intentar venir para que por fin puedas conocerla. No es nada del otro mundo.

—Nunca he jugado al billar, así que quizá solo miro.

—Emery, vas a jugar. Yo solo he jugado una vez en mi vida, así que estamos casi igualadas. De hecho, es bastante probable que seas mejor que yo porque a ti todo se te da bien —puntualiza, mientras abre las puertas del coche.

—Lo que tú digas.

—Relájate. Vamos a pasarlo bien esta noche... Te lo prometo.

Mentiría si dijera que no estaba nerviosa. Nunca fui a este tipo de sitios en casa, porque me repetí una y otra vez que no era mi estilo. Me convencí a mí misma de que no sacaría buenas notas si me lo pasaba bien. Tengo que admitir que siento como si me hubieran quitado un peso de los hombros, porque ahora mismo solo pienso en esta noche.

Las manos me sudan cuando estacionamos en el aparcamiento de gravilla que hay junto al bar. Mi lado tímido me suplica que le diga a Kate que me lleve de vuelta a casa, mientras que mi lado aventurero, que mantengo encerrado con llave, se muere de ganas por salir del coche.

—¿Lista? —pregunta Kate.

Respiro hondo y me desabrocho el cinturón. Necesito dejar de pensar tanto y simplemente actuar.

—Vamos a patear algunos culos al billar.

Sin esperar su respuesta, salgo del coche y estiro los brazos por encima de la cabeza. La mayoría de plazas de aparcamiento están ocupadas, lo que significa que el bar estará abarrotado.

—¿Siempre hay tanta gente en este sitio?

Kate se coloca a mi lado y pulsa el botón para cerrar el coche.

—No lo sé. Beau me dijo que era la noche de los dos dólares, sea lo que sea eso.

Asiento y comienzo a caminar hasta la entrada junto a Kate. La gravilla suena bajo mis botas, una melódica interrupción de las voces de mi cabeza que me suplican que vuelva al coche y me aleje de allí tan rápido como pueda.

El edificio no es gran cosa desde fuera. Parece un rectángulo rojo con una puerta negra. El tejado apenas tiene inclinación y el letrero de «Billares Jake» que hay arriba parece llevar sin pintar varios años. Definitivamente, no es la clase de lugar que atrae cuando se pasa junto a él con el coche.

En cuanto entramos, el olor a cerveza y palomitas satura mi olfato. De inmediato observo la vieja y raída alfombra verde y las sillas de piel negras que rodean las mesas de madera. Excepto por unas cuantas señales luminosas de cerveza, las paredes están vacías. En el área interior, llena de mesas de billar, hay unas cien personas, mayormente tíos.

—¿Están ya los chicos? —pregunto, mientras me agarro al antebrazo de Kate para no perderla.

La observo mientras echa un vistazo por la estancia. Cuando aparece una sonrisa en su rostro, sigo la dirección de sus ojos y localizo a Beau en un rincón, con un palo de billar en la mano.

Empiezo a caminar en esa dirección, ansiosa por apartarme de la atiborrada entrada, pero Kate me retiene.

—Emery, tengo que decirte algo antes de que vayamos para allá.

—¿Sí?

Se mueve, incómoda, jugueteando con los dedos.

—Bueno, puede que esta noche solo seamos yo, tú, Beau y otro chico.

—Eh... ¿A qué te refieres? —pregunto, masajeándome la nuca.

Hace una mueca y da un paso atrás.

—Bueno, es como una cita a ciegas. Pero doblemente a ciegas, porque ni siquiera te lo he dicho.

Miro por encima del su hombro para ver de quién se trata. Es todo tan repentino... Ni siquiera sé qué debería sentir ahora mismo.

—Entiendo que estés enfadada, pero espero que te quedes. No te veo disfrutar apenas y pensé que te lo pasarías bien. Beau dice que es buen tío. —Da otro paso atrás; probablemente sea lo mejor a estas alturas.

—¿Por qué no me lo dijiste?

—¿Habrías venido?

No respondo. Ambas sabemos qué habría pasado.

—Dale una hora. Si no te lo pasas bien, te llevo de vuelta a casa —suplica entrelazando las manos.

Miro a mi alrededor y compruebo que la mayoría de gente está riendo y pasándoselo bien. Con suerte podré aguantar sesenta minutos.

—Vale. ¿Cómo se llama?

Kate salta como si hubiera ganado la lotería.

—Eric —chilla.

Niego con la cabeza, mientras nos abrimos camino hasta los chicos.

Tengo el presentimiento de que voy a pasar una incómoda hora. El chico que hay junto a Beau es un poco más bajo que él y tiene el pelo oscuro, lo bastante largo para apreciarse que lo tiene ondulado. Y sus pestañas... son sorprendentemente largas y negras.

—¿Cómo estáis, chicas? —pregunta Beau cuando nos acercamos. Nos saluda a ambas, pero tiene la atención puesta en Kate.

—Bien —respondo, sujetándome las manos a la espalda.

Beau señala al chico que supongo que es Eric.

—Oh, Emery, este es Eric. Eric, esta es Emery.

Lo saludo tímidamente con la mano; no sé exactamente qué se hace en una cita a ciegas.

—Encantado de conocerte.

—Igualmente.

Lo sucede un largo e incómodo silencio. Daría lo que fuera por conseguir una poción mágica que me hiciera desaparecer ahora mismo.

—Esto... Beau, ¿me acompañas a comprar palomitas? —pregunta Kate.

Mierda. Ya está maquinando para dejarme a solas con el chico. Yo no accedí a esto.

—Sí, ¿queréis vosotros algo de beber? —pregunta Beau, apoyando la mano en la nuca de Kate.

Entrecierro los ojos en dirección a Kate, pero también consigo sonreír ligeramente.

—Yo quiero una Coca-Cola o una Pepsi..., lo que tengan.

—Yo también —responde Eric, metiéndose las manos en los bolsillos.

Me cruzo de brazos mientras observo a Beau y a Kate alejarse. Ahora mismo los odio un poco. Preferiría dar un discurso en el Senado o cantar en la televisión, antes que asistir a una cita a ciegas.

—¿Has venido aquí antes? —pregunta Eric para romper el silencio.

—No —respondo, mientras me entretengo mirando cómo juegan al billar en la mesa de al lado.

—Yo tampoco.

Me pongo de puntillas, intentando mirar por encima de la multitud. Beau y Kate deberían darse prisa porque no voy a poder aguantar mucho más.

—¿Y de qué conoces a Beau?

—Estamos en un par de clases de ingeniería juntos.

—Guay.

Él se encoge de hombros.

—No está mal.

Esta conversación podría ganar el premio a la más interesante de la historia.

—Y...

—Nunca me habría imaginado verte aquí. —Reconozco la voz al instante. Miro por encima del hombro y veo una sonrisa de suficiencia que me resulta familiar.

—Y yo nunca habría imaginado que vendría —contesto, mientras me giro. Está guapo esta noche, con esos vaqueros desgastados que se le ciñen a los muslos y esa camiseta azul marino que tiene el mismo efecto en el pecho y los bíceps.

Su sonrisa se ensancha conforme sus ojos van bajando por mis piernas hasta llegar a los pies.

—Bonitas botas.

De repente me siento insegura de haber elegido esa ropa y cruzo las piernas por los tobillos.

—A mí me gustan.

—No he dicho que a mí no.

Eric se aclara la garganta y me recuerda que sigue aquí. Siento como si estuviera en un doble infierno.

—Ehh... Creo que no nos conocemos. Me llamo Eric.

Eric alarga el brazo, pero Drake nos mira a mí y a él de forma intermitente antes de estrecharle la mano.

—Drake.

Eric asiente.

—Sí, sé quién eres.

El silencio vuelve a hacer acto de presencia y los tres nos quedamos pasmados con los brazos cruzados. Yo busco con la mirada constantemente a Beau y Kate, pero no los encuentro.

Voy a matarla.

Drake habla por fin, acabando con el voto de silencio.

—Bueno, un placer verte, Emery, te dejo volver con tu novio.

—Oh, no es mi novio —replico de inmediato.

Dos tíos. Dos pares de ojos... sobre mí. Ojalá se abriera la tierra y me tragara.

—Entonces no te importará que te la robe un minuto, ¿no? —pregunta Drake—. Estoy jugando al billar y nos falta uno. Nuestro cuarto jugador debería estar al llegar.

Eric se pasa la mano por la nuca y me mira de soslayo.

—Sí, claro. Voy a la barra mientras, a ver por qué tardan tanto.

Me siento fatal al verlo alejarse... pero también aliviada. Nuestra cita, o lo que sea que Kate quería que fuese, no iba a buen puerto.

—Se te veía un tanto incómoda —comenta Drake, lo bastante alto para que solo yo le escuche.

Asiento.

—Cita a ciegas.

Él se ríe, sujetando su mano en mi codo para guiarme hasta su mesa.

—No creía que fueras el tipo de chica dispuesta a algo así.

—No lo soy. Me han traído engañada.

Él arquea las cejas y vuelve a sonreír de oreja a oreja.

—Bueno, cuando necesites que te salven, yo seré tu Superman.

—Créeme, no volveré a verme en una situación así —le aseguro, mientras me deshago de él.

—Sí, supongo que si las cosas se vuelven serias con ese tío, Eric, no te hará falta.

—Cállate y enséñame cómo se juega.

—Guau, Chambers, te veo bien acompañado. —Reconozco al tipo, porque era con quien Drake estaba jugando al fútbol aquel día que me topé con él.

Los ojos de Drake permanecen sobre mí cuando responde.

—Pues sí, Gavin, porque está en mi equipo.

Antes de darme cuenta siquiera, tengo un palo de billar en la mano y el torso de Drake está pegado a mi espalda para intentar enseñarme cómo golpear la bola blanca. El calor de su cuerpo me hace estremecer de un modo al que no estoy acostumbrada, y una parte de mí quiere que se quede así para siempre. Hasta odio admitirlo.

—¿Ves cómo se hace? Colocas la punta entre los dedos de la mano izquierda y sujetas el final del palo con la derecha. —Se queda de pie detrás de mí, con sus manos justo detrás de las mías—. Coges impulso y luego golpeas la bola. Ni muy fuerte, ni muy flojo.

Lo hacemos, guiándome él todo el tiempo. Me ayuda con el primer lanzamiento, que realizo sin problema, pero en cuanto me deja sola, me salen mal los siguientes dos tiros.

—Puedes hacerlo —me anima—. Tómate tu tiempo y hazlo exactamente como te he enseñado.

No mucho después, le cojo el tranquillo y meto unas cuantas bolas en los agujeros. Incluso soy capaz de darle a una cogiendo el palo por la espalda. Había visto a Gavin hacerlo y me había empeñado en demostrarle de lo que era capaz por haberse estado metiendo conmigo toda la noche.

—¿Habías jugado antes? —pregunta Gavin, después de que Drake y yo ganáramos por segunda vez consecutiva.

—Esta es la primera.

—¡Guau! —exclama, colocando las bolas de nuevo—. ¿Tienes planes para mañana por la noche?

—¡Déjala en paz, tío!

—Vaaale, lo pillo —dice riéndose.

—Oh, no... ni de coña. No, no estamos juntos —tartamudeo en un intento de aclarar la confusión—. No hay nada entre nosotros.

—Todavía no —añade Gavin, alejándose con una engreída sonrisa en el rostro.

Que Drake y yo estemos algún día juntos es tan improbable como la paz mundial. No me malinterpretéis, me está empezando a demostrar que es un buen tío, pero no es mi tipo. Y aunque lo fuera, no estoy interesada en salir con nadie ahora mismo.

Cuando devuelvo mi atención a Drake, él también parece estar dándole vueltas al comentario de Gavin, porque me mira con el entrecejo fruncido.

—Ignóralo —murmura, mientras se peina con los dedos. Ladea la cabeza y me examina.

—Creo que esta ya es la segunda vez que me dices eso con respecto a Gavin —digo, mordiéndome el labio. Su forma de mirarme hace que me mueva y cambie el peso de un pie al otro. Las cosas no solían ser tan incómodas cuando Gavin estaba con nosotros.

—Solo me aseguro de que lo entiendas.

—Alto y claro —respondo y vuelvo a echar un vistazo en busca de Beau y Kate. Los localizo jugando dos mesas más allá con Eric—. Creo que debería volver.

Asiente, elevando una comisura de sus labios.

—Hazme una señal si necesitas que vuele hasta allí para rescatarte de nuevo.

—Podré arreglármelas —le aseguro, retrocediendo un par de pasos.

—Ya veremos.

Me doy la vuelta unos pasos después.

—¿Esto sustituye la lección de fútbol?

Esboza de nuevo una sonrisa.

—Ni de lejos. No hemos llegado a los placajes.

Me encamino hacia donde están los demás, con una sonrisa dibujada en el rostro; no me hace especial ilusión tener que pasar tiempo con Eric. Tal y como esperaba, la incomodidad regresa. Definitivamente, Eric y yo no vamos a ninguna parte. El simple hecho de mantener una conversación con él resulta más complicado que cualquier examen de cálculo que haya tenido nunca.

Llega un punto en que me planteo volver para ayudar a Drake, pero cambio de parecer cuando observo que tiene en el pecho las manos de una rubia esquelética. Una extraña sensación me embarga, pero no sé por qué; es exactamente la clase de chica con la que siempre me lo he imaginado. Yo no soy esa chica. Lo más probable es que ni me hubiera dado la hora de no ser por el trabajo de Oratoria.

—Emery, ¿estás despierta?

Me restriego los ojos, pero cuando intento abrirlos, hay demasiada luz atravesando las cortinas. ¿Por qué me despierta un sábado?

—Más o menos.

—Bueno, date prisa. Me muero por hablar de lo de anoche.

Ruedo hasta quedar bocarriba y me coloco un brazo en la cara para protegerme de la potente luz. Anoche, tras una partida al billar con Eric de lo más incómoda, se ofreció a llevarme a casa. Mi reacción inicial fue decirle que no, pero Kate y Beau no querían irse todavía y yo no iba a aguantar otra partida al billar, o mejor dicho, otra hora con Eric. Así que acepté y aguanté, exactamente, trece minutos con él en el coche. Lo sé porque vi pasar en el reloj cada maldito minuto. Fue doloroso, pero mejor que la alternativa.

Incluso frustré su intento de besarme diciéndole que no me sentía bien. Y ahora que lo pienso, se la debo a Kate... y no en el buen sentido.

—¿Sabes? Debería haberme levantado antes y haberte echado un cubo de agua fría en la cabeza —le digo, mirándola de reojo por debajo del brazo.

Se ríe.

—Entonces... ¿no tuve buen ojo?

—¡No! Ni de lejos. ¿En qué narices estabas pensando? —Alzo el torso y me apoyo en los codos. Mis ojos le lanzan cuchillos, aunque a ella no le molesta para nada. Se lo está pasando bomba.

—No lo había visto en persona, pero Beau me dijo que era muy inteligente. Tenía toda la pinta de que encajaríais. Lamento que no fuera bien.

—¿En serio? —pregunto, mientras pongo los ojos en blanco.

—Ehhh... no. No voy a lamentar haberlo intentado. Pero sí que parecías estar pasándotelo genial con Drake. ¿Qué tal fueron esas clases de billar?

Cuando recuerdo lo que sentí al tener el cuerpo de Drake pegado a mi espalda y sus manos rodeando las mías, me resulta difícil no ruborizarme. Me pone de los nervios continuamente, pero no puedo negar lo guapo que es y cómo me hace sentir. Es diferente a todos los chicos que haya conocido antes, tanto en el buen sentido como en el malo.

—Drake es un buen profesor. Me refiero a que... Eric y yo os vencimos a ti y a Beau, ¿no?

Kate echa la cabeza hacia atrás en la cama.

—No me lo recuerdes. Doy pena.

Me río.

—No eres tan mala.

—Emery, lancé una bola por el borde de la mesa. ¿Quién hace eso? —pregunta, riéndose también. Fue gracioso cuando lo hizo, pero por alguna razón, me hace aún más gracia recordarlo.

—Solo te hacen falta un par de lecciones. Será mejor que hables con Beau.

—No te preocupes. Me lo mencionó anoche de camino a casa. —Se apoya sobre el codo otra vez—. Y... ¿qué hay entre Drake y tú? Y no me digas que nada porque tengo ojos en la cara.

—No lo sé. Hemos pasado mucho tiempo juntos para trabajar en el proyecto de Oratoria y la verdad es que está empezando a afectarme. —Sinceramente, no sé qué decir. Las dos primeras veces que hablamos no lo soportaba, pero ahora no es del todo cierto. A veces hasta espero con ansia verle y hablar con él—. Además, anoche estaba con una chica.

Kate se ríe.

—Siempre tiene chicas colgándole del brazo. No significa nada.

Me encojo de hombros y doblo la almohada bajo mi cabeza.

—A lo mejor. Oye, voy a ir hoy al centro comercial. ¿Quieres venir?

—No puedo. Ya le prometí a Beau que vería el fútbol con él.

—No pasa nada. Estoy segura de que darás tu aprobación a todo lo que compre porque nuestros armarios son casi idénticos —señalo, mientras me destapo y estiro los brazos por encima de la cabeza. Me muero de ganas por tener un día de relax. Compras y un buen libro son mi idea de la perfección.

6

Drake

Lo primero que noto cuando pongo un pie fuera son las aceras mojadas y el olor a lluvia. La humedad condensada solía ser una de mis cosas favoritas, pero ya no es así. Es el noveno aniversario de uno de los peores días de mi vida y, como hoy no hay partido de fútbol, mi único escape es salir a correr.

Planeo quedarme fuera hasta que el cuerpo me duela tanto que el corazón deje de hacerlo... aunque la cosa está muy mal. Pensé que con el tiempo se haría más fácil, pero no ha sido así. Quizá sí, si me enfrentara a ello, pero es difícil con toda la responsabilidad que llevo encima. Se supone que soy el fuerte, el que cuida de mi familia, pero eso no me ha dejado tiempo para mí. Ya apenas sé quién soy, tan ocupado como estoy asegurándome de que los demás estén bien y persiguiendo un sueño que podría no ser el mío siquiera.

El campus está tranquilo, pero no esperaba menos de un sábado por la mañana como este. Mis viejas zapatillas de deporte pisan el pavimento y aplastan las empapadas hojas. Regreso a aquella mañana porque fue exactamente igual a esta... en más de un sentido.

Y para hacerlo aún más espeluznante, dejo atrás un coche que es como el suyo. Como norma general, mantengo la vista al frente cuando corro, pero esas semejanzas me hacen mirar dos veces, y es entonces cuando la veo. Cabello oscuro y exóticos ojos marrones. Mientras me acerco al viejo Ford blanco, la observo darse golpes con la frente en el volante.

—¡Joder! —la oigo gritar. Bajo la cabeza y la veo golpear el salpicadero con las manos. Golpeo suavemente con los nudillos en el cristal, para llamar su atención sin asustarla.

La lluvia empieza a caer de nuevo con fuerza, lo que consigue que mi camiseta blanca se empape. Cuando miro por la ventana, ella me está mirando con la boca ligeramente abierta. Tengo ganas de resguardarme de la lluvia, así que vuelvo a golpear la ventana y, esta vez, ella encuentra el seguro y me deja entrar.

Entorna los ojos al verme saltar al asiento del copiloto. El modo en que sus ojos examinan mi ropa mojada lo dice todo... Piensa que soy gilipollas, o que ando siguiéndola. Da la sensación de que estoy en todos los sitios donde está ella, o quizá sea ella la que está donde estoy yo.

—¿No podías hacer de nuevo dos cosas a la vez? —pregunto, mientras me paso los dedos por el cabello mojado.

—¿Qué te hace pensar eso?

—No podías mirarme y abrir la puerta al mismo tiempo —puntualizo, observando sus blancos nudillos—. Y... ¿sabes? No deberías agarrarte tan fuerte al volante cuando el coche ni siquiera está en movimiento.

Ella pone los ojos en blanco. Obviamente, hoy no está de humor para juegos.

—¿Por qué estás aquí, Drake?

Me encojo de hombros. Tengo la mirada puesta en la zona de hierba desierta.

—Porque me has dejado entrar.

—¿No tienes partido hoy?

—No, tenemos semana de descanso, lo que significa que hoy no tenemos partido. Pensé en salir a correr para soltarme, pero entonces... —explico mientras señalo al exterior. La lluvia es torrencial ahora y apenas se ve a través de las ventanas. También aumenta la presión sobre mi pecho. Odio este tiempo. Lo odio con todas mis fuerzas, al tiempo y a todo lo que me recuerda.

Ambos permanecemos en silencio durante lo que parece una eternidad. No lo soporto, francamente. Al no tener nada más de qué hablar, mi mente regresa a él, y es agotador. Hoy hace fresco, pero en el interior del coche hace un calor asfixiante. Cuando mis ojos vuelven a mirar en su dirección, ella está observando el exterior.

—¿Siempre te levantas tan temprano cuando no tienes partido? —pregunta para romper el silencio, aunque su mirada permanece clavada en la ventana mojada por la lluvia.

—No podía dormir —digo, y me masajeo el pecho. Sus ojos buscan los míos y, cuando los encuentran, se quedan fijos en ellos. Se la ve perdida. Triste. Me pregunto si esta es la verdadera Emery, la que se esconde detrás de la chica cabezota y decidida que veo normalmente.

Mirarla es como ver mi reflejo en el espejo. Quiero saber qué se le pasa por la cabeza, pero hoy no estoy para confidencias, y no soy de los que piden cosas que luego no pueden dar.

—¿Cómo te fue la cita?

Cuando anoche la vi entrar junto a Kate con esos pantalones cortos y esas botas, me emocioné. Se me pasaron por la cabeza toda clase de ideas, pero entonces vi a ese tío. No soportaba verla con él, así que eché a uno de nuestra mesa y la invité. Nunca me había puesto celoso por una chica, pero cuando la vi con ese tío... Quería alejarla de él, y eso fue lo que hice. Me dije a mí mismo que era para salvarla de aquella situación que la hacía sentir incómoda, pero en el fondo conocía los verdaderos motivos.

Yo no soy tan noble.

Al final acabó siendo una de las mejores noches que he tenido en mucho tiempo, porque cuando estoy con ella no me siento presionado. No siempre nos llevamos bien, pero es sincera y no le intereso por mi nombre. Es una relación cómoda.

—Eso no podría considerarse una cita —dice, poniendo los ojos en blanco.

Me río.

—¿Y qué la considerarías entonces?

—Una circunstancia desafortunada. La vida está llena de ellas.

La imagen de Olivia, acercándose a mí anoche en el bar, regresa a mi mente. Tengo la sensación de que nunca puedo escapar de ella, y eso sí que es desafortunado. Pero lo peor fue la expresión de Emery cuando la pillé con la vista clavada en nosotros. Quería explicarle que no era lo que parecía, pero tampoco tengo que darle explicaciones.

—¿Ha sido una circunstancia desafortunada la que te hace atizar a tu coche? Debe de haberte hecho alguna putada o algo —comento, mientras paso una mano por el salpicadero.

—No le da la gana arrancar. No lo he cogido desde que llegué a la universidad y creo que se le ha olvidado funcionar.

No puedo contener la media sonrisa que dibujan mis labios, pero que no se extiende hasta mis ojos. Hoy no estoy de humor. Necesito salir a correr.

—¿Estás bien? —pregunta.

La sonrisa se desvanece y aparto la mirada.

—Solo estoy cansado de toda esta lluvia. Me da la sensación de que tenemos muy pocos días soleados. —Las palabras son metafóricas; esconden tanto significado...

—Sigue siendo mejor que la nieve.

—Quizá —concedo y vuelvo a mirarla—. ¿Quieres que le eche un vistazo a tu coche?

—¿Arreglas coches?

—Sí, sé lanzar pelotas y arreglar coches. Bueno, no todo, pero si es algo sencillo, sí.

—Si no te importa. No quiero tener que llamar a mi padre —responde. La lluvia sigue cayendo intensamente sobre el parabrisas.

—No hay problema. —Sonrío, esta vez con más sinceridad.

—Gracias. —Contesta, lanzándome una sonrisa—. Aunque tampoco es que puedas hacer mucho ahora mismo... con toda esta lluvia. ¿Le echas un vistazo luego?

—¿Tienes que ir a algún sitio?

—No, iba a hacer unos cuantos recados.

Asiento antes de inclinarme para mirar al cielo gris.

—Se supone que esta tarde debería dejar de llover. ¿Quieres que trabajemos en el proyecto y luego ver qué le pasa a este mal chico? Me vendría bien distraerme.

Dejar de pensar me vendría bien. No puedo quedarme sentado y enfurruñado todo el día.

—¿Quedamos en la biblioteca? —se detiene y examina mi ropa empapada—. ¿En una hora, quizás?

—Sería la primera vez que voy desde que empecé la universidad.

—No me sorprende.

—Dentro de una hora, entonces —digo, abriendo la puerta.

Vuelvo corriendo a mi dormitorio, pensando en ella. Últimamente lo hago cada vez más. Y no es que sea algo bueno, porque debería estar pensando en el fútbol y en mi familia. Se lo debo a él.

Una hora después estoy entrando en un lugar desconocido: la biblioteca. Es tal y como me la había imaginado, lo que no hace aumentar mi emoción. Hay unas cuantas mesas ocupadas por estudiantes que trabajan en silencio, y otros tantos frente a los ordenadores. Permanecer aquí durante más de cinco minutos me parece un castigo, como si me hubieran colocado en un mundo al que no pertenezco.

Antes de que nadie pueda preguntarse qué hago allí, empiezo a buscar a Emery, pero no es fácil encontrarla en este mar de estanterías. La voz interior que siempre me incita a pasarme al lado oscuro me dice que me vaya si no la encuentro en los próximos minutos. Al menos podré decir que lo he intentado.

Me siento mucho mejor que cuando la vi antes. Corrí durante treinta minutos tras despedirme en su coche, pero tengo la sensación de que tendré que volver a salir a correr antes de que acabe el día.

La localizo escondida en un rincón, rodeada de ventanas. Para encontrar en cualquier parte el lugar más tranquilo y solitario, ella es la mejor. Se la ve muy natural con el pelo recogido en una cola y vestida con un viejo jersey del Southern Iowa. No va a la última moda, pero le queda bien. El día que tropezó conmigo, lo primero en que me fijé fueron sus enormes ojos marrones. Y siguen siendo lo primero que quiero ver.

—Llegué —anuncio, soltando la mochila en el suelo. Esos ojos tan atractivos están ahora clavados en mí.

—¿Esperas que venga una banda y toque una marcha de bienvenida o algo? —bromea, dando golpecitos con una goma en la mesa de madera.

—Una sonrisa no estaría mal.

Y tras decir eso, se levantan las comisuras de sus labios. Da la impresión de ser muy fuerte, pero parece que siempre encuentro la forma de relajarla.

—¿Ya estás feliz?

—Tanto como es posible en este sitio. —Aquella presión tan familiar vuelve a instalarse en mi pecho. Intento no pensar en la felicidad..., es una quimera para mí.

—¿Y cuál es tu historia, Drake Chambers? —pregunta jugueteando con el lápiz. Juraría que está mirando a través de mí; solo espero no ser tan transparente.

Me encojo de hombros.

—A lo mejor no tengo ninguna.

—Todo el mundo tiene una.

—No todo el mundo tiene una que quiera compartir —replico, con la mirada puesta en la mesa de madera. En realidad, nadie conoce mi historia, y Emery no va a ser la primera.

Asiente, clavando la vista en las filas de estanterías.

—¿Sigues necesitando que te mire el coche? —pregunto en un intento de cambiar de tema.

—¿Sigues queriendo hacerlo?

—Por supuesto. Le echaré un vistazo cuando salgamos de aquí.

—Entonces... ¿listo para empezar? Yo más o menos sé lo que quiero hacer, pero necesito investigar un poco.

Apoyo los codos en la mesa y me inclino hacia ella todo lo que puedo.

—Tú empezaste la última vez. Creo que ahora deberíamos empezar con tu lección de fútbol.

—Qué gracioso, Chambers. No te olvides de que estamos en la biblioteca.

—No importa. Cambiaré la lección. Ya trabajaremos en los placajes otro día —replico, viéndola abrir los ojos como platos. Me encanta ver cómo la turban las palabras más simples. Me recuerda mucho a las chicas buenas de mi instituto. Siempre eran las víctimas ideales para meterse con ellas.

—Vale, jugaré. ¿Qué quieres enseñarme?

—La diferencia entre equipo ofensivo y defensivo. —Hago una pausa y observo cómo cambia su expresión a la de alguien que lleva dos horas escuchando un discurso presidencial. Voy a animarla cueste lo que cueste—. Yo soy el quarterback, así que me encargo de liderar la línea ofensiva hasta el otro campo. Nuestro trabajo es avanzar hasta el final del terreno de juego tanto como sea posible. El trabajo de la defensa es asegurarse de que el otro equipo no marca. La línea ofensiva tiene que marcar más que la del equipo contrario.

—Suena fácil.

Me encojo de hombros y me inclino más todavía.

—No lo es tanto como parece. Si alguien no se encuentra donde debería, o si un tío no juega como se supone que debería hacerlo, perdemos. Considéralo como un proyecto en equipo a gran escala.

Ladea la cabeza; parece estar escuchando atentamente todo lo que digo. Sus ojos brillan cuando una sonrisa de suficiencia se dibuja en su rostro.

—¿Entonces yo que soy, línea ofensiva o defensiva?

—Yo siempre tengo el balón, Emery. Siempre.

Ella desvía la mirada hasta la ventana y hace todo lo que puede por evitarme. Es la verdad. Yo siempre tengo que tener el control. Si no es así, me siento perdido y ni siquiera puedo pensar. Tengo la impresión de que Emery es igual, así que será un milagro si salimos de esta indemnes y soportándonos.

—Bueno, veamos si podemos trabajar en tu habilidad para aprobar. ¿Cómo va tu parte del proyecto? —pregunta, centrando de nuevo su atención en mí.

—Solo tengo que buscar una información en Internet y la tendré lista —digo, mirándola con prudencia.

—No quiero que te lo tomes a mal, ¿pero de verdad crees que va a ser suficiente con eso?

—Supongo que ya veremos quién de los dos resulta más convincente —replico, mientras le doy vueltas al boli con los dedos.

—Vale. Voy a por un libro para poder empezar —anuncia y se levanta de la mesa.

Tras observarla desaparecer entre las filas de libros, saco mi portátil de la bolsa y tomo unas cuantas notas. Este trabajo no va a ser fácil, pero tengo la sensación de que vamos a sacarlo adelante.

Eso es lo que hacen los equipos.

Hasta cierto punto, Emery tiene razón con respecto a la naturaleza, pero en mi opinión, eso solo es válido si la persona cumple con esas características. Si mi padre siguiera guiándome hoy día, es probable que ahora fuera muy parecido a él. Quizá ya lo sea un poco, pero es difícil de asegurar porque algunos días me cuesta recordar cómo era él. Recuerdo el fútbol, y el último día que pasamos juntos, pero por mucho que lo intento no soy capaz de ver nada más allá. Sería más fácil si mi madre me hubiera hablado de él, pero rara vez pronuncia su nombre.

Al ver que Emery no vuelve a los pocos minutos, voy a buscarla por las estanterías. No me gustan las bibliotecas y ella es la única que hace tolerable estar aquí. En realidad, me muero de ganas de verla en clase, y anoche y hoy han sido un bonus. Nunca se lo admitiré, pero está logrando que el día de hoy no sea tan malo, simplemente por pasar tiempo conmigo. Ha hecho que deje de pensar en ciertas cosas, aunque sea de forma temporal.

Por fin la localizo al doblar una esquina hacia la sección de Historia y me choco literalmente con ella. Asustada, se lleva una mano al pecho.

—Hola —la saludo, sujetándola por los brazos para tranquilizarla—. No era mi intención asustarte.

Sus ojos marrones se alzan y algo cambia en mi interior. Quizá sea porque nuestros cuerpos se tocan, o por el dulce olor que desprende e invade mis sentidos. Algo me ha estado atrayendo hacia ella las últimas veces que la he visto, y esta cercanía me hace más difícil ignorar esta sensación.

—No pasa nada. Debería dejar de chocarme contigo. —Su corazón late contra mi pecho e intensifica las emociones que he estado intentando ocultar.

Cuanto más mantenemos fijas las miradas, más me convenzo de que este momento era inevitable. No he sido honesto conmigo mismo porque siempre me ha sido más sencillo vivir en un mundo de fantasía. En el mundo de Drake.

Odio este tipo de emociones, pero tenerla tan cerca me hace sentir de maravilla. El corazón me suplica que le dé una oportunidad a la única persona que no me ha pedido nada. La única que ha soportado mi basura y me la ha vuelto a lanzar a mí.

Antes de darme cuenta de lo que sucede, mis labios se están acercando a los suyos. No tengo ningún control. O quizá no quiero tenerlo más, porque le estoy pasando el balón. Mis manos suben por sus brazos, hasta llegar a sus mejillas, pero mi mirada no abandona la suya. Estoy esperando a que me detenga. Hemos tenido diez encuentros desde que nos conocimos, y nunca imaginé que nos llevarían hasta aquí.

Esto no debería suceder, me digo a mí mismo al sentir su cálido aliento contra mi piel. Tan cerca.

—Emery —susurro con un tono de voz desesperado.

—Drake —dice en voz baja, mientras tira de la tela de mi camiseta. No tiene ni idea de lo que me está provocando su contacto. Ni puta idea.

—¿Puedo ayudaros a encontrar algo?

Mierda.

Cierro los ojos con fuerza para recuperar un poco la compostura.

—No, ya nos íbamos.

Bajo las manos y atravieso a la bibliotecaria con la mirada. En silencio, le pido que se vaya.

—Parece una buena idea —señala, mirándonos a Emery y a mí de forma intermitente antes de volver a desaparecer por la esquina.

De repente esto ya no me parece correcto. No debería estar haciendo esto con Emery... Ella se merece algo mejor. Sé que no soy el chico indicado para ella y que nunca lo seré.

La interrupción que acabamos de tener lo demuestra.

Ninguno de los dos debería estar aquí haciendo esto.

Por fin, retrocedo y le concedo a Emery su espacio. La incomodidad del momento hace que me sea casi imposible mirarla a los ojos.

—Tengo que irme. Dime si necesitas que haga algo más para terminar la presentación.

Doy dos pasos hacia atrás, viendo cómo la confusión ensombrece sus facciones.

—¿Qué? Si no hemos empezado siquiera.

—Lo siento. Tengo que irme —digo, mientras me giro para marcharme. No puedo mirar atrás porque no soy un hombre lo bastante fuerte para afrontar las consecuencias de mis actos. No es la primera chica a la que he defraudado, pero es la primera que me ha hecho sentir culpable por ello.

7

Emery

Ha pasado una semana desde que Drake Chambers casi me besara. Sentía que las cosas estaban cambiando entre nosotros, pero aquello no me lo esperaba. Me sorprendí a mí misma porque quería que sucediera y, cuando no pasó, no me lo tomé demasiado bien. Casi me he convencido de que me lo inventé todo. Que no era posible que hubiese estado a punto de besarme. ¿Por qué lo haría?

Lo observé salir de la biblioteca tras detenerse un segundo para echarse la mochila al hombro. Fui incapaz de decir nada para detenerle. Somos demasiado diferentes, lo sé. A él le interesa memorizarse todas las tácticas ofensivas del libro de jugadas del equipo, mientras que yo estoy obsesionada con tener todo lo que mi familia no tuvo nunca.

Dos personas distintas.

Dos mundos distintos.

Dos sueños distintos.

Ahora parece que no va a venir a clase. A lo mejor está intentando evitar hacer cualquier cosa que tenga que ver con nuestro proyecto de Oratoria, pero lo conozco mejor. Aunque no quisiera ayudarme, seguiría viniendo para tocarme las narices.

Me está evitando.

—¿Estáis listos Drake y tú para presentar vuestro proyecto la semana que viene? —La profesora McGill se encuentra junto a mi silla con las manos, de una manicura perfecta, entrelazadas en su regazo.

—Lo estaremos —digo con sinceridad. Venga o no, estaré preparada.

—Si lo ves, dile que tendrá un cero si no se presenta.

Asiento antes de que se aleje, aunque estoy bastante segura de que no lo veré pronto.

Cuando acaba la clase, me dirijo con rapidez a la puerta y desaparezco. Terminé anoche todo lo que me hacía falta para la exposición, pensando que Drake no me sería de ayuda ni hoy ni después de que entreguemos el proyecto.

En cuanto pongo un pie fuera del edificio, la lluvia golpea mis mejillas. Tengo la impresión de que estos días no hace más que llover, y aunque mucha gente no soporta los días lluviosos, a mí me relajan. Hoy, sin embargo, solo me trae recuerdos del tiempo que pasé con Drake en mi coche el fin de semana pasado, así que ojalá salga el sol y, con él, desaparezcan todas esas imágenes.

—¡Em, espera!

Kate.

Ralentizo el ritmo y espero a ver en la acera sus pies junto a los míos.

—Hola, ¿ya has terminado las clases?

—Sí, en realidad venía de la biblioteca. ¿Y tú?

—Acabo de salir de Oratoria. Creo que me voy a ir al cuarto a descansar.

Ella suelta un quejido.

—No te vas a quedar esta noche allí sola. Sal conmigo y con Rachel.

—Aquí viene la charla habitual de «deberías hacer algo aparte de quedarte encerrada en el dormitorio un viernes por la noche». Después de la encerrona de la semana pasada, no me va convencer por un tiempo.

—Esta noche necesito estar sola —me excuso, mirándola. Por el modo en que aprieta sus labios antes de devolverme la mirada, imagino que no está dispuesta a aceptar un no por respuesta, pero hoy no estoy de humor para discutir—. ¿Y si hacemos algo mañana por la noche?

Al instante, una sonrisa se extiende por su rostro.

—Beau va a dar una pequeña fiesta en su apartamento. Ven conmigo.

Mi primer pensamiento es que odio las fiestas. Las aborrezco y preferiría ir a cualquier otro sitio. Y se me debe de notar en la cara, porque empieza a hablar antes de que yo tenga oportunidad de hacerlo.

—No he ido a ninguna fiesta desde hace más de tres años. Las odio, de verdad... ¿Vendrás conmigo, por favor?

Respiro hondo y valoro todas mis opciones en cuestión de segundos.

—Vale, iré —digo con la misma emoción que un mimo de circo. Realmente no quiero ir, pero lo haré por ella.

—¿De verdad? Acabas de alegrarme el día —dice, pasándome un brazo por los hombros.

Kate es la primera persona a la que he querido complacer en mucho tiempo, . Es tan amable que es prácticamente imposible defraudarla.

—Sí, iré contigo.

Me estrecha en un abrazo de oso.

—Gracias. Gracias. —Se aparta y añade—: Tengo que irme. Se supone que voy a arreglarme en casa de Rachel esta noche.

—Bueno, si necesitas algo, ya sabes dónde encontrarme —bromeo. Un escalofrío recorre mi cuerpo, mientras la lluvia continúa mojándome el cabello y la ropa. El tiempo no es tan bueno en octubre como lo era en septiembre.

—Deberías usar un paraguas, Emery —comenta Kate, caminando de espaldas y aumentando la distancia entre nosotras.

Me río.

—¿Y tú qué? Vas a tardar toda la noche en arreglarte el pelo.

Ella alza la mirada al cielo gris.

—Me encanta que llueva.

Se aleja sin pronunciar una sola palabra más y me quedo con mi típico viernes. Sola. Más triste de lo que nunca admitiría.

Y preguntándome dónde estará Drake ahora mismo.

En cuanto me desperté esta mañana, deseé no haberle dicho a Kate que iría a esa fiesta. Solo fui a un par con Clay aunque no fueron horribles, tampoco fueron divertidas. ¿Dónde está la gracia en emborracharse hasta vomitar o desaparecer en un dormitorio con un tío al que apenas conoces?

—¿Qué te vas a poner esta noche? —me pregunta Kate a la vez que saca unos vaqueros. Nuestros estilos son muy similares; demasiado, en realidad.

—Creo que me voy a poner los vaqueros ceñidos desteñidos con el jersey ancho blanco y las botas marrones.

—Suena sexy. Ambas tenemos buen gusto para la ropa. Ahora solo hace falta encontrarte un hombre —dice, mientras se pone un jersey azul por la cabeza.

Me burlo de ella y tiendo mi modelito sobre la cama.

—Lo último que necesito ahora mismo es un hombre. Además, tus habilidades de casamentera dejan mucho que desear.

—¿Cuánto tiempo hace desde que tuviste novio? —Mira el conjunto que he dejado en la cama, coge un collar de cuentas turquesas de su joyero y lo tira junto a mi ropa.

—Tres meses —respondo y me quito la toalla de mi cabello húmedo.

Su expresión se colma de comprensión mientras se sienta en su escritorio para maquillarse.

—¿Cuánto tiempo estuvisteis saliendo?

—Casi cuatro años.

Se gira tan rápido que me sorprende que no se haya dejado una marca negra bajo el ojo con el pincel del rímmel.

—¿En serio? Eso es mucho tiempo. ¿Por qué rompisteis?

Hace cuatro semanas no se lo habría dicho, pero ahora confío en ella. Se lo ha ganado.

—Supongo que desde un principio sabía que no íbamos a tener futuro. Es un buen chico, eso sí, y me imagino que tenía miedo de herir sus sentimientos, así que esperé hasta que me fui a la universidad.

—¡Guau! Debió de ser duro después de todo ese tiempo.

Al pensar en ello, el agujero que sentí ese día en mi estómago reaparece. Yo lo era todo para él. Su pasado, su presente y su futuro. Llevaba tanto tiempo pensando en qué decirle que estaba inmunizada. Fue un error cómo lo hice; esperé demasiado.

—Sí que lo fue.

Kate baja la mirada hasta el suelo y juguetea con el colgante de gota que siempre lleva puesto.

—Yo también estuve con alguien antes de Beau. Murió de cáncer a principios de año.

Sin tener ni idea de qué responder, me la quedo mirando y espero a que prosiga. Sé que hay muchas cosas sobre Kate que desconozco, pero no me esperaba esto. Cuando vuelve a hablar, su voz se parte en dos.

—Tienes que encontrar la forma de ser feliz, Emery. No puedes encerrarte en ti misma toda la vida, porque te vas a perder todas las pequeñas cosas que hacen que la vida sea genial.

—¿A qué te refieres?

—¿Sabes cómo he sabido que no estabas enamorada de tu novio del instituto? —Niego con la cabeza y me pregunto cómo podría saber alguien tanto sin habernos visto juntos siquiera—. Cuando amas a alguien, con ese amor profundo y absorbente, quieres pasar todo el tiempo que puedas con esa persona. Estar enamorada es la mejor sensación del mundo y en cuanto la sientas, no querrás perderla.

Nos quedamos mirando durante unos segundos, antes de coger el jersey y ponérmelo. Esta conversación es más profunda de las que tengo normalmente con la gente, así que estoy más que lista para volver a la superficie. En cuanto me pongo los vaqueros, susurro:

—Siento lo de tu novio. ¿Cómo se llamaba?

Ella cierra los ojos y traga en seco.

—Asher.

—Me gusta el nombre —digo con franqueza.

—Le pegaba —explica con una sonrisa triste en los labios.

Terminamos de arreglarnos sin pronunciar otra palabra. No sé en qué estábamos pensando al sacar el tema de los exnovios antes de salir, pero el daño ya está hecho.

—¿Estás lista? —pregunta, poniéndose una chaqueta de cuero marrón.

Me echo un último vistazo en el espejo y me vuelvo a aplicar otra capa de brillo de labios.

—Tanto como es posible.

—Oh, vamos, será divertido.

Pongo los ojos en blanco, cojo mi bolso y la sigo hasta la puerta. Es una noche. Puedo hacerlo.

Como Beau vive fuera del campus, vamos en el coche de Kate. Estoy segura de que se conoce el camino como la palma de su mano.

—¿Quiénes estarán? —pregunto.

—Bueno, va a ser una fiesta pequeña. Beau, su compañero de piso, Rachel, y otras cuantas parejas por lo que tengo entendido. Poquita gente.

—¿Ningún jugador de fútbol? —interrogo, medio en broma.

Ella me dedica una mirada mientras arquea las cejas.

—Que yo sepa, no. ¿Hay alguien en particular que quieras que esté allí?

—No —respondo al instante y desvío la atención a la ventana.

No le conté nada a Kate de lo que pasó con Drake el otro día en la biblioteca. Yo ya lo he analizado bastante por mi cuenta; no necesito que nadie me ayude.

No ha pasado mucho tiempo cuando aparcamos en el complejo de apartamentos donde vive Beau. Kate sale del coche de un salto y me espera en el bordillo mientras yo respiro hondo. *Dios, espero que la noche se pase rápido.*

8

Drake

Existen un millón de razones por las que no debería estar en la fiesta de esta noche. Primera, hay un barril lleno de cerveza en la casa de la fraternidad a la que pertenecen algunos de mis compañeros de equipo. Segunda, solo conozco a un par de personas de las que vendrán esta noche. Tercera, me duele todo el cuerpo como un condenado y lo único que quiero es darme un baño de hielo tras el partido de esta tarde.

—Hola, tío, ¿quieres otra cerveza? —Es Beau. Me invitó a venir y estoy esperando a ver cuánto tiempo pasa antes de que se arrepienta de haberlo hecho.

—No, ya voy yo a por algo. Necesito caminar igualmente. Tengo el cuerpo agarrotado.

—No te vayas muy lejos. Mi chica debería llegar pronto y trae a una amiga —comenta y le da un trago a su cerveza.

—No estoy de humor para encerronas, Beau.

Sonríe de oreja a oreja. Hay un brillo travieso en sus ojos.

—Esta sí que te va a gustar.

—Lo dudo —digo y me alejo de él.

Conocí a Beau el año pasado. Vivía enfrente, en la residencia, y solía quedar con él cuando necesitaba ir de tranquis. Hubo varias veces que nos emborrachamos y jugamos a videojuegos hasta que uno de los dos se quedaba dormido por el cansancio o el alcohol. Con las exigencias del fútbol y de la familia, eso era lo que a veces me pedía el cuerpo.

Tras coger un par de cervezas frías de la nevera, escucho el clic de la puerta y me giro para ver quién es.

Es la chica de Beau. No me la ha presentado todavía oficialmente, pero la reconozco como Kate, la chica que se sienta junto a Emery en Biología. Doy unos cuantos pasos hacia delante para presentarme formalmente, pero las botellas casi se me resbalan de la mano cuando veo quién viene con ella. Debería haber adivinado que sería Emery la amiga que traería esta noche.

Está claro que no soy una persona con suerte, y me cabrea un poco que Beau no haya sido directo conmigo con respecto a esa «amiga».

No la veo desde que la dejé tirada en la biblioteca. No por casualidad, sino porque la he estado evitando. Hay demasiado ya en esta relación. Estoy empezando a sentir muchas cosas cuando estoy a su lado y, en estos momentos, no soy capaz de manejarlo.

Ese par de veces en las que casi me he abierto a ella —en su coche y en la biblioteca— quería hacerlo, y eso me asusta. No sé cómo es la vida fuera de mi escondite.

Emery no es la típica chica, pero tiene muchísimas cosas que me atraen. Su sonrisa. Su instinto. Su habilidad para ponerme de buen humor, aunque a veces puede llegar a frustrarme y ponerme de mala hostia. Nunca imaginé que fuera a impresionarme alguien como ella, pero no me importa.

Está mejor sin alguien como yo.

Mientras las veo acercarse a Beau, yo contemplo mi siguiente movimiento. Puedo salir por la puerta y hacer como que nunca he estado aquí. Puedo retroceder y observarla con la esperanza de que no me vea. Puedo echarle huevos y disculparme por haberla dejado sola el otro día. Pero ahora mismo me siento mitad hombre. Mitad hombre, porque me estoy enamorando de la única chica que no me trata como si fuera el dios del equipo de fútbol.

Pero antes de tener oportunidad de decidir qué voy a hacer, sus ojos encuentran los míos. No me gusta cómo me siento cada vez que la miro a los ojos.

Hay algo en esta chica que me llega al alma.

Empiezo a abrirme paso hacia ella, y cuando solo estoy a unos metros, Emery tira a Kate del brazo y se la lleva a la esquina de la estancia. Debería sentirme ofendido, pero como todo lo demás, le resto importancia. Soy bueno en ello.

Llevo siéndolo durante mucho tiempo.

Es otra señal de que pasó lo que tenía que pasar.

Voy hasta donde Beau está con un par de tíos y pregunto:

—¿Por qué no me dijiste que Emery iba a venir?

—¿Habrías venido? —Hace una pausa y le da un trago a su cerveza—. Te vi con ella el fin de semana pasado, y a menos que los ojos me estuvieran jugando una mala pasada, diría que te gusta.

—Seguramente soy la última persona a la que quiere ver esta noche.
—Es cierto. Casi la besé y después me fui sin darle ninguna explicación. Y para colmo, la dejé sola con el proyecto. A estas alturas, lo más probable es que me considere el rey de los cabrones.

—¿Qué hay entre vosotros dos? Y no me digas que nada.

—Emery es mi compañera en Oratoria. Eso es todo —digo y me paso los dedos por el pelo.

—Lo que tú digas. La única chica a la que yo he mirado así es Kate. —Sonríe, pero borra la sonrisa al instante al ver la expresión de mi rostro. Odio la facilidad con la que me descifra, pero él es el experto. El tipo ha sido un calzonazos desde el día que lo conocí.

—Mira, creo que me voy a ir. No quiere que esté aquí.

—Quédate —me pide Beau en voz baja—. A Emery no le pasa nada.

Cuando alzo la mirada de nuevo, ya no está. Examino la estancia y la localizo junto a Kate, hablando con un par de tíos que no conozco. No debería importarme tanto, pero parece que se lo esté pasando bien, y quizás a ella no le afecte tanto este tira y afloja en el que me he metido yo solito.

—Te agradezco lo que intentas hacer, Beau, pero no quiero arruinaros la noche. A lo mejor podemos quedar el fin de semana que viene después del partido.

Asiente y me da luz verde para irme. Salgo por la puerta, atento a que nadie me detenga. Quiero salir de aquí. Es mejor así... para ambos.

Es como si estuviera en el campo de fútbol, con un empate, y solo quedaran quince segundos de juego. Tengo la opción de dejar que mi corredor coja el balón hasta que se acabe el tiempo y vayamos a la prórroga, o lanzar el balón desde la línea de cincuenta yardas hasta la zona de gol. En el campo siempre habría elegido el gran lanzamiento.

Sin embargo, esta vez he elegido ir a lo seguro.

Soy un cobarde, tengo miedo al riesgo. Debería haber ido donde Emery y haberme disculpado por haber sido un cabrón egoísta, pero aquí estoy, solo, apoyado contra la pared exterior del apartamento de Beau. Todo lo que tengo enfrente es una alfombra marrón y unas paredes blancas con pintadas..., para nada lo que me había imaginado para esta noche.

Uno de estos días voy a echarle huevos y hacerle frente. Pero hasta que sepa qué versión de la verdad estoy dispuesto a contarle, mi jugada va a ser evitarla.

Cuando empiezo a caminar pasillo abajo otra vez, la puerta se abre a mi espalda.

—¿Vas a dejar de ignorarme? —reconozco la voz de inmediato, pero esta es la versión cabreada.

Si fuera a pasarle el balón a mi corredor en esta jugada, me alejaría sin ni siquiera mirarla. Ahora que me ha llamado, no es tan fácil.

—¿Qué quieres que haga? —pregunto, mientras me paso la mano por el cabello.

—Para empezar, deja de ignorarme. —A juzgar por la voz, deduzco que se ha acercado.

Por primera vez en mucho tiempo, voy a llevar a cabo el gran lanzamiento en el campo. En cuanto me giro, me topo con sus enfadados ojos marrones. Odio estar haciéndole esto.

—Mira, siento no haberte ayudado más con el proyecto. Este es quien soy, Emery. Jodo las cosas.

Se acerca a mí atravesándome con la mirada.

—¿Qué narices pasó el otro día en la biblioteca? ¿Por qué te fuiste? ¿Por qué no has venido a clase en toda la semana? No puedes desaparecer sin dar ninguna explicación.

Todo lo que soy capaz de hacer es mirarla fijamente. Es preciosa, pero no del tipo que me llama la atención en un primer momento. Es la clase de chica que se te va clavando más y más dentro a medida que la vas conociendo. Sonará retorcido, pero creo que es incluso más sexy cuando se enfada.

—¿Eso es todo lo que sabes hacer, Drake? ¿Vas a quedarte mirándome como un idiota? Bueno, pues que te jodan a ti también. —Extraño la cercanía de su cuerpo en cuanto retrocede y se aleja.

—Si estás preocupada por el lunes, no lo estés. Le diré a la profesora McGill que hiciste la mayor parte del proyecto —digo en voz baja a la vez que ella se aleja más aún.

—El estúpido trabajo no tiene nada que ver con esto y lo sabes.

Empieza a alejarse de nuevo, pero antes de que pueda irse muy lejos, la agarro por el brazo y la acerco a mi pecho.

—¿Entonces qué tiene que ver, Emery?

—Tú, Drake. No me acerco a mucha gente, pero te di una oportunidad, y mira a dónde me ha conducido. Supongo que es la prueba de que no debería confiar en nadie. —Por su voz intuyo que está a punto de echarse a llorar. El odio que siento hacia mí mismo en este momento es insuperable.

—¿Qué quieres decir con que me diste una oportunidad?

Sacude la cabeza y mira al techo.

—Sinceramente, quería cambiar de pareja aquel primer día de clase, pero creí haber visto algo en ti. De vez en cuando me enseñabas tu lado más humano. El que parece preocuparse por las personas. —Se detiene de repente y se cubre el rostro con las manos—. Joder, hasta te conté cosas de mi madre.

La pura emoción que hay en su voz hace que se me forme un nudo en la garganta.

—Por favor, no... Por mí, no —suplico con voz dulce. Mis labios traicionan aquella parte de mí que quiere mantener las distancias y depositan un beso en su coronilla.

—No —responde, restregándose el revés de la mano contra los ojos—. Suéltame, y hagamos como que esto, o lo del otro día en la biblioteca, no ha pasado nunca.

Esta es mi oportunidad para hacer que todo desaparezca, tal y como quería. Puedo dejarla marchar ahora mismo y que cada uno siga su camino. Pero no puedo. Por una vez, mi corazón tiene más fuerza que mi cabeza.

—Ven conmigo.

Su cuerpo se tensa entre mis brazos.

—¿Qué?

—Voy a ser sincero contigo. No sé qué estoy haciendo o qué es lo que quiero. Solo ven conmigo.

—No creo que sea muy buena idea —alega negando con la cabeza.

—Puede que nos arrepintamos de ello mañana o dentro de una semana, pero ahora mismo es todo lo que quiero. Ven conmigo.

—Estoy con Kate. No puedo abandonarla sin más. —Tiene los ojos clavados en la puerta del apartamento de Beau. Sé lo que está pensando, pero no estoy preparado para dejarla marchar.

—Está con Beau... no le va a pasar nada. Además, ¿te lo estabas pasando bien? —Sé que esta no es su mejor idea de diversión.

—No llevaba tanto tiempo dentro como para poder formarme una opinión. A lo mejor debería quedarme y averiguarlo. —Sonríe.

—Vamos a irnos de esta fiesta juntos. No te estoy pidiendo sexo.

Su sonrisa decae ligeramente.

—Genial, porque lo último que quiero es tener sexo contigo... o recibir esas lecciones de placajes que tanto tiempo llevas prometiéndome. —Se detiene durante unos cuantos segundos y baja la mirada hasta sus pies—. ¿Qué tienes en mente?

La agarro de la mano y la guío por todo el pasillo.

—Es una sorpresa. Voy a enseñarte a vivir un poco.

9

Emery

No sé en qué estaba pensando cuando me subí con Drake en su coche. Ahora estoy a su merced, yendo a casi ochenta kilómetros por hora por una calle atestada de gente. Tuve la mejor de las intenciones al permanecer alejada de él, pero en cuanto lo vi, perdí toda mi voluntad. Fue en parte la ira lo que me animó a plantarle cara, pero también hubo esa otra parte de mí que no podía dejarlo salir de mi vida tan fácilmente.

Estos últimos días han sido una mierda. Él es la única persona, además de Kate, con la que hablo regularmente. Es el único que ha atisbado quién soy cuando no tengo la nariz metida en un libro.

—¿Adónde vamos?

—No estás nerviosa, ¿no? —pregunta, mientras tamborilea los dedos sobre el volante.

—Creo que alguien está nervioso y no soy yo —respondo, cruzándome de brazos.

Se ríe.

—¿Me estás diciendo que confías en mí?

—¿Estás evitando mi pregunta?

Lanza una mirada en mi dirección y clava sus ojos en los míos, antes de devolver la atención a la carretera.

—No, no estoy nervioso. Solo estoy ansioso por llegar adonde vamos.

Un bienvenido silencio se instala durante el resto del viaje por la ciudad. Repaso mentalmente todos los lugares a los que podría estar llevándome. ¿Pizza? ¿Café? ¿Peli? Cuando aparca en el campus, ya he renunciado a averiguarlo y he decidido dejarme llevar para variar.

Aparca en una de las zonas acondicionadas junto al estadio Kinnick y apaga el motor. Permanezco quieta, mirando al cielo nocturno y esperando a que él me dé instrucciones. Cuando ya no lo soporto más, le lanzo una mirada y, de repente, me encuentro con alguien que parece perdido. He visto esa expresión antes... La veo cada vez que me miro al espejo.

—¿Drake?

Cierra los ojos y baja la barbilla hasta el pecho. Daría lo que fuera por saber qué tiene en la cabeza ahora mismo.

—Salgamos del coche —dice, sin ni siquiera mirar en mi dirección.

—Vale —murmuro y abro la puerta para seguirlo. Esta noche está siendo extraña.

Me quedo atrás, observándole abrir el maletero y sacar una vieja manta de lana y una linterna. No tengo ni idea de lo que tiene planeado, pero espero que tenga en cuenta el frío que está empezando a hacer por las noches.

Sostiene los objetos bajo su brazo izquierdo y entrelaza los dedos de su mano libre con los míos. Me muestro vacilante, pero la sensación es demasiado buena como para soltarme.

—¿Has estado aquí alguna vez?

—Nunca he sido muy fan del fútbol. No te ofendas.

—¿Qué es lo que no te gusta del fútbol? —Abre la puerta del lateral del estadio y me guía por un oscuro pasillo con la linterna.

Lo sigo de cerca, temerosa de tropezar con algo en el estrecho pasillo.

—Es más bien... ¿qué tiene que me pueda gustar?

Se ríe. Ya he escuchado su risa varias veces, y es un sonido que me está empezando a gustar de verdad.

—Mi objetivo es hacer que vayas a un partido de fútbol esta temporada. Cuando lo hagas, te engancharás.

—Suena a reto.

Se detiene y me mira directamente a los ojos.

—Me gustan los retos. Además, tengo confianza en las habilidades del quarterback para atraerte, y forma parte de tu lección.

—El quarterback parece tener una gran responsabilidad —digo con sinceridad.

Seguimos recorriendo el pasillo hasta alcanzar otra puerta. En cuanto la abre, el enorme campo de fútbol, iluminado por unas pocas luces en la parte de arriba, nos da la bienvenida.

—¿Se supone que podemos estar aquí?

Se encoge de hombros y alza la mirada hasta el panel de resultados.

—Nadie dijo lo contrario.

—Si nos metemos en líos por culpa de esto, te juro que...

Pone un dedo sobre mis labios.

—Vive un poco. Además, solo vamos a poner la manta en medio del campo y vamos a disfrutar de una noche estrellada. Las luces se apagarán dentro de ocho minutos.

Abro la boca para decirle que deberíamos marcharnos. No merece la pena el riesgo..., ni tampoco podemos permitirnos ninguno de los dos meternos en problemas. Pero quiero estar aquí con él. Solo tengo que decidir si merece la pena correr el riesgo.

—¿Qué te retiene? —pregunta al percatarse de mi reticencia. Su dedo índice se encuentra bajo mi barbilla, haciendo imposible apartar la mirada.

—No puedo permitirme perder la beca.

Quita el dedo y rompe el contacto visual, agarrándome la mano una vez más.

—No vas a meterte en ningún lío. Vamos a buscar el sitio perfecto antes de que oscurezca demasiado.

Cuando alcanzamos la mitad del campo, suelta mi mano y extiende la manta en el suelo sin pronunciar palabra. Había empezado a relajarme mientras caminábamos por el campo, pero las dudas y preocupaciones me están atormentando de nuevo. Ni siquiera en mi primera cita con Clay me sentía así. Y esto no es ni siquiera una cita... No sé qué es en realidad.

Se sienta a un lado de la manta y da unos golpecitos con la mano junto a él.

—No muerdo.

Sonrío en un intento de mitigar la tensión entre ambos y me siento a su lado, con cuidado de no acercarme demasiado.

—¿Sueles venir aquí a menudo?

Siento su mirada clavada en mí, pero yo continúo mirando las gradas vacías tras la zona de anotación. No hay nada que ver realmente, pero al menos mantiene mis nervios a raya.

—Hago trabajos de mantenimiento para ganarme un dinero extra, así que entre el fútbol y eso, podría decirse que sí.

Y justo entonces las luces se apagan, dejándonos una mejor visión de las estrellas en el cielo nocturno. Doy gracias por que la lluvia terminara antes, porque tenemos una vista espectacular.

—¿Sabes? Cuando me pediste que fuera contigo, este era el último lugar al que pensé que me llevarías —admito mientras me apoyo en los codos.

Se ríe entre dientes y veo de reojo que está imitando mi postura.

—¿Adónde pensabas que te iba a llevar? Solo estoy intentando ganar puntos por originalidad.

Me muerdo el labio inferior, girándome para poder verle mejor.

—Misión cumplida.

A veces, el silencio entre dos personas puede resultar incómodo, pero con Drake estoy llegando al punto en que no lo es para nada. Estar con él me relaja, en realidad, porque puedo pensar en otras cosas que no sean mis notas o cómo voy a escribir el trabajo de investigación que tengo que entregar en dos meses. Hasta cuando discutimos, preferiría estar con él que con cualquier otra persona o en cualquier otro lugar. Es raro, y sé que lo conozco desde hace muy poco tiempo, pero hay algo distinto en mí cuando estoy con él.

—¿En qué piensas? —pregunta a la vez que coloca su cálida mano sobre la mía. De nuevo siento mariposas revolotear en el estómago. Las que siempre aparecen cuando estoy con él.

—En lo agradable que es hacer algo más aparte de estudiar. A veces me agobio yo sola, ¿sabes?

—Yo también me siento así. Me estreso cuando tengo partido, pero estar aquí ahora es una de las cosas más relajantes del mundo. Siempre estoy esforzándome para llegar a ser jugador profesional, y si no estoy lanzando un balón, no me acerco a mi meta. Universidad, trabajo, todo es necesario, pero no me va a llevar adonde yo quiero ir.

Giro la cabeza hasta sentir la manta de lana contra mi mejilla. Drake está mirando al cielo, pero sé que me ve por el rabillo del ojo.

—Entiendo lo que dices. Ojalá pudiera saltarme la carrera y empezar directamente un máster.

—¿Qué quieres ser de mayor, Emery? —pregunta, mirándome por fin a los ojos.

Trago saliva; de nuevo siento un vacío en mi interior. Normalmente, cuando le digo a alguien qué quiero hacer con mi vida, me preguntan el porqué. Tengo una respuesta preparada, pero sé que eso no va a funcionar con Drake. Y quizá, solo quizá, si le tiendo la mano, él me tienda la suya a mí.

—Quiero ser psicóloga infantil.

Las comisuras de sus labios se levantan.

—¿Entonces estoy tumbado junto a la futura doctora White? ¿Cuál es la razón por la que quieres ser psicóloga?

Su sonrisa se desvanece al ver cómo lucho por darle una respuesta. No debería ser tan duro después de tanto tiempo, pero lo es.

—Quiero ayudar a niños que lo estén pasando mal, sobre todo a los que no tengan a quien acudir. Los que entierran su dolor tan hondo que necesitan un profesional que los ayude a encontrarse de nuevo a sí mismos.

—¿Pero por qué quieres hacerlo? —Su voz es grave y reconfortante, como si supiera que puede obtener más información que una simple respuesta.

Cierro los ojos y visualizo aquel día. El día que las cosas cambiaron.

Mi madre ha tenido ese viejo joyero de madera sobre el armario desde que tengo memoria. Si intentara explicárselo a alguien, no le haría justicia a la belleza de la cajita, pero las rosas pintadas a mano de la tapa eran lo que me atraía. El rosa es mi color favorito y nada huele mejor que el rosal de mi abuela. La vieja cajita me hace pensar en tantas cosas buenas..., pero no entiendo por qué me la está dando hoy. Sé lo mucho que le gusta.

No es mi cumpleaños, y faltan meses para Navidad. Este último par de días no la he escuchado tanto como debería haberlo hecho; arranqué unos tomates del jardín y me escondí para comérmelos. También me colé en su armario y la lié intentando probarme sus tacones. Quizá me la está regalando porque quiere que me porte mejor.

—Emery, cariño, ábrela —dice con voz suave.

Sigo sus instrucciones, temerosa de que cambie de opinión y me pida que se la devuelva. Cuando la abro, un maravilloso olor a cedro golpea mis fosas nasales. Dentro veo un relicario de plata con unas rosas grabadas. Lo reconozco como el que le dio la abuela cuando se graduó en el instituto. Me ha contado la historia unas diez veces y siempre he deseado que me lo regalara a mí cuando también me graduara en el instituto. Pero solo tengo cuatro años y todavía queda mucho tiempo para eso.

—¿Puedo quedármelo? —pregunto y recorro el frío metal con los dedos.

—Sí, quiero que lo tengas. —Una lágrima resbala por su mejilla, pero entonces no le di importancia.

—¿Por qué? —pregunto con curiosidad.

Sacude la cabeza y usa la manga de su camiseta para secarse los ojos.

—Ya no lo necesito y quiero que lo tengas tú.

—¿Puedo ponérmelo ahora?

—¿Por qué no lo dejas de momento en la cajita para no perderlo? Llévatela a tu cuarto. Voy a hacer unos cuantos recados, pero Beth estará abajo y te vigilará mientras tanto.

Beth va al instituto, pero se queda conmigo en verano, cuando mi madre necesita un descanso.

—Vale —digo, y rodeo su cuello con mis bracitos—. Gracias, mami. Me encanta.

—Te quiero, cariño. —Su voz se quiebra, pero a la edad de cuatro años, esas cosas no levantaban mi voz de alarma.

Cuando desaparecí en el piso de arriba, no pensé que esa sería la última vez que vería a mi madre en mucho tiempo.

Se lo cuento todo a Drake. Quizá porque estamos apartados del mundo en la oscuridad y me siento menos expuesta porque no puede verme. Está callado, y le agradezco que me esté dejando sacarlo todo sin interrumpirme.

—Siento que no tuvieras a tu madre mientras crecías —dice cuando he acabado. Su mano descansa sobre la mía y me la aprieta de vez en cuando.

—¿Sabes? Después de un tiempo aprendes a adaptarte. A veces me pregunto si no pagué por los errores de los demás.

—Yo creo que las cosas siempre acaban saliendo bien.

La brisa sopla y me entra un escalofrío.

—¿Te he dicho qué había en el relicario?

Sacude la cabeza y me mira con detenimiento.

Meto la mano bajo mi jersey y saco el diminuto corazón de plata. Lo he llevado en el cuello desde que mi madre me abandonó. Lo abro y espero a que él lo encuentre con la linterna.

—Es ella. Puso su foto dentro.

La estudia durante un minuto antes de devolvérmelo.

—Te pareces mucho a ella.

—Ya me lo han dicho alguna vez —digo, sintiendo cómo se forman las lágrimas en mis ojos.

Nos quedamos sentados en silencio durante un rato; en mi caso, intentando recuperarme de haber desvelado tanto sobre mí... Y en el suyo, creo que haciéndose a la idea de que no soy perfecta. O de que mi vida no lo ha sido, por lo menos.

—¿La has vuelto a ver desde entonces? —pregunta para romper el silencio.

Asiento, sin estar dispuesta a entrar en más detalles. Ya le he dado bastantes en una sola noche.

—¿Y tú qué? ¿Algún secreto que ocultes?

Se relame el labio inferior antes de que sus ojos vuelvan a clavarse en los míos.

—Nada que quiera compartir.

Aparto la mirada, intentando aplastar el arrepentimiento que siento de repente. Le he dado mucho más de lo que le he dado nunca a nadie, y él no quiere compartir nada de sí mismo. Le he pasado el balón y él no quiere correr con él. Supongo que pensé que, si me contaba algo, siempre estaríamos unidos por nuestros secretos.

Me acaricia la mejilla con el revés de sus dedos, obligándome a volver a poner la atención en él.

—Emery, no quiero que pienses que no confío en ti, pero hay cosas de las que no hablo. Con nadie.

—No pasa nada. No tienes por qué hacerlo.

Aparte de una estridente camioneta que pasa por la calle, nos quedamos de nuevo en silencio. Estoy a punto de pedirle que me lleve a casa cuando vuelve a hablar.

—¿Recuerdas lo grande que parecía todo cuando hemos entrado y las luces estaban encendidas? ¿Recuerdas la sensación de salir al campo?

—Sí, este lugar es enorme.

Asiente.

—Me pongo enfermo antes de cada partido. Todo el mundo cree que soy ese tipo tranquilo y seguro de mí mismo que es capaz de poner un pie en el campo y hacer magia, pero por dentro estoy muerto de miedo. Sales aquí fuera y hay gritos, el estallido de la multitud, los reporteros que quieren preguntarte mil cosas... A veces es demasiado.

—¿Entonces por qué lo haces?

—Porque se me da bien. Porque me va a llevar a alguna parte.

—Hay un montón de cosas que pueden llevarte a alguna parte.

Suelta mi mano y se endereza.

—Era su sueño y tengo que cumplirlo.

Me siento a su lado y pregunto:

—¿El sueño de quién?

—El de mi padre —responde, mientras se peina con los dedos. Alargo el brazo para acariciarle la espalda, pero antes de tocarlo siquiera, me aparto; no sé si debería hacerlo.

—¿Por qué has dicho que era su sueño? —pregunto al recordar sus palabras.

Me mira con dolor en los ojos.

—Vamos a dejar ese tema.

Estoy decepcionada, pero de algún modo, lo entiendo. No es fácil abrirse y conlleva mucha confianza. Quizá todavía no haya llegado a ese punto conmigo.

El viento ha arreciado, así que me abrazo las piernas para combatir al frío.

—¿Tienes frío? —pregunta Drake, frotándome el brazo.

—Un poco.

—Salgamos de aquí —dice, poniéndose de pie—. Te llevaré a tu cuarto.

Una parte de mí quiere permanecer aquí, para poder seguir fingiendo un poco más. Fingir que esto es todo lo que tengo que hacer: sentarme sobre esta manta y mirar las estrellas, pero no es la realidad.

Me levanto y estiro los brazos por encima de la cabeza para desentumecer la espalda. Ha sido un día largo. Me apetece ponerme el pijama y meterme en la cama.

Drake enrolla la manta y la sujeta bajo el brazo antes de cogerme la mano de nuevo.

—¿No te importa, verdad? —pregunta, levantando ligeramente nuestras manos unidas.

—No —contesto con timidez.

Él sonríe y me guía a través del oscuro campo de fútbol y del pasillo. No pronuncia una sola palabra hasta que llegamos a su coche.

—La noche no ha terminado exactamente como había planeado pero, aun así, me alegro de que hayamos venido.

—Yo, también.

Me suelta la mano y me acaricia la mejilla. Sus ojos poseen esa intensidad que mostraron en la biblioteca. Esta vez, yo me inclino con la intención de encontrarme con él a medio camino, pero me coloca un mechón tras la oreja y se aparta. No sé qué quiere, ni qué hay entre nosotros, pero nunca había estado tan enfadada por que no me besaran. Quizás es porque nunca había deseado tanto que alguien lo hiciera como ahora con Drake.

Mientras se aleja, entro por la puerta que ha abierto para mí y me acomodo en el asiento del copiloto. Siento una familiar presión en el pecho por lo que acaba de pasar. Odio que sea capaz de hacer como si nada hubiera pasado, porque para mí está empezando a significar algo.

Me lo quedo mirando cuando se sube al coche, pero él se queda impasible. Odio esta sensación. Ignorar a alguien es la peor forma de rechazarla. Arranca el coche y se incorpora rápidamente al tráfico.

—Oye, ¿podemos quedar mañana para hablar del proyecto? Me siento fatal por lo de la semana pasada.

—No te preocupes.

—Quiero hacerlo —responde de forma que no me deja más opción.

—Entonces, llámame cuando te despiertes. No tengo planes —susurro, apoyando la frente contra el frío cristal de la ventana.

Me pregunto si sabe lo mucho que me molesta que parezca que va a avanzar en lo que sea que haya entre nosotros y luego se aparte de repente. Me pregunto si imagina lo mucho que quiero pegar mis labios a los suyos... Tanto que estoy pensando en ello ahora mismo.

Respiro hondo y cierro los ojos. Lo que ha sucedido esta noche en el campo de fútbol ha sido perfecto. No ha sido extravagante ni pomposo. Éramos solo nosotros, y yo me abrí a él como rara vez hice con nadie. No siento que me juzgue, y esa libertad me sabe agradable.

—Oye, ¿estás bien? —pregunta, sacándome de mi ensimismamiento un par de minutos después.

—Sí. Solo ha sido un día largo. —Estoy intentando no estropear la bonita noche que hemos compartido.

Mientras aparca en un estacionamiento vacío frente a mi edificio, yo me desabrocho el cinturón y abro la puerta. Estoy deseando que acaben estos momentos incómodos con Drake Chambers. Solo quiero meterme en la cama y empezar mañana de cero.

—¡Emery! —grita, mientras me encamino hacia la puerta.

Por un segundo me planteo ignorarlo, pero al final me doy la vuelta, intentando ocultar mi lado más terco.

—Gracias... por esta noche —añade, metiéndose las manos en los bolsillos.

—Sí, ha estado bien. Gracias. —Y tras eso, se da la vuelta y vuelve a subirse al coche.

Me quedo aquí preguntándome si siente lo mismo que yo o si estoy perdiendo el tiempo en algo que nunca llegará a nada.

10
Drake

Estropeo las cosas, eso es lo que hago. Lo he demostrado una y otra vez. La otra noche con Emery... Me dio otra oportunidad después de haber sido un auténtico cabrón y básicamente le volví a hacer lo mismo. Me moría de ganas de besarla y sentí que ella también quería. Al final, me dio miedo lo que pudiera significar dar ese paso.

Siempre tengo el control, pero siento que lo pierdo cuando estoy con ella. Hasta ahora, he tenido suerte de sujetarme antes de caer. Pero no tengo ni idea de cuánto tiempo más podré aguantar. Emery no es el tipo de chica a la que voy a poder besar y luego alejarme, y entre el fútbol y los problemas personales no tengo tiempo de empezar ninguna relación.

Cuando la llamé esta mañana para vernos y hablar de la presentación, no esperé que me sugiriera quedar en su habitación. He estado antes en cuartos de chicas, ese no es el problema, pero estamos hablando de Emery. Ella me atrae. Me pone a prueba. Me hace querer algo en lo que ni siquiera debería pensar y, aun así, no soy capaz de dejarla marchar.

Como tengo un café latte con hielo en una mano, uso la otra para llamar a su puerta. Me quedo mirando la vieja puerta de madera, balanceándome sobre los talones, mientras espero a que responda. Anoche dejamos las cosas de una manera un tanto extraña. O mejor dicho, yo lo hice.

Cuando la puerta se abre, soy incapaz de apartar la mirada de la chica que tengo enfrente. Lleva unos pantalones de chándal grises y una camiseta blanca que nunca me parecieron tan bonitos.

—Hola. —Sonríe nerviosa y me hace un gesto para que entre.

—Te he traído un regalito. —Tras tenderle su café latte, camino hacia el centro de la habitación y busco un sitio donde sentarme.

Emery suelta un suave gemido que me hace difícil permanecer de pie. Cuanto más tiempo paso con ella, más la deseo... a toda ella.

—Dios, qué bueno. ¿Cómo has sabido que me gustaba?

Joder. Esta chica no tiene ni idea de lo que esas palabras me están provocando.

—Quizá ya lo sé todo de ti.

Ella se acerca, comiéndome con la mirada. Me pregunto si piensa que no me doy cuenta.

—Si lo sabes todo, dime qué estoy pensando ahora mismo.

—Por cómo me estás mirando los labios... diría que estás pensando en cómo sería besarme. —No soy capaz de contener la sonrisa de suficiencia que se extiende por mi rostro. Probablemente no debería estar haciendo esto. Ya casi la he besado más de una vez. Bromear con ello es un golpe bajo, pero no lo puedo evitar.

Al momento alza la mirada hacia mis ojos y retrocede.

—¿Podemos ponernos serios por una vez? Además, no todas las chicas se mueren por besarte.

Me encojo de hombros.

—No estoy hablando de todas las chicas. —Deslizo el asa de la mochila por mi hombro y la lanzo a una de las dos camas individuales—. En fin, te escuché aquel día en la cafetería. Sé qué te gusta.

Ella escupe casi el sorbo de café y se limpia la barbilla con el dorso de la mano.

—Seguro que eso es lo que crees.

Me siento en el filo de la cama y estiro los brazos por encima de la cabeza.

—¿Lista para empezar a trabajar?

—Sí. Yo... eh, he escrito un esquema de toda la presentación. —Remueve unos cuantos papeles que hay sobre su escritorio y me tiende algo que parece haberle llevado más tiempo del que yo le haya dedicado jamás a cualquier trabajo de clase—. Vamos a repasarlo un par de veces hasta que ya no nos haga falta mirarlo.

—Estoy listo.

A medida que avanzamos línea por línea, siento un nuevo respeto por Emery. Le ha dedicado muchas horas al trabajo y le debo cada pedacito del sobresaliente que seguramente vamos a sacar. La emoción que siente aflora a través de sus palabras. Es un tema muy importante para ella... y también para mí.

—No puedo agradecerte lo suficiente que hayas hecho todo esto, Emery.

—No has sido tan mal compañero —bromea, sentándose en la cama a cierta distancia.

—Lo digo en serio —añado en voz baja, acercándome a ella. Sus ojos se abren como platos cuando me inclino para posar mis labios en su frente. Quiero besarla desde hace mucho tiempo, pero si esto es todo lo que puedo tener, voy a aprovecharlo—. Tengo que irme, pero te veo mañana.

Ella asiente, cerrando los ojos durante un breve instante, antes de volver a encontrar los míos. Esos preciosos ojos marrones van a ser mi perdición, y no sé si me queda algo dentro que pueda evitarlo.

Cuando entro en clase, mis ojos escrutan el aula en su busca. Hoy es el día que exponemos nuestro proyecto, y no estoy seguro de qué va a pasar después de esto. Debería dejarla en paz, pero no sé si voy a poder hacerlo.

—Estoy aquí. —Reconocería esa voz en cualquier parte.

Miro a mi derecha y la localizo sentada delante, en el centro. Ese debería haber sido el primer sitio donde mirar. Espero que no le dé demasiada importancia a la enorme sonrisa que se me dibuja en el rostro. Es automática.

—¿Listo? —me pregunta, mientras me siento a su lado.

—¿Estás de coña? Esto no es nada comparado con capitanear el equipo en el campo para anotar el *touchdown* definitivo.

—¿Lo comparas todo con el fútbol? —Me mira de reojo, y está preciosa cuando lo hace.

—Es todo lo que conozco —comento con sinceridad.

—Creo que conoces más que eso —susurra, y saca de su mochila las notas para nuestra exposición.

La clase comienza y yo finjo escuchar a cada pareja de alumnos mientras bajo la mirada hacia el paquete que le he traído a Emery. Lo he cogido y soltado un montón de veces antes de salir esta mañana de mi habitación. Todavía no he decidido si voy a dárselo, porque no quiero que piense que es más de lo que realmente es.

Joder, ni yo mismo sé del todo por qué voy a dárselo. Quizá tengo miedo de que, tras nuestra exposición, no haya más razón para pasar tiempo juntos. Como norma general, me sentiría aliviado de alejarme, pero esta vez no quiero hacerlo.

Cuando nos nombran, respiro hondo y me encamino hacia la parte posterior del aula del mismo modo que entro cada sábado en el terreno de juego. Aunque no esté preparado para esto, voy a fingir lo contrario.

Emery va primero, tal y como habíamos planeado, y habla de la genética y de cómo cree que afecta a nuestra educación. Me pierdo en cada palabra que pronuncia hasta que empieza a trabarse. Está hablando de estudios hechos en niños que no han sido criados por sus padres biológicos y cómo, aunque no hayan pasado un solo día con ellos, tienen comportamientos y características similares.

Le tomo el relevo tratando de hacer que la transición se note lo menos posible. Me alivia ver de reojo el agradecimiento en su rostro. No estaba intentando decirle, en ningún momento, que no pudiera hacerlo; solo quería ayudar y demostrarle que entiendo por todo lo que está pasando. Continúo con mi parte. Cómo determina lo que aprendemos a una edad temprana la forma en que reaccionamos hasta el día de nuestra muerte. Esos primeros años son importantes... joder, y tanto.

Cuando terminamos, nos sentamos y prestamos atención a los dos compañeros restantes. En realidad, es difícil concentrarse porque en todo lo que puedo pensar es en si voy a seguir adelante con mi plan o no. Es un paso... No, es un salto enorme para mí.

La profesora McGill habla y yo devuelvo la atención a la parte delantera del aula.

—Me gustaría daros las gracias a todos por el tiempo que le habéis dedicado a vuestras presentaciones. Tendré vuestras notas para finales de semana.

Mientras se aleja del pódium, mi debate interior continúa sin descanso. Al final, tras dedicarle una mirada rápida a Emery, decido que no tengo nada que perder. Puede que diga que no, pero entonces no habrá ninguna diferencia a como estamos ahora. Hay una posibilidad de que diga que sí, y todavía no he decidido qué significa eso para mí... o para nosotros.

Se pone en pie y empieza a guardar las cosas en su mochila. Es ahora o nunca. Cuando veo la triste expresión que aún cubre su rostro, las palabras me salen solas.

—¿Podemos hablar fuera?

Ella examina el aula antes de que sus ojos me encuentren de nuevo.

—¿Por qué no podemos hablar aquí?

—Solo dame dos minutos —susurro, con cuidado de que nadie me oiga.

Suspira y se cuelga la mochila de un hombro antes de encaminarse hacia la puerta.

—Me estás asustando, Drake.

La sigo afuera de la clase como si fuera un cachorrito perdido. Nunca me había importado tanto lo que una chica pensara, ni había intentado nunca conocer realmente a ninguna.

Respiro hondo cuando la puerta se cierra a nuestra espalda. He empezado esto y ahora tengo que acabarlo.

—¿Estás bien? —pregunto, tentado de alzar la mano y acariciarle la mejilla.

Ella se sobresalta y clava la mirada en el pasillo.

—Empecé a pensar en mi madre y perdí el hilo. Supongo que no importa el tiempo que haya pasado... sigue doliendo.

Llevo la mano hasta su rostro y le acaricio el pómulo con el pulgar.

—Solo quiero saber si estás bien.

—Siento haberla fastidiado. Gracias por haberme relevado.

—No tienes que disculparte.

Asiente, mirándome fijamente a los ojos. Creo que una persona es capaz de decir que empieza a preocuparse por otra cuando absorbe sus emociones y las siente como propias. Mentiría si dijera que no siento un ramalazo de dolor en el pecho. Esta chica, tan dulce y bonita está pasándolo mal y yo solo quiero que esté bien.

Rompo el contacto visual para sacar el regalo que he metido en mi mochila. Cuando se lo doy, mis dedos tiemblan. No es decisión mía que lo abra ahora o después, pero preferiría no ver rechazo en su rostro.

—¿Y esto? —pregunta, mirándome de forma intermitente a mí y a la bolsa.

—Considéralo una forma de agradecerte que no te hayas rendido conmigo —replico, pasándome la mano por la nuca.

—¿Puedo abrirlo? —pregunta, palpando el papel de regalo que se entrevé por encima.

Mierda. No sé si estoy preparado para esto.

—Como tú quieras.

Una sonrisa ilumina su rostro cuando tira de un trozo de papel y luego del siguiente. Mi corazón empieza a desbocarse cuando llega al interior del paquete y saca el regalo.

—Es tu jersey.

—Este sábado es el partido de bienvenida, y me gustaría que vinieras a verme. Todo el mundo debería ver un partido de fútbol al menos una vez en la vida, y da la casualidad de que tú eres la única a la que le voy a dejar ponerse uno de mis jerséis.

Se muerde el labio inferior y me mira con ojos interrogantes. Quiero que diga que sí, porque por alguna razón, saber que está ahí me dará un impulso extra. Quiero que me vea hacer lo que mejor se me da. Quiero que sepa que no soy el fracasado que he creído ser. Somos más parecidos de lo que se piensa, simplemente centramos nuestras energías en cosas distintas.

—¿Tengo que decírtelo ahora?

—No, puedes pensártelo. Pero, por si sirve de algo, tengo muchas ganas de que vengas. —Sueno más impasible de lo que me siento, pero estoy intentando enmascarar la decepción lo mejor que puedo.

Vuelve a doblar la prenda y a meterla en la bolsa.

—Yo quiero... pero es que...

—Es que, ¿qué? —pregunto, dando un paso hacia ella.

—No sé qué planes tengo todavía. Puede que haga algo con Kate.

Quizá ya la conozco bien, porque sospeché que utilizaría esa excusa.

—Hay tres entradas al fondo de la bolsa. Trae a quien quieras.

Ella me observa con los ojos abiertos como platos. Está acostumbrada a ser la más lista, pero esta vez no ha sido así. Reduzco el espacio que hay entre ambos, dejando un par de centímetros entre nuestros cuerpos. Me mira atentamente mientras me inclino hacia ella y rozo su oreja con mis labios.

—Quiero verte allí. No me decepciones.

La oigo inspirar con fuerza antes de alejarme. Mis ojos no se apartan de ella en ningún momento mientras recorro de espaldas el pasillo.

—Te veo el sábado, Emery.

11

Emery

¿Por qué no puede ser más fácil tomar esta decisión? Como elegir si quiero mantequilla en las palomitas o pepperoni en la pizza. Pero no, estoy intentando decidir si debería ir al partido. No cualquier partido de fútbol, no, sino el partido en que el quarterback estrella resulta ser el chico que me vuelve loca. El que hace quiera romper mis propias reglas.

Estoy indecisa porque es como abrir una puerta sin saber qué hay detrás de ella. No soy de las que hacen las cosas sin más. Vivo en un mundo seguro y planeado por mí de antemano, y aunque siempre sienta que me falta algo, en realidad soy feliz. Ahora mismo es suficiente. Desconozco cuáles son las intenciones de Drake y eso me asusta... me saca del cascarón donde me he estado escondiendo.

Me las arreglo para evitarlo el miércoles y el viernes, llegando a clase justo antes de que empiece y sentándome al fondo del aula. Me da la sensación de que estoy de nuevo en el colegio, porque estoy esforzándome mucho en evitar una situación incómoda. No tengo ni idea de qué decirle, y no quiero que me pregunte si ya he tomado una decisión.

Estoy empezando a sentir algo por Drake Chambers y me da miedo que él no vaya a sentir nunca lo mismo. Parezco una leona por fuera, pero por dentro soy un desastre. Que te abandone a tan tierna edad una persona que amas y en quien confías es difícil de superar. No lo entendía. No sabía cómo lidiar con ello. Me rompió por dentro. Y por eso me encerré en mí misma, para evitar que volvieran a hacerme daño.

Cuando oigo una llave en la cerradura, miro hacia la puerta y espero a que Kate entre como una bala. Lo hace unos segundos después con unos pantalones de chándal y una sudadera de los Southern Iowa Hawks. Su largo cabello está recogido en un moño en lo alto de su cabeza y esta es una de las pocas ocasiones en que la he visto con las gafas puestas.

—Buenos días —dice, lanzando la mochila sobre la cama.

—Hola. ¿Qué tal anoche? —pregunto, arqueando las cejas.

—Fue bien. —Se deja caer a mi lado en la cama. Ella nunca pregunta primero, pero a mí no me molesta. Kate es diferente a la mayoría de chicas que conozco, más sabia y madura. Es fácil abrirse a ella.

—¿Y...? —indago, dándole un codazo.

—Y nada. Te lo dije, no tenemos ninguna prisa. —Se tumba de lado y de cara a mí—. Además, tú eres la menos indicada para hablar. ¿Cuándo fue la última vez que tuviste sexo?

—Hace tres meses.

Ella abre la boca y luego la vuelve a cerrar. Kate se ha quedado muda.

—¿Qué? ¿Pensabas que era virgen? ¿Por qué todo el mundo piensa lo mismo?

—Es que... cuando hablaste de tu novio del instituto, no pareció que tuvierais esa clase de relación.

Sus ojos verdes se abren más que nunca.

—Soy inteligente, pero eso no me convierte en un ángel.

—Perdona. Es solo que no parecías ser de las que se arriesga.

—¿Arriesgarme a qué?

—A que te rompan el corazón.

Suelto una carcajada monumental.

—Para que un chico pueda romperte el corazón, tienes que sentir ciertas cosas por él. Clay ocupó un lugar especial en el mío, pero fue distinto a lo que tú tienes con Beau.

—¿A qué te refieres?

—Tu relación parece ir por sí sola y los dos disfrutáis estando el uno con el otro. No os he visto pelear ni una sola vez. Lo que yo tuve con Clay necesitaba mucho trabajo, sobre todo porque yo nunca me llegué a meter de lleno en la relación.

—Pero Beau y yo éramos amigos de toda la vida. Nos entendemos.

—¿Entonces por qué esperasteis tanto para empezar una relación?

Una expresión de incomodidad se asienta en su rostro.

—Me gustaba desde hacía tiempo, pero las cosas cambiaron y eso nos mantuvo separados. O mejor dicho, yo hice que así fuera.

—Sí, supongo que yo hice algo parecido con Clay. Nunca di la oportunidad de que pudiéramos ser algo más que una pareja de instituto. Tenía demasiado miedo de que me retuviera.

—¿Crees que podríais haber tenido algo más permanente?

—Nunca lo sabré. Quiero decir que... creo que le hice demasiado daño desde el principio, manteniéndolo alejado lo suficiente como para evitar un final feliz. —Me detengo y me pregunto cómo narices acabamos teniendo siempre este tipo de conversación. Supongo que, de algún modo, necesito sentir que puedo abrirme a Kate y descubrir qué parte de mi propia miseria es culpa mía. No puedo culpar a mi madre por todo—. ¿Vais a hacer hoy algo Beau y tú? —pregunto, feliz de poder cambiar de tema.

—Beau va a ir al partido.

—¿Y tú no vas? —Me sorprende. Parecen hacerlo todo juntos.

—No, le dije que quería quedar contigo. Además, va con Cory y unos cuantos más.

La mención al partido provoca que la bolsa que tengo escondida vuelva a aparecer en mi mente. Había decidido no ir, pero me pregunto qué pensará Kate.

—Drake me regaló una cosa el otro día después de nuestra exposición.

—¿En serio? ¿Qué?

Me arrastro hasta el borde de la cama y levanto mi mochila del suelo para sacar la bolsa negra con el papel de regalo amarillo. No he vuelto a mirarla desde que me la dio.

—Toma —digo, tendiéndosela a Kate.

Ella saca el papel primero, y seguidamente el jersey negro y dorado con el número doce y el nombre de Chambers en la espalda. Me pregunto si los jugadores pueden siquiera regalarlos.

—Madre mía. ¿Por qué te ha dado Drake Chambers su jersey?

—Quiere que vaya al partido de hoy. Incluso ha metido tres entradas en la bolsa —explico, jugueteando con el borde de la colcha.

Mete el brazo hasta el fondo y saca un sobre blanco con mi nombre escrito. Lo abre, saca lo que hay dentro y lo coloca sobre la cama. Hay tres entradas, pero también un papel doblado. Algo que no habría visto de no ser por ella.

—No sabía que había una nota —comento, y se la quito de la mano. No vacilo en abrirla.

EMERY,

ESTA ES LA PRIMERA VEZ QUE LE DEJO MI JERSEY A ALGUIEN. POR FAVOR, VEN AL PARTIDO. QUIERO DEMOSTRARTE QUE ALGO SE ME DA BIEN, PORQUE YO YA HE VISTO LO INCREÍBLE QUE ERES.

DRAKE
P.D.: ES UNA INVITACIÓN SIN COMPROMISO.

Con mis prisas por leer lo que había escrito Drake, no me percaté de que Kate también se había acercado a leerla.

—Tienes que ir, Emery. Llamaré a Rachel y las dos iremos contigo.

—No puedo. —No quiero juzgarlo, pero sé que Drake va a romperme el corazón. Ya lo ha arañado un par de veces y ni siquiera tenemos algo parecido a una relación. Ni siquiera nos hemos besado... No tengo ni idea de qué quiere de mí.

—¿Por qué no? Esto es lo más dulce que he visto nunca, y el hecho de que provenga de Drake Chambers me dice algo.

—¿Por qué lo hace? —pregunto. Es algo a lo que no he dejado de dar vueltas estos últimos días. ¿Por qué le importa tanto si voy o no al partido?

—Creo que le gustas, pero no quiere admitirlo. A veces los tíos necesitan un pequeño empujón. Es decir... ¿sabes cuánto tiempo hacía que yo le gustaba a Beau antes de que me dijera algo? —Se detiene, recoge el jersey de la cama y me lo lanza—. Póntelo. El partido empieza en algo más de una hora. Todavía podemos llegar a tiempo.

Abro la boca para rebatirle, pero la mirada que me está echando me advierte de que no pierda el tiempo. Me levanto y me enfundo unos vaqueros y una camiseta blanca de manga larga que saco del armario. Estoy preparada para ver de qué va todo eso del fútbol.

—No me puedo creer que nunca hayas venido a un partido —dice Rachel mientras entramos al abarrotado estadio. Acabo de conocerla, pero no me parece ese tipo de persona. Las tres cogimos el ritmo y no hemos parado de hablar desde entonces.

—Oye, dale un respiro. Yo tampoco he estado en ninguno..., al menos en la Universidad —responde Kate, ahorrándome así las explicaciones.

—Cory me arrastra a casi todos los partidos que juegan en casa. La única razón por la que esta vez no venía era porque Beau lo había invitado. Dale las gracias.

Kate se ríe.

—Se las daré.

Rachel me da un pequeño empujón en el hombro y señala los tres asientos vacíos que hay en la primera fila de la sección de estudiantes.

—Drake nos ha conseguido unos buenos sitios. Tendríamos que habernos pintado la barriga o algo. A lo mejor salíamos en la tele y todo.

—Yo nunca haría eso —añade Kate mientras nos sentamos.

Los equipos están saliendo al campo y, por extraño que parezca, estoy nerviosa. No por estar aquí, sino por Drake. Recuerdo lo que me dijo aquella noche en el campo, y me pregunto cómo estará él ahora mismo, sobre todo al ser un partido tan importante. Quizá debería haberle mandado un mensaje para desearle buena suerte, para decirle que lo voy a animar.

Cuando los equipos se colocan en sus respectivas bandas, me percato de que el número doce está saltando en el césped. Se frota las manos como si tuviera frío y sopla entre ellas mientras examina las gradas.

Siento una rodilla en la espalda y me giro, un poco molesta.

—Oye. —Es la chica de la media melena rubia con la que ya he visto antes a Drake—. ¿Ese es el jersey de Drake?

—Sí —responde Rachel en mi lugar y sin molestarse siquiera en darse la vuelta.

Antes de devolver mi atención al campo, veo que abre la boca de la impresión y que no deja de medirme con la mirada.

—No te acostumbres. No eres la primera chica que viene con él puesto. De hecho, casi te apostaría a que la semana que viene lo voy a llevar yo.

Rachel se gira con las manos cerradas en puños.

—¿Sabes qué, Olivia? Yo vengo todos los fines de semana y nunca te he visto ni a ti ni a nadie llevar su número en la espalda.

Olivia chasquea la lengua y aparta la mirada. Me doy la vuelta con la intención de disfrutar el partido.

—No la escuches. Y, por cierto, todavía me cuesta creer que quisiera que te lo pusieras —dice Rachel, de forma que solo yo pueda oírla.

—¿A qué te refieres?

—No es el hecho de que te lo haya dado a ti, sino que se lo haya dado a alguien, en general. No le presta atención a mucha gente. —Eso ya lo sé. Lo conozco lo suficiente como para ver cómo es.

—Creo que tiene muchas cosas en su vida —digo, viendo a Drake por primera vez dirigir la línea ofensiva hasta el otro campo.

Kate se inclina hacia mi otro oído.

—A lo mejor no debería decirte esto, pero Olivia tuvo una aventura con él el año pasado. Y por aventura me refiero a que tuvieron sexo en una fiesta, y él ni siquiera le preguntó el nombre a la mañana siguiente. Se lo contó a Beau porque, por lo visto, no lo deja en paz.

La bilis me sube por la garganta al pensar que él pueda hacerle eso a alguien. ¿Por qué no puedo verlo? ¿Por qué es diferente conmigo?

—Nosotros no estamos en la misma situación. Quiero decir que no estamos saliendo, así que no tienes que preocuparte por mí.

Kate se queda mirando fijamente el campo de fútbol y señala con el dedo, y una enorme sonrisa en el rostro, para que yo también mire.

—Ya veremos. Además, algo me dice que él no te haría a ti algo así.

Sigo la dirección de su mirada y veo a Drake con una mano sobre los ojos a modo de visera, mirando hacia donde estoy sentada con mis amigas. Cuando me ve, sonríe con suficiencia y se une a sus compañeros en la piña.

Rachel me da un empujón con el hombro.

—Parece que alguien está contento de que hayas venido.

Sonrío y me abrazo para protegerme de la fría brisa que recorre el estadio.

No sé nada de fútbol a excepción de las pocas cosas que me ha contado Drake, pero Kate y Rachel me hacen de comentaristas y me ponen al día rápidamente. Los equipos están muy igualados en la primera parte, empatándose el uno al otro una y otra vez hasta casi al final, cuando Southern Iowa se vuelve a poner en cabeza. Ver a Drake dirigir a su equipo hasta el otro lado del campo es un verdadero chute de adrenalina. Si me siento yo así en la grada, no me puedo imaginar lo que es para él.

En el descanso, su equipo se dirige a los vestuarios, pero Drake se queda fuera hablando con una de las animadoras de cabello moreno que han estado en nuestro extremo del campo toda la primera mitad del partido. Siento una quemazón en el pecho que me pilla por sorpresa. ¿Por qué me siento así por un chico que no voy a poder tener nunca? El viento me tapa los ojos con el cabello, pero yo lo aparto y le doy la espalda al campo; soy incapaz de seguir mirándolo.

Odio sentir celos y, de todas las personas por las que podría sentirlos, ¿por qué tiene que ser Drake? No soy tan tonta como para colgarme de un chico como él. Sobre todo, después de enterarme de lo de Olivia y de cómo la ha tratado. La señorita Minifalda seguramente será su plan para esta noche.

—¿Quieres tomar algo? —pregunta Kate, sujetándose el cabello para que el viento no se lo ponga en la cara.

—Creo que voy a ir al baño. —A estas alturas, ni siquiera sé si quiero quedarme para la segunda parte, porque estar aquí ya no me hace sentir cómoda.

Cuando empiezo a encaminarme hacia las escaleras de cemento, siento una mano en el hombro y me doy la vuelta. Es la animadora con la que Drake estaba hablando en el campo.

—Me han dicho que te dé esto. —Me tiende un trozo de papel y desaparece al instante.

—¿Y eso? —me pregunta Kate a mi espalda.

—Ni idea.

Despliego la nota y, al instante, reconozco la letra de Drake.

PARECE QUE TE LO ESTÁS PASANDO BIEN. ESPÉRAME FUERA
DE LOS VESTUARIOS DEL LADO ESTE CUANDO TERMINE EL
PARTIDO.

DRAKE

La vuelvo a doblar y la sostengo contra mi pecho. Cada vez que estoy a punto de darlo por perdido, reaparece con más fuerza. Y si piensa que los pequeños detalles van a sumarle puntos, probablemente tenga razón.

12

Drake

Mientras el agua caliente cae por mi espalda, reproduzco en mi cabeza las últimas jugadas del partido. Wisconsin nos metió caña después del descanso y se puso en cabeza, y yo lo tuve complicado en casi todos los pases que lancé en el tercer cuarto. Aunque volví con fuerzas renovadas en el siguiente, y en el minuto final del partido, que íbamos perdiendo de uno, pude llevar al equipo hasta el otro extremo del campo.

Así es como funciono mejor... Cuando tengo más presión encima. Hice cuatro pases perfectos, y el último fue en la zona de anotación para darle la victoria a mi equipo. Estuvo más cerca de lo que me hubiera gustado, pero al final, todo lo que importa es ganar. Cómo se consiga es lo de menos.

—Chambers, ¿vas a la fiesta de esta noche? —Es Trip, mi centrocampista. Al tipo le gusta pasárselo bien, como la mayoría de mis compañeros de equipo, pero no es mal tío.

—A lo mejor. —Cierro el grifo y descuelgo la toalla del perchero.

—Hoy tienes que venir. Donovan invitó a dos hermandades de tías, y odio tener que decirte esto, pero necesitas pillar cacho.

—Cállate —digo, dirigiéndome a la taquilla que tiene mi apellido escrito en ella.

—¡Lo necesitas! —grita, riéndose a mi espalda.

En fútbol, tus compañeros de equipo son como tus hermanos. Haces cualquier cosa por ellos, para que el equipo se mantenga unido, aunque signifique ir a una fiesta que no te apetece.

Cuando escribí antes la nota invitando a Emery a que me esperara después del partido, no sabía si aparecería o no. La he fastidiado mucho con ella y seguramente piense que esta es otra de esas veces.

Me coloco unos vaqueros desteñidos y un polo verde, y encima me pongo una americana marrón que el entrenador insiste en que llevemos antes y después del partido, para dar una apariencia más profesional.

Mientras me pongo unos zapatos de vestir marrones, echo un vistazo al vestuario y compruebo que la mayoría de mis compañeros ya ha salido. En el fondo, me preocupa que no venga. Es más fácil quedarme aquí sentado y convencerme de que podría estar ahí fuera esperándome, que salir y ver que en realidad no ha venido.

Tras esperar un par de minutos más, cojo mi bolsa de deporte y me dirijo a la puerta.

Aguanto la respiración y miro a ambos lados del pasillo para ver alguna señal de ella. No está. El partido terminó hace casi cuarenta y cinco minutos, y ha tenido tiempo más que suficiente para llegar hasta aquí.

Supongo que esto es lo que me merezco por arriesgarme, por aprovechar la oportunidad y, sobre todo, por comportarme como un gilipollas. En diecinueve años solo me ha interesado de verdad una chica, y la he fastidiado incluso antes de empezar nada.

—Drake.

Me giro y suelto el aire que había estado conteniendo. Emery está a unos metros de mí, y tengo que admitir que mi jersey le queda espectacular.

—Hola —saludo en voz más baja de lo que pretendía. Ella da unos cuantos pasos hacia mí y yo esbozo una sonrisa torcida en los labios. Está muy guapa. Por un momento la imagino vestida únicamente con mi jersey. No va a pasar nunca, pero soñar es gratis.

—Tardas más en ducharte que los demás —bromea, colocándose tras la oreja unos cuantos mechones con nerviosismo.

Esta vez soy yo el que reduce el espacio que existe entre nosotros. Le coloco con los dedos otros mechones que se había dejado fuera y ella cierra los ojos un breve instante.

—Te estaba dando tiempo para llegar hasta aquí.

Ella sonríe y ladea la cabeza.

—¿Pensabas que no iba a aparecer?

Me río, evitando sus ojos al igual que voy a evitar la verdad.

—Qué va, sabía que vendrías. Era una oportunidad única en la vida.

—¿De verdad?

Me encojo de hombros.

—Por supuesto. ¿Quién no querría pasar la noche conmigo?

—Es probable que tengas razón pero, si paso la noche contigo, seguramente no querré volver a hacerlo —bromea, retrocediendo lo bastante para que no pueda tocarla, algo prudente por su parte.

—Vale, listilla, salgamos de aquí. Tenemos planes. —Empiezo a caminar por el pasillo sin cogerla de la mano, como hacía cuando estábamos solos. La invité a venir conmigo esta noche porque sé que ella no iría nunca sola a una fiesta como esta. También sé que me lo voy a pasar mucho mejor si está conmigo... Quiero conocerla mejor.

Siento conexión con ella, pero también sé que no podemos ser más que amigos. A veces he deseado haberla conocido en otro momento de mi vida, cuando hubiera tenido menos peso sobre los hombros y las cosas fueran más estables. Creo que si se diera la oportunidad, podríamos tener algo juntos muy bonito.

Pero yo tengo mis inconvenientes y ella se merece a alguien mejor.

Cuando salimos al aparcamiento, todavía quedan unos cuantos jugadores por allí. No me avergüenzo de Emery, pero no quiero que se hagan una idea equivocada de nosotros, así que coloco la mano en su zona lumbar y la apresuro hacia el coche. Esta es la primera vez que estoy cerca de ellos con una chica con la que voy en serio... Una chica con la que quiero tener una verdadera amistad. Lo último que quiero es que Emery forme parte de sus estúpidos cotilleos en los vestuarios. No se lo merece, y tampoco se va a convertir en la última pelotita de pingpong del equipo.

Abro rápidamente la puerta del copiloto, la guío con la mano hasta el asiento y cierro la puerta, antes de precipitarme hacia el lado del conductor. Antes de subirme al coche me aseguro de que nadie nos está mirando.

Saco el coche del aparcamiento y miro a Emery. Tiene un codo apoyado sobre la puerta y la frente, sobre su puño. Diría que ahora mismo no está muy contenta.

—¿Estás bien?

—¿Por qué no iba a estarlo? —Ni siquiera me mira.

Mi mal genio empieza a aflorar y agarro el volante con mucha más fuerza. Siempre llevo la mejor de las intenciones, pero mi ejecución es una mierda.

—Mira, siento lo que acaba de pasar. No quiero que los chicos se hagan una idea equivocada de ti.

Al instante gira la cabeza hacia mí, con una expresión confusa en el rostro.

—¿Una idea equivocada de qué?

—De lo que estamos haciendo. No he tenido ninguna relación desde que llegué aquí, así que siempre que estoy con una chica, es...

—¿Para tener sexo? —me corta.

Me froto el mentón con la mano mientras pienso en mi respuesta. Técnicamente la respuesta es sí, pero no quiero que piense que lo hago de forma habitual.

—Si quieres que te sea sincero... sí, pero seguramente no sea como te piensas.

Ella baja la mirada hasta sus dedos antes de devolvérmela. Abre y cierra la boca un par de veces antes de encontrar las palabras.

—¿Te avergüenzas de que te vean conmigo?

Abro la boca antes de recuperar la compostura. Se equivoca. Se equivoca tanto... Ella es la que debería avergonzarse de que la vean conmigo.

—No, no me avergüenzo de que me vean contigo. No quería que los chicos pensaran que estamos juntos de esa forma. No eres el prototipo de chica con el que normalmente me ven y no te mereces las cosas que dirían si piensan que estamos juntos.

—Ya soy mayorcita. Puedo cuidar de mí misma.

Me detengo en un semáforo y aprovecho para volver a mirar en su dirección.

—Lo sé, pero no voy a ponerte en esa situación si puedo evitarlo.

Ella niega con la cabeza y los ojos fijos en las farolas que pasan a nuestro lado.

—¿Has estado alguna vez en una fiesta universitaria? —pregunto, intentando hacer lo que mejor se me da: cambiar de tema.

Ella me escruta durante unos segundos antes de responder.

—Fui a la de Beau.

—Emery, eso fue una reunioncilla, no una fiesta.

—¿Qué diferencia hay?

Como norma general, me reiría de esta conversación, pero Emery no es tonta. Solo es inocente, así que quiero ayudarla a abrir los ojos al mundo que hay más allá de sus estudios.

—Podría contar con los dedos de manos y pies las personas que había en casa de Beau. A lo que yo me refiero es a una casa abarrotada de gente, barriles de cerveza y música a todo volumen.

—Entonces, no, nunca he estado en una fiesta universitaria.

Entro en la calle donde se celebrará la fiesta pospartido de hoy y busco un sitio donde aparcar.

—Entonces, vamos a remediarlo.

Tras meter el coche en un pequeño aparcamiento, apago el motor y me quito la americana.

—¿Lista? —pregunto, llevando la mano hacia el tirador.

Ella abre la puerta sin responderme y sale del coche. Yo intento alcanzarla.

—¡Emery!

Continúa andando y siguiendo a la multitud hasta la puerta de una casa de ladrillo de dos pisos. Necesita su espacio. Lo pillo, pero si se cree que va a huir de mí y va a desaparecer en esa casa ella sola, está equivocada. Está muy equivocada.

La multitud del interior ralentiza su avance y me permite llegar hasta ella.

—¿Qué crees que estás haciendo? —pregunto, agarrándola ligeramente de la muñeca.

Ella intenta desasirse, pero no la suelto.

—Suéltame.

—Responde a mi pregunta.

—Tienes más cara que espalda, ¿lo sabías? No eres capaz de andar por una mierda de aparcamiento conmigo, pero quieres que vayamos a una fiesta juntos. No tienes ningún sentido.

Suelto su muñeca y retrocedo. Soy una puta contradicción andante. Todas las cosas que me preocupaban en el aparcamiento son nada en comparación con lo que la gente va a pensar si nos ven juntos aquí. Me pierdo tanto en los pequeños detalles que a veces no veo las cosas desde una perspectiva más amplia. Supongo que pensé que, una vez llegáramos a la fiesta, nos mezclaríamos con los demás, pero me olvidé de quién soy. Ni de coña voy a pasar desapercibido.

—Eso es lo que me pensaba —dice, quitándose mi jersey—. ¿Por qué no le das esto a alguien que tenga tiempo para tus juegos mentales? Tengo mejores cosas que hacer.

Y, tras decir esto, se da media vuelta y se adentra en la multitud. Debería seguirla, pero sé que me lo merezco y que ella necesita espacio.

Quería protegerla. Joder, a lo mejor quería protegerla de mí mismo. Cada minuto que paso con ella está empezando a significar algo más para mí. Quiero estar con ella y observarla hacer cosas que podrían hacerla sonreír. Está siempre tan encerrada en sí misma que sé que se terminará arrepintiendo. Hay cosas en la vida que todo el mundo debería vivir. Tenía la intención de hacer esto con ella, pero nunca me imaginé que le diera tanta importancia a la distancia que estaba interponiendo entre nosotros.

Tras rodear el salón, entro en la cocina y la encuentro cogiendo un refresco de una de las neveras. Al menos no va a beber alcohol, pienso mientras apoyo un hombro contra la pared para observarla. La animadora que le llevó la nota en el medio tiempo, Missy creo que se llama, aparece a su lado y empiezan a hablar. Cuando Emery pone los ojos en blanco, imagino que están hablando de mí y me lo tomo como una señal para volver a desaparecer. Este es mi plan para la noche: darle espacio mientras le echo un ojo.

No he dado más de tres pasos hacia la aglomeración de gente cuando una mano menuda me agarra del bíceps. Al girarme, me percato de que no es quien esperaba.

—Hola, Drake, muy buen partido hoy. —Mierda. Es Olivia. Juro que me ha inyectado un chip GPS bajo la piel.

—Gracias —murmuro, echando una mirada a la gente que tengo alrededor. Ya va siendo hora de que vuelva a encontrar a Emery.

—¿Quieres que te haga compañía esta noche?

—¿Crees que estoy buscando eso? —No la he mirado a los ojos ni una vez. Eso debería darle una pista.

—Es evidente que estás buscando algo. Déjame que te ayude —replica, metiendo el dedo entre los botones de mi camisa.

Le aparto la mano de mi pecho.

—No va a pasar esta noche ni ninguna otra. ¿Cuántas veces te lo tengo que decir para que te entre en la cabeza?

Ella hace pucheros con sus labios rojos, mirando por encima de mi hombro.

—Tú te lo pierdes —dice, acercándose para darme un beso en la mejilla antes de que yo tenga oportunidad de reaccionar.

La veo alejarse con una sonrisa de oreja a oreja en el rostro. Las chicas como ella hacen que quiera encerrar a mis hermanas durante el resto de su vida. Supongo que quiero que sean más como Emery. No quiero que vayan detrás de chicos, especialmente de los que son como yo.

Tras arreglarme la camisa, camino hacia la esquina de la estancia donde han improvisado una barra y me bebo dos cervezas. Necesito soltar toda la maldita tensión que tengo acumulada. Dos probablemente no lo consigan, pero tengo que vigilar a Emery.

Cuando vuelvo a examinar la sala y la veo de pie junto a Cole Dillon, riéndose de lo que sea que le esté contando. Cole es uno de los pocos chicos del equipo que no considero un completo capullo, al menos en lo que respecta a las mujeres. Es uno de los pocos tipos que no desaparecen en un dormitorio distinto cada sábado por la noche en estas fiestas. También es de la clase que Emery se merece, lo que hace que verlos me resulte mucho más difícil.

Me quedo quieto, intentando convencerme de que ella es mayorcita y puede hacer lo que quiera, pero no se me da bien, y todo se va al garete cuando él coloca una mano sobre el brazo de Emery. Aprieto la mandíbula mientras avanzo hacia donde están ellos, ignorando al resto de la gente junto a la que paso. Justo cuando los alcanzo, ella echa la cabeza hacia atrás y se ríe, y Cole la mira con un brillo de cariño en los ojos. A este ritmo, tendrá suerte si le lanzo el balón el próximo sábado.

Cuando Emery me ve por fin, se detiene y pone la mano en el antebrazo de Cole.

—Hola, Drake, ¿por qué no me dijiste que Cole era tan gracioso?

Lo más seguro es que tenga las mejillas rojas como un tomate, porque la cara me arde.

—Supongo que porque no sabía que Cole fuera cómico fuera del campo. —Mi voz suena envenenada. Por cómo cambia la expresión de su rostro, me imagino que él también se ha percatado.

—Me estaba contando historias de los viajes del equipo en bus. Me sorprende que alguno de ellos tenga novia. —Emery sonríe y le da un empujón a Cole con el hombro. Si pretende cabrearme, lo está haciendo de maravilla.

Aprieto los puños, intentando contenerme con todas mis fuerzas.

—Creo que ya es hora de irse —digo, mirándola directamente a los ojos.

—Pero si estoy empezando a divertirme. Además, tú no querías que viniéramos aquí juntos. Estoy segura de que Cole puede llevarme a casa. —Vuelve a mirar a Cole y, juro por Dios, que le guiña un ojo.

No puedo seguir con esto. Sé que está enfadada por lo que pasó antes y, si está intentando devolvérmela, lo está consiguiendo. No recuerdo la última vez que quise darle un puñetazo a alguien, sobre todo a alguien que me cae bien.

Agarro su mano libre y tiro de ella hacia la puerta. Al principio arrastra los pies, pero casi duplico su peso. No va a ganar esta guerra.

—¡Drake! —Intenta desasirse de mis dedos, pero vuelvo a ganar.

—Nos vamos —digo sin molestarme en mirar atrás.

Antes de poder dar un paso más, me encuentro a Cole frente a mí echando fuego por los ojos.

—No creo que quiera irse contigo.

—Ha venido conmigo. Apártate de mi camino, Dillon. No le pasa nada —lo tranquilizo. Solo quiero salir de aquí, joder.

Él le lanza una mirada a Emery, se aparta de mi camino y me deja avanzar.

—¿Seguro que no te quieres ir con Olivia? —oigo su tenue voz a mi espalda.

Me detengo y miro atrás.

—¿Qué?

Parece herida. Pero de verdad.

—Te vi antes con ella. Ella sí que debe de dar la talla para que os vean juntos por aquí.

Algo hace clic en mi interior. Seguimos luchando por atravesar el gentío, pero antes de alcanzar la puerta, cambio de planes. Ella intenta separarse de mí, pero no la dejo. Quizá son las dos cervezas que me he tomado o la emoción que me embarga, pero me encuentro llevándola hacia el baño que da al salón. Cuando mis ojos atrapan los suyos, la expresión de su cara es otra vez de sorpresa.

Cuando ambos estamos dentro, cierro la puerta y echo el pestillo. No aparta la mirada de mí, ni yo de ella. Esta chica... no sé qué me está haciendo.

—Tú das la talla, Emery. De hecho, eres demasiado buena para mí. ¿No lo pillas? Te deseo muchísimo ahora mismo, pero estoy luchando contra ello porque deberías estar con alguien como Cole. Él puede ser lo que necesitas... yo no.

Se me queda mirando con los ojos abiertos como platos.

—Él no es a quien quiero.

La agarro de las caderas y atraigo su cuerpo hasta pegarlo al mío. Tiembla bajo mis manos, pero su mirada anhelante me suplica que continúe.

Acaricio sus costados y siento la suave textura de su camiseta contra mi piel. Su pecho sube y baja mientras mis labios se acercan a los suyos. Está vacilante. Lo siento. Lo veo. Esta no es la primera vez que lo hago, ni la segunda.

Me detengo cuando mis labios están tan cerca de los suyos que pueden tocarse. Su cálido aliento me hace cosquillas en la piel y me hace imposible pensar.

—Voy a besarte.

Ella asiente, apoyando la palma de las manos sobre mi pecho. Y entonces lo hago. Primero rozo mis labios contra los suyos y luego los mantengo ahí para acostumbrarme al tacto de su piel. Al mismo tiempo que mi lengua delinea el borde de sus labios, mis manos encuentran el dobladillo de su camiseta y se meten por debajo para acariciar su vientre liso.

Es la primera vez en más de un año que beso a una chica sin estar totalmente borracho. Y aunque ha pasado un tiempo, no recuerdo que fuera así. Todo mi cuerpo tiembla de necesidad..., contra la que llevo luchando durante mucho tiempo.

—Emery —gimo mientras me quito la camiseta—, lo deseo con todas mis fuerzas.

Ella responde rodeándome el cuello con sus brazos y acercándome a su pecho. Siento a través de su camiseta sus turgentes pechos pegados a mi torso. Mi necesidad aumenta y pierdo el control de la parte racional de mi cerebro.

Bajo las manos por su espalda y me detengo en su perfecto trasero. La levanto en brazos, la siento sobre el lavabo y me coloco entre sus piernas abiertas. Mi miembro da una sacudida cuando pego mi cuerpo al suyo. Lo quiero todo de ella.

Mi lengua se mueve con la suya, antes de bajar por su cuello y dejar un rastro por toda su clavícula.

—Joder, sabes tan bien. Tan bien... —digo, moviendo mis labios hasta el centro de su garganta.

Emery gime cuando muevo las caderas contra las de ella para crear la fricción que tanto he estado anhelando.

—Drake...

Necesito más. Quiero saborear más su cálida piel, quiero sentirla contra la mía. Agarro el borde de su camiseta por ambos lados y empiezo a levantársela.

—¡Para! —grita, empujándome en el pecho. Me quedo parado, preguntándome qué cojones acaba de pasar. Este momento ha sido más real de lo que he vivido en mucho tiempo. Por una vez, he seguido a mi corazón y él me ha llevado hasta ella.

—Esta noche no —añade, apoyando las manos sobre mi piel.

Levanto la cabeza y me permito mirarla a sus enormes ojos marrones. Esconden tanta confusión, tanto dolor. Yo solo quiero que lo olvide todo.

—No puedo —susurra.

Deposito una mano en su mejilla y le acaricio la suave piel con las yemas de los dedos.

—No era mi intención presionarte.

Ella cierra los ojos con fuerza y luego los vuelve a abrir.

—Quiero. Pero es que... no puedo.

Antes de darme cuenta de lo que hago, pego de nuevo mi boca a la suya. Ha sido oír que me desea y se ha avivado el fuego que parezco ser incapaz de extinguir. Mis labios rozan los suyos, pero luego se quedan quietos para ver si ella se aparta o no.

Cuando no lo hace, apoyo las manos en la pared, a cada lado del espejo, para encerrarla entre ellos. Es el único modo de evitar tocarla. Cuando presiono la lengua contra sus labios, ella se mueve hasta el borde del lavabo y vuelve a pegar nuestros cuerpos.

Tras unos minutos de provocaciones y besos, llevo los labios hasta ese punto sensible bajo su oreja.

—¿Quieres parar? —pregunto y muerdo ligeramente su lóbulo.

—Besos solo, Drake. Nada más. —Tiro de su lóbulo otra vez y disfruto del gemido que escapa de sus labios.

—Tomaré lo que sea que estés dispuesta a darme ahora mismo —susurro, volviendo a pegar la boca contra su piel.

Emery mantiene el control, mientras que yo me derrumbo un poco más cada vez que estoy con ella.

13

Emery

Sus labios solo rozan mi cuello, pero un escalofrío recorre todo mi cuerpo. Hace diez minutos estaba enfadada y ahora estoy luchando por evitar que la cosa vaya a más. Nunca me había sentido así antes. Sin control. Sin preocupaciones.

Me siento fenomenal.

Le he dado largas unas cuantas veces, pero sigue volviendo, y hay una razón por la que se lo permito. Veo a través de él... Está teniendo una intensa lucha interior. Está guerreando. Y yo también. Ambos somos adictos a esta lucha.

Su pulgar me roza un pecho y ese gesto, junto a la fricción de sus caderas entre mis piernas, me hacen perder el control. Atrapa mis labios con los suyos y amortigua mis gemidos. Es pura euforia... La primera vez que me corro sin la ayuda de mis propios dedos. Con pasión es muchísimo mejor y más intenso.

Cuando mi cuerpo se relaja, él cubre mi rostro de besos y dibuja pequeños círculos en mi espalda. Debería sentirme relajada, pero la tensión regresa... Es entonces cuando la incomodidad empieza a inundarme. ¿Debería devolverle el favor? ¿Espera que lo haga? ¿Quiero yo hacerlo siquiera?

—¿Qué está pensando esa cabecita tuya? —susurra tan cerca de mi oreja que me roza su aliento.

—¿Quién dice que estoy pensando? —contesto, intentando mantener la voz neutra.

Me echa el pelo hacia atrás y deja mi cuello a la vista.

—Estás tensa. Déjame que le ponga remedio. —Sus labios se pegan a mi piel desnuda, mientras alza mi barbilla con ayuda de sus dedos, lo que le permite tener un mejor acceso a mi cuello.

Continúa delineando con la lengua los lugares donde antes habían estado sus labios. Poco a poco, mis preocupaciones empiezan a desaparecer. Esto no es un examen. No tengo que estudiar ninguna guía ni formarme ningún plan. Somos solo nosotros, encerrados en este momento.

Cuando me vuelvo a relajar, él se aparta. Echo de menos los besos casi al instante. Tras ayudarme a recolocarme bien la ropa y ponerse la camiseta, me sujeta por las caderas y me ayuda a bajar del lavabo.

—Deberíamos salir de aquí antes de que alguien tenga que usar el baño para lo que se inventó —dice con una sonrisita sexy en el rostro.

Asiento, correspondiendo a su sonrisa.

—¿Tienes algo en mente? —Ahora mismo me iría a cualquier parte con él.

Me observa y, mientras yo hago lo mismo, algo cambia en sus ojos. Va a dejarme de nuevo; se retira.

—Debería llevarte a casa —sentencia, pasándose una mano por la cara.

Por primera vez desde que me metió en este baño, no me toca. No me mira. Me va a dar la patada otra vez; hemos llegado al punto donde lo presiento. De repente el corazón se me encoge y se me hace prácticamente imposible mantener la serenidad en la voz cuando pongo una mano sobre el tirador de la puerta para abrirla. Seré yo la que huya esta vez.

—De todas formas, ya hemos terminado aquí.

Quizás estoy esperando a que me agarre y me diga que lo he malinterpretado. Quizá quiero que me pregunte qué me pasa, para poder sacarme de dentro todas las semanas de ira contenida. Pero no lo hace. ¿Por qué razón no lo hace, si sabe perfectamente lo que me molesta? Eso es lo que deduzco de su arrepentida mirada, pero no puedo evitar seguir sintiéndome utilizada. Es como si, a veces, fuera lo bastante buena para él como para dar el siguiente paso conmigo, pero no lo suficiente como para dar otro más.

Atravieso el grupo de estudiantes que se ha juntado en la puerta principal y bajo los escalones sin mirar atrás. Debería poder volver a casa andando; no hace tanto frío fuera y por lo que puedo deducir, no estaremos a más de kilómetro y medio del campus.

—¿Adónde coño vas? —pregunta mientras sigo andando por la acera. Lo ignoro, no quiero llegar a nada más con él. Hace diez minutos íbamos los dos al mismo ritmo. Ahora... ahora estamos a puntito de hundirnos.

Dicen que las personas con las que merece la pena luchar son las mismas por las que merece la pena hacerlo.

No estoy muy segura de eso.

—¡Emery! —Oigo sus zancadas en la acera, y yo aprieto el paso. Poco después, una mano grandota me agarra del brazo y me detiene en seco—. No vas a irte andando a casa. Entra en el puto coche.

Me remuevo en un intento de desasirme de su mano.

—¿Sabes qué, Drake? Se acabó. Suéltame y hagamos como que esta noche no nunca ha existido.

—No debería haber sucedido. Creo que ambos lo sabemos. —La culpa se hace eco en su voz.

—Yo no me he arrepentido hasta que has vuelto a hacerme lo mismo. ¿Por qué lo haces? ¿Por qué te acercas y me dejas entrar para pisotearme luego? Se acabó.

Sus fosas nasales se dilatan bajo la luz de la farola y sus ojos estudian los míos. Parece querer decir algo, pero no lo hace. Afloja su agarre y yo me deshago de él de un tirón. No vuelve a pronunciar palabra cuando empiezo a caminar de nuevo por la acera, pero oigo sus pasos a mi espalda.

Estoy harta de él, de todo esto. De toda la gente que hay en esta ciudad, ¿por qué mi corazón ha tenido que hacer una excepción con él? ¿Por qué es la persona que quiero, la única cuyo contacto anhelo? Debe de tratarse de una especie de rebelión interna... Mi cuerpo es un jodido traidor y, en especial, mi corazón. Reproduzco el momento en que lo vi con Olivia..., justo antes de que ella se inclinara para darle un beso en la mejilla. Cuando se alejó de él, pasó junto a mí y me dio un empujón con el hombro con una enorme sonrisa estampada en la cara. Fue justo después de que Cole Dillon me encontrara.

Con cada manzana que avanzo, mi ira va en aumento. Una parte de mí quiere girarse y gritarle a la cara, pero en el fondo sé que no me va a dar lo que quiero: una explicación. Es mejor seguir andando. Volver al lugar donde estaba antes de conocerlo.

Cuando llego a la puerta de mi edificio, él todavía sigue detrás de mí. Supongo que se ha ganado un punto por no ser un completo cabrón y dejarme venir sola por la noche.

Tras encerrarme dentro, me apoyo en la pared, fuera de su campo de visión. Espero y respiro hondo varias veces para calmar los nervios, antes de probar a mirar por la ventana. Diviso su figura a lo lejos; tiene los hombros caídos y las manos, metidas en los bolsillos. Es mejor así, pienso, mientras lo veo desaparecer en la noche.

—Hola, Emery, ¿qué tal la noche? —Kate volvió a pasar la noche con Beau y la echo de menos. Es bueno tener a una chica con la que hablar.

—Ya me conoces. Estudié algo y leí un libro. Oh, y para hacer que todo fuera más interesante, me comí casi una pizza entera yo sola —anuncio con orgullo fingido.

Se ríe.

—Contrólate un poquito, Emery.

—Lo intento —digo, tirando de la manta hacia mí. Es media mañana de un sábado y no me he levantado siquiera de la cama. El tiempo va volviéndose más frío poco a poco y cada vez me resulta más complicado motivarme para hacer algo, a menos que tenga clase o grupo de estudio.

Kate se sienta en el filo de la cama, levanta las piernas y se las abraza.

—¿Has sabido algo de él? Ya ha pasado casi una semana.

Kate no estaba aquí cuando llegué de la fiesta el pasado sábado por la noche, pero se percató de mi estado de ánimo en el mismo momento en que entró por la puerta el domingo siguiente. Se lo conté todo. Cómo pareció ponerse celoso de que estuviera hablando con Cole, y cómo no pudo luego mantener las manos alejadas de mí. Le conté cómo volvió a cambiar de actitud de repente, yendo de un extremo al otro. Por sorpresa, ella pareció entenderlo. Dijo que, obviamente, está en conflicto consigo mismo y que no tiene nada que ver conmigo.

No termino de creerla, pero puede que la verdad se le parezca un poco.

—No —respondo, jugueteando con el filo deshilachado de mi vieja colcha rosa y negra.

—Quizá deberías llamarlo. Los hombres son cabezotas, sobre todo los que son como Drake. No les gusta admitir que se han equivocado, Emery.

Suspiro al recordar cómo ha actuado cada vez que lo he visto esta semana.

—Ni siquiera me mira en clase. Si quisiese hablar, ¿no crees que habría intentado llamar mi atención? —Cierro los ojos y visualizo esa mirada perdida que tenía en clase—. Se acabó, aunque tampoco es que llegáramos a empezar nada.

—¿Sabes lo que te hace falta?

Arqueo las cejas y me la quedo mirando.

—¿Desaparecer en una isla que solo tenga bibliotecas y cafeterías?

—No. —Me da una palmada en la pierna—. Salgamos a comer. Llamaré a Rachel para ver si puede venir.

Mi primer instinto es decir que no, pero cuanto más la miro, más difícil me resulta. Además, llevo aquí en la habitación sentada, sola, demasiado tiempo.

—Vale.

—¡Sí! —grita y se baja de la cama de un salto—. Vale, vístete... y dúchate.

Pongo los ojos en blanco y aparto las mantas, dejando mis desgastados pantalones rosas a la vista.

—Sí, jefa.

Ella me ignora y empieza a buscar su teléfono móvil en el bolso. Cojo un par de vaqueros y mi sudadera vieja de los Southern Iowa Hawks de un cajón antes de entrar en el cuarto de baño. Si esto la hace feliz, voy a hacerlo. Quizá se me pegue algo de la felicidad de Kate.

El olor a barbacoa me hace la boca agua cuando entramos en uno de esos restaurantes a la parrilla que tienen como especialidad las alitas de pollo. No habría sido mi primera elección, pero Kate y Rachel defienden que es el mejor sitio al que ir cuando hay partido.

Encontramos una mesa vacía cerca de la barra y pedimos las bebidas al instante.

—¿Qué has hecho estos días, Emery? No te he visto desde el partido.

—Tuve un par de exámenes importantes esta semana —respondo con sinceridad. Me dejo intencionadamente la parte donde he estado recluida en mi habitación para evitar a Drake.

Rachel le lanza una mirada a Kate y luego vuelve a mirarme a mí.

—¿Cómo fueron las cosas con Drake el fin de semana pasado? —Si no las conociera bien, diría que han estado hablando de mí.

—Una mierda —contesto, mientras la camarera nos trae las bebidas. Sus ojos se posan en mí y yo sonrío—. Estamos hablando de un tío.

La camarera se ríe y saca una libretita de su bolsillo.

—Bueno, pues entonces esa es la única forma de describirlos. ¿Qué os pongo, chicas?

Pedimos por turnos y cada una elige un tipo diferente de alitas para poder compartir. En cuanto la camarera sale de nuestro alcance, Rachel prosigue con su sucesión de preguntas.

—¿Qué pasó?

—Todo y nada a la vez. Las cosas iban bien al principio, pero luego se enfadó y me metió en un cuarto de baño, donde compartimos un beso que fue mejor que cualquier sexo que haya tenido nunca. Pero lo mejor de todo es que, cuando terminó conmigo, volvió a lo de comportarse como un cabrón. Eso resume básicamente toda la noche.

Ella abre los ojos como platos conforme me escucha.

—¿Por qué se enfadó?

Me burlo.

—Estaba hablando con Cole Dillon.

—Estaba celoso —añade Kate.

—¿Entonces por qué se comporta como un cabrón? —pregunto, haciendo círculos en el vaso con la pajita.

—Porque tiene un conflicto interno. —Kate coloca una mano en mi antebrazo—. Si de verdad quieres seguir adelante con esto que tienes con Drake, debes luchar por él. Él no va a hacerlo solo.

Sé que tiene razón y, aunque una parte de mí se siente atraída por Drake, me siento preparada para cortar todo contacto con él y volver a las metas que me propuse cuando vine a la Universidad. Todo esto solo me quita tiempo para cosas en las que debería concentrarme.

—Creo que es un caso perdido. Además, tengo otras cosas en las que pensar. No merece la pena arriesgarme —me excuso. En la gran pantalla que hay detrás de la barra, veo de refilón una jugada del partido del Southern Iowa. La cámara está fija en Drake. Está por debajo del centro, escrutando la defensa. En cuanto lanzan el balón, retrocede y hace un par de veces el amago de lanzarlo, hasta que lo envía realmente hasta la otra punta del campo. Ha sido un pase perfecto.

Los ojos de Rachel atrapan los míos.

—¿Estás segura de que no merece la pena?

Estoy a punto de decirle que no, cuando lo placan en la siguiente jugada. Tengo los ojos pegados a la pantalla. Lo observo y suplico que se ponga de pie. Cuando alza un brazo y se quita el casco, lo veo hacer una mueca. Me cubro el rostro con las manos, para poder taparme los ojos rápidamente si es necesario. Yo solo quiero que se levante. En cambio, se cubre el hombro con la mano y cierra los ojos con fuerza. Todo lo que puedo hacer es mirar cómo el equipo técnico sale corriendo al terreno de juego.

Después de un par de minutos, puede ponerse en pie con ayuda y se encamina hacia el banquillo. Lo observo a la espera de poder atisbar su rostro. Tiene el entrecejo fruncido cuando uno de los entrenadores toquetea su hombro. Al terminar, Drake se levanta y comienza a subir y bajar por la banda, intentando hacer círculos con el brazo lastimado.

La cámara permanece enfocada en él, que observa al resto de su equipo continuar la jugada desde la banda, y cuando esta termina en un despeje, se dirige hacia el vestuario con una expresión de angustia en el rostro.

Cuando nos sirven las alitas en la mesa, le pego un bocadito a una y dejo el resto de la canasta intacto.

—¿Ves, Emery? Sí que te importa —dice Rachel, mirándome de forma intermitente a mí y al televisor.

—Nunca dije que no me importara. Solo que no sé si merece la pena.

—Quizá deberías ir a ver cómo está cuando acabe el partido. Asegurarte de que está bien —añade Kate.

En cuanto lo sugiere, sé que quiero hacerlo. ¿Pero querrá verme él allí?

14
Drake

El simple movimiento de abrir la puerta de mi dormitorio me duele una barbaridad. El personal médico confirmó que no tengo nada grave en el hombro, ni la clavícula partida, pero me dijeron que me sentiría dolorido unos cuantos días. No fui capaz de volver al partido, pero el equipo se las arregló para ganar y mantenernos con opciones para la final.

Me desabrocho con torpeza los vaqueros para ponerme unos pantalones más cómodos y poder tirarme en la cama. Justo cuando logro desabrochar el último botón con éxito, alguien pica a la puerta.

—Mierda —murmuro en voz baja mientras me tiro la camiseta hacia abajo para esconder mi bragueta abierta. No quiero abrir, pero podría ser el entrenador, y si lo dejo esperando me enviará una patrulla de búsqueda.

En cuanto abro la puerta, me quedo mudo. No me he permitido mirarla desde la noche en que nos besamos.

—Hola —dice con voz dulce y la vista fija en mi hombro derecho.

—¿Qué estás haciendo aquí? —No lo he pronunciado como pretendía, pero ahora mismo el dolor del hombro está anulado mi sentido común.

Sus ojos atraviesan los míos; percibo empatía mezclada con rabia.

—He venido para ver cómo estabas. Por si necesitabas ayuda con el hombro.

—Está bien. Puedo cuidarme solo. Siempre lo hago. —Cuando levanto los brazos para descansarlos contra el marco de la puerta, hago una mueca de dolor y me sujeto el hombro.

—No estás bien. Eres cabezota, que es diferente —dice y pasa junto a mí. Esta es mi habitación y debería decirle que se fuera, pero no puedo... En el fondo quiero que se quede.

—Entonces estás en tu casa —declaro, cerrando la puerta de un portazo con mi brazo bueno.

—Siéntate —me ordena, señalando la silla junto al escritorio.

Vacilo, pues no estoy acostumbrado a que nadie me diga lo que tengo que hacer, aparte del entrenador. Por eso juego de quarterback, al fin y al cabo.

—Drake, por favor.

Sin pronunciar una sola palabra, hago lo que me pide. Me percato, por primera vez, de la bolsa que ha traído consigo y me pregunto qué habrá dentro. Saca dos pequeñas placas de hielo y una crema en tubo blanca, y los coloca sobre mi escritorio.

—Tengo entrenadores, ¿sabes? —murmuro cuando se arrodilla frente a mí.

—Sí —dice—. ¿Te lo han tratado?

Asiento, intentando no moverme mucho.

—¿Te sientes mejor?

No. Para nada.

—Eso pensaba. ¿Te puedes quitar la camiseta o necesitas ayuda?

Admitir las propias debilidades es casi tan malo como la muerte para un jugador de fútbol americano. ¿Pero qué voy a hacer? ¿Mentirle y dejar que luego vea cómo me cuesta moverme?

—Necesito ayuda.

—Levanta el brazo izquierdo —dice. —Hago lo que me pide y, poco a poco, me levanta la camiseta hasta que puedo sacarlo entero—. Ahora voy a pasarla por la cabeza para que pueda caer por el derecho, ¿vale?

Asiento, pero no entiendo por qué está haciendo esto por mí. Yo no he hecho una mierda por ella.

Su plan se completa con éxito y me deja desnudo de cintura para arriba. El fastidio que sentí cuando abrí la puerta está empezando a sosegarse. Tiene razón. Si no hubiese venido ella, nadie lo habría hecho. Tal vez el entrenador hubiese venido a ver cómo estaba, pero no habría sido nada parecido a esto.

—Primero vamos a ponerte hielo durante quince minutos —explica, presionando ligeramente una de las placas contra la parte frontal de mi hombro—. ¿Lo puedes sujetar un segundo?

Hago lo que me pide, sintiendo cómo va cediendo la tensión de mi cuerpo con cada palabra que pronuncia. Observo cómo recoge la segunda placa y me la presiona contra la parte trasera del hombro. Utiliza su mano libre para sacar una venda y, antes de darme cuenta, tengo todo el hombro vendado y con las placas de hielo sujetas en su sitio. No lo siento perfecto, pero me está aliviando las punzadas de hace unos minutos.

Quiero que esté aquí. Quiero que cuide de mí, pero es una idea horrible. Me he pasado esta última semana intentando sacarla de mi mente y, ahora que está aquí, me doy cuenta de que no he avanzado nada.

—Gracias.

Ella baja la mirada al suelo y yo me doy asco a mí mismo. Lo último que quería era hacerle tanto daño que no pudiera siquiera mirarme a los ojos. Si alguna vez viera a alguna de mis hermanas así, querría patearle el culo al tío que le hubiese hecho eso.

Tengo que solucionar esto.

Me pongo de pie y le sujeto el mentón con el pulgar y el dedo índice para no darle más opción que mirarme directamente a la cara.

—Gracias, Emery. No tenías por qué hacerlo.

Ella traga saliva y aparta la vista de mí.

—Quería hacerlo.

Son estos momentos de sinceridad los que me atraen. Es entonces cuando quiero estar con ella. Quiero que sea la chica que bese tras cada victoria. Quiero que sea la que me cuida cuando estoy herido. Quiero que sea a la que se lo cuento todo.

Dios sabe cuánto necesito a alguien.

—Emery —susurro, delineando el contorno de su barbilla. Sería tan fácil besarla ahora mismo. Sus ojos me lo están suplicando prácticamente. Joder, mi propio cuerpo me está pidiendo que deje de luchar contra ello. Es agotador, pero no veo otra salida.

La suelto y me giro para escapar de sus torturados ojos, mientras me paso una mano por el cabello. *Tú no, Drake. Ella se merece mucho más de lo que tú puedes darle.*

No sé por qué estoy tan acojonado. Llevo años deprimido, pero las cosas son distintas cuando estoy con ella. Quizá puedo darnos una oportunidad y arriesgarme a que me rompan el corazón... pero no puedo.

—Tienes que irte —digo, incapaz de mirarla.

—¡Maldita sea! —grita, lanzando la crema contra la pared—. ¿Por qué sigues haciéndolo? ¿Por qué me miras como si fuera la respuesta a todos tus problemas y luego me apartas?

Me giro tan rápido que el hombro me da una punzada.

—¡Yo no pedí nada de esto! —grito, incapaz de seguir controlándome—. No pedí que aparecieras, Emery.

Ella sacude la cabeza, mientras el labio inferior le empieza a temblar. No solo estoy jodiéndome yo la vida..., también estoy afectando a la suya.

Mi corazón grita para que la estreche entre mis brazos.

Mi cabeza me dice que la deje marchar porque le voy a hacer más daño del que ya le he hecho.

Están luchando el uno contra el otro. Estoy luchando contra mí mismo.

—¿Sabes qué, Drake? Yo tampoco pedí que tú aparecieras. Nunca he necesitado a nadie, y no te necesito a ti. —Recoge su bolsa y camina hacia la puerta antes de girarse hacia mí una última vez—. Por cierto, cuando se derrita el hielo, úntate la crema en el hombro.

Tiene la mano en el tirador. Es ahora o nunca. Arriesgarse o seguir viviendo como hasta ahora. De un modo u otro, creo que ambos vamos a salir heridos; solo es cuestión de tiempo.

—La voy a cagar. Siempre lo hago, Emery, porque de lo único que no puedo escapar es de mí mismo —admito, esperando a ver cómo reacciona.

Su cuerpo se queda paralizado, con la mano aún sobre el tirador de metal de la puerta. Quizá la he cagado tanto que ya no tiene arreglo, pero quizá me dé otra oportunidad... ¿pero para qué?

Ojalá el reloj tuviera más minutos que contar.

—Ya te lo he dicho... No puedo seguir con esto. La primera vez que ocurrió en la biblioteca, pensé que solo estabas confundido. Luego pasó otra vez en la fiesta del fin de semana pasado. Y hoy... No voy a permitir que sigas haciéndome esto —dice, apoyando la frente sobre la puerta. Aún no me ha mirado y me está matando.

Puede que no sea correcto, pero sé cómo hacerla flaquear. Elimino todo el espacio que hay entre ambos y pego el pecho contra su espalda. Ella niega con la cabeza, como si supiera lo que va a salir de todo esto. Conoce el poder que tengo sobre su cuerpo y cómo puede eso hacerla cambiar de opinión.

Coloco la mano de mi brazo bueno en su cadera y acerco los labios a su oído.

—Por favor, déjame enseñarte lo que puedo ofrecerte. Nadie me ha afectado del mismo modo que tú. A lo mejor hay una razón para ello.

Le aparto el pelo del cuello y dejo que mis dedos acaricien su piel. Ella gime y se relaja contra mi cuerpo. Casi la tengo... a mi Emery.

—Las cosas no serán fáciles, y te garantizo que intentaré alejarte otra vez, pero no me dejes hacerlo.

Apoya las manos en la puerta.

—No sé. —La voz le tiembla al echar la cabeza hacia atrás.

Deslizo mi mano por su vientre. Beso el lateral de su cuello, pero tan suavemente, que mis labios apenas rozan su cálida piel.

—¿Qué tienes que perder?

—Todo.

Vuelvo a presionar mis labios contra su cuello.

—¿Y qué podrías ganar?

—Todo —grita, y sacude la cabeza.

—Entonces la pregunta es: ¿Merezco la pena? ¿Merezco que lo arriesgues todo?

Ella se remueve entre mis brazos para que le conceda algo de espacio. Le doy el suficiente para que solo pueda girarse; me da miedo darle demasiado y que pueda huir. Las lágrimas corren por sus mejillas y le dejan manchas de rímel por toda la cara. Le agarro el rostro con las manos y acaricio sus mejillas con mis pulgares para secarle unas cuantas lágrimas.

—Emery —digo en voz baja, intentando que vuelva a mí.

Ella me atraviesa con la mirada.

—Dime, ¿cómo sé que esta vez es diferente?

Hago una mueca.

—Sé que debes de sentir que ya me has dado una oportunidad, pero esta vez sí es diferente. Quiero esto.

Está leyéndome. Con suerte, lo que siento por dentro está escrito por todo mi rostro. La necesito.

—Cuéntame algo de ti que no sepa, Drake. ¿Qué hace que seas como eres? ¿Por qué estás luchando constantemente contra nosotros dos?

Es como si de repente me hubieran tirado un jarro de agua fría por encima.

—¿Qué?

Ella aparta las manos de mi pecho, pero agarro sus muñecas y mantengo nuestras manos unidas.

—Si vas en serio, ábrete a mí. Nunca lo has hecho como yo me he abierto a ti.

Inspiro y alzo la vista al techo. Hay muchas cosas que la gente no sabe de mí. Cosas que podrían demostrar lo imperfecta que es mi vida. ES probable que esta sea la principal razón por la que me he mantenido alejado de toda relación. El sexo es una cosa, pero compartir la historia de tu vida es otra completamente diferente. No estoy listo para eso, pero quiero algo intermedio... Lo que no sé es si Emery está dispuesta a aceptar algo así conmigo.

—Déjame besarte —susurro, acercando mi rostro al suyo.

Ella me vuelve la cara.

—No puedo, Drake.

—Joder, Emery. ¿No has escuchado ni una palabra de lo que te he dicho? No dejes que te aparte.

Se encoge. Con las prisas de convencerla para que se quede, no me he dado cuenta de cuánta rabia había concentrado en mi cuerpo. De la fuerza con que le había agarrado las muñecas.

La suelto. Me aparto de ella y me tiro del cabello. ¿Por qué sigo haciendo lo mismo?

—Vete —susurro, dándole la espalda.

Mi habitación nunca ha estado tan silenciosa, ni siquiera cuando estoy solo. El espacio vacío que existe en mi interior ha crecido un poco más.

Espero a que la puerta se cierre para caer de rodillas. Estoy perdido, total y jodidamente perdido.

15

Emery

Utilizo las mangas de mi camiseta para secarme los ojos una última vez, antes de abrir la puerta de mi habitación. Es probable que Kate no esté, pero si es el caso, voy a tener que darle unas cuantas explicaciones. Estuve dando vueltas con el coche durante una hora por lo menos, para ocultar mi rostro rojo e hinchado. Está claro que no ha funcionado, porque no puedo dejar de llorar.

Cuando tengo el cuarto a la vista y veo que Kate no está dentro, suelto un enorme suspiro de alivio. Estaremos solo mi tristeza y yo. Llevamos juntas mucho tiempo, así que el dolor que ahora siento en el pecho no me resulta nada nuevo.

Me quito de un tirón la camiseta manchada y mojada por las lágrimas. No sé si solo me pasa a mí, pero cuando me pasan cosas que me gustaría olvidar, necesito deshacerme de todo lo que podría recordármelo.

Lanzo la camiseta contra la pared blanca que hay detrás de mi cama y la observo caer al suelo. Cuando mi madre me abandonó, me aferré a algunos de los vestidos que me había regalado. Aún conservo algunos de ellos en el fondo de alguna caja. De vez en cuando me gusta sacarlos y recordar cómo eran las cosas. Y a veces me pregunto si ella se quedó algo mío. ¿Se llevó con ella una parte de mí, o no le importaba tanto?

¡Joder! Odio todo esto. Odio que los momentos tristes del presente recuperen otros momentos igual de tristes del pasado.

Me enfundo unos pantalones limpios de chándal de color gris y una camiseta de tirantes blanca, y me dejo caer sobre la cama sin molestarme siquiera en desmaquillarme. De todas formas, las lágrimas deben de habérmelo quitado ya casi todo.

Me llevo las rodillas al pecho y me hago una bola, antes de hacer memoria de la última vez que vi a mi madre. Es lo único que consigue hacerme llorar, y necesito sacar toda esa tristeza de mi cuerpo.

Me adentro con mi padre en la gran pista de patinaje. Me he estado mordiendo las uñas desde que me dijo que subiera a la camioneta. Sé qué se trae entre manos. Nunca se le han dado bien las sorpresas.

Cuando pasamos la taquilla y doblamos la esquina, la muchedumbre grita: «¡Sorpresa!». Alzo la mirada y veo un cartel enorme colgando de un lateral de la estancia que dice: «FELIZ 13º CUMPLEAÑOS, EMERY». Si mi padre me conociera de verdad, sabría que estas cosas no me van. Odio las fiestas. No tengo un montón de amigos. Es probable que la mayor parte de toda esta gente esté aquí por la tarta gratis y para patinar.

Mi padre me empuja con el hombro.

—¿Te has sorprendido?

Esbozo una sonrisa en los labios. Es mi especialidad.

—¡Sí! Gracias, papi.

—Te quiero —afirma, dándome un golpecito en la nariz con un dedo.

—Yo también te quiero —le respondo, y ahora sí que sonrío de verdad, no con la sonrisa falsa de antes. En el fondo, sé que sus palabras son sinceras. Se esfuerza tanto en hacerme feliz, en compensarme por lo que cree que hizo mal con mamá...

Desaparece entre la multitud. Es un momento incómodo y raro para mí. Me siento sola. Desconectada. Soy la invitada de honor, pero casi preferiría irme por la puerta de atrás y sentarme en el capó de la camioneta de mi padre.

Deambulo por la estancia durante un rato a la vez que hablo con algunos niños de mi curso, y con vecinos y amigos de la familia. No es tan malo como pensé en un primer momento, pero en cuanto soplo las velas, cumplo mi deseo de cumpleaños y desaparezco de allí sin que nadie se dé cuenta.

Nací en julio. Uno de los meses más cálidos y húmedos de todo el año. No debería querer salir a la calle, pero se está tranquilo.

Recuerdo dónde aparcó mi padre y me dirijo hacia la parte de atrás del edificio para encontrar el vehículo. Mis tenis blancos se hunden en la gravilla y dejo un reguero de polvo. A mi padre no le va a hacer mucha gracia, pero bueno, últimamente tampoco es que se lo vea muy contento con nada.

Me impulso y me siento sobre el capó, con los pies colgando fuera de la vieja camioneta. Es domingo y la carretera que pasa justo al lado está tranquila, y no hay brisa.

Me siento con las manos apoyadas sobre el ardiente metal y cuento los minutos hasta que alguien aparezca buscándome. Es entonces cuando lo veo: un antiguo Chevy azul que circula por detrás del edificio. No lo reconozco y eso ya dice mucho, porque conozco a casi todo el mundo en el pueblo y sus coches. El corazón se me acelera conforme se va acercando a mí y reduce la velocidad. Quizá no ha sido tan buena idea salir aquí fuera sola.

Cuando está lo bastante cerca, soy capaz de ver a través del cristal del conductor y el corazón se me para de golpe. Reconozco a la persona que hay tras el volante. Incluso después de todos estos años, la reconocería en cualquier parte.

Unos suaves golpes en la puerta de mi cuarto me traen de vuelta a la realidad; la pantalla de mi vieja película se ha vuelto negra antes de acabar. Me arropo aún más con la manta, intentando ignorar los sonidos, pero cuando vuelven a picar unos segundos después, siento que no tengo más elección.

Echo un vistazo por la mirilla de la puerta, pero no veo nada. Contra todo pronóstico, abro la puerta de un tirón, con la esperanza de que quien sea que me esté molestando no se haya ido demasiado lejos.

Es entonces cuando lo veo, sentado en el suelo junto a mi habitación. Unos pantalones anchos azul marino han reemplazado a sus vaqueros, y una camiseta gris se ciñe a su pecho, pero lo que realmente me llama la atención es la angustia que percibo en su rostro. El mentón apretado. El ceño fruncido. La piel pálida. Es innegable lo desgarrado que está y, después de todo lo que ha hecho, no hay forma de negarlo... Es hermoso.

No aparta la mirada de mí cuando se pone de pie y da unos cuantos pasos, lentos, en mi dirección.

—¿Qué haces aquí? —pregunto en voz baja.

Ladea la cabeza mientras me observa con atención.

—No podía dormir sin verte otra vez. Creo que tenemos una conversación pendiente. ¿Puedo entrar?

No me lo pienso dos veces. Termino de abrir la puerta y lo invito a entrar en silencio.

Por una vez, él ha venido a mí.

Está luchando por nosotros.

A oscuras, retrocedo hasta tocar la cama con las piernas, para poner distancia entre ambos. Odio y adoro al mismo tiempo que Drake esté demasiado cerca.

No sé qué me esperaba, pero no se detiene hasta que los dedos de sus pies casi pisan los míos. Observo cómo levanta la mano y la coloca sobre mi nuca, y me acaricia el mentón con el pulgar.

—Lo siento mucho —susurra, apoyando la frente contra la mía. Su voz suena como un cristal roto en mil pedazos que suplica que lo vuelvan a pegar.

—Drake...

Sus dedos cubren mi boca.

—Por favor. Déjame tocarte. Necesito saber que eres real. Que esto es real. —Se detiene, apartando la mano mientras roza ligeramente sus labios contra los míos—. Prometo darte tanto como pueda de mí, pero necesito ir despacio.

Confianza. Se coge con facilidad, pero puede perderse con más rapidez todavía. La pregunta es: ¿es posible recuperarla?

Niego con la cabeza.

—No sé.

Sus labios cubren los míos otra vez, en un beso lento y dulce.

—Por favor. Lo necesito. Tú lo necesitas.

Justo cuando está a punto de escapárseme de los labios una negativa, su mano acaricia mi clavícula y desciende lentamente por mi pecho. Todo lo que soy capaz de oír son nuestras respiraciones mientras siento ese familiar cosquilleo a lo largo de la espina dorsal. Mi cuerpo está traicionándome de nuevo.

—Sal conmigo —susurra, mientras me acaricia los pezones con los pulgares. Me da un beso en la mejilla y repite el proceso por todo mi cuello.

Aunque quisiera, ahora mismo sería incapaz de decirle que no.

No es que vaya a querer nunca. Aunque solo sea esta noche, será nuestra noche. Y por cómo sus caderas y sus manos están acariciando mi piel, va a ser magnífica.

A modo de respuesta, rodeo su cuello con mis brazos. Él me corresponde envolviéndome la espalda con sus musculosos brazos, para cerciorarse de que toda la parte posterior de mi cuerpo esté en contacto con la suya.

Hay una tenue voz en mi cabeza que me dice que no deberíamos estar haciendo esto. Tenemos que solucionar antes muchas cosas. Existen demasiados flecos sueltos entre los dos. En el fondo, tengo la esperanza de que esto nos abra el uno al otro.

Nuestros cuerpos permanecen pegados durante unos segundos, antes de que sus manos se acomoden en mis caderas y sus dedos empiecen a buscar ese espacio entre mis pantalones y mi camiseta.

—Levanta los brazos —me ordena, me saco la camiseta por la cabeza y arroja sobre la cama antes de volver a colocar las manos sobre mis caderas. Sus ojos se clavan en los míos mientras sus dedos exploran mis costados hasta engancharse en los tirantes del sujetador para bajármelos. Me desabrocha el cierre rápidamente y deja que la prenda de encaje caiga a mis pies. Me pregunto si es capaz de sentir lo fuerte que me late el corazón. Es estridente... y está esforzándose lo suficiente como para que no reconsidere lo que está a punto de suceder.

Toco su abdomen con dedos temblorosos y tiro de su camiseta, dejando a la vista una de mis partes favoritas de su cuerpo. Tiene una tableta de chocolate perfecta. Y su torso es como el de una escultura.

—Emery —gruñe, mientras mis dedos continúan subiendo por su suave y caliente piel.

Levanto su camiseta y él alza los brazos para que me resulte más fácil quitársela. Ahí estamos, descamisados y mirándonos fijamente. Mi habitación está a oscuras, pero un diminuto rayo de luz se cuela entre las cortinas. Es suficiente para ver que esta batalla aún no ha terminado. Esta vez vamos a ganar a nosotros, no las voces de mi cabeza.

Mis manos temblorosas aflojan con torpeza el fuerte nudo de sus pantalones hasta que casi queda deshecho. Alzo la mirada antes de continuar. Él abre la boca, pero no sale nada.

Acaricio su abdomen con los dedos, antes de introducirlos dentro de la cinturilla de sus pantalones. No he estado tan nerviosa y excitada a la vez en toda mi vida. Drake jadea cuando agarro su miembro con la mano. Empiezo a moverlo lentamente y él echa la cabeza hacia atrás y me agarra aún con más fuerza.

Esta no es la primera vez que lo hago, pero mi experiencia es limitada. Cuando separa los labios, obtengo la confirmación que estaba esperando.

—Para —gruñe, agarrándome de las muñecas.

Bajo la mirada para no ver la decepción en la suya.

—Mírame —me ordena, agarrándome el rostro con las manos—. Te he dicho que pares porque no quiero que la noche acabe así. No pienses ni por un segundo que no me ha gustado porque, Em, ha sido la puta hostia.

Sonrío y me inclino para besarlo. Él me recibe a medio camino, dándome un beso mucho más hambriento. Nuestras manos se mueven por todas partes. La adrenalina ha subido tanto que no tengo ni idea de cómo he acabado sobre la cama, con Drake a horcajadas sobre mis muslos. Su boca deja un rastro sobre mi piel; lame y succiona cada pezón antes de descender hacia mi vientre.

Ni un solo pensamiento atraviesa mi mente, a excepción de las maravillosas cosas que puede hacerme Drake Chambers.

Sus ojos buscan los míos cuando desliza los dedos bajo la cinturilla de mi pantalón. La vida está llena de bifurcaciones a lo largo del camino, y ambos sabemos que esta es una de las importantes. Es un umbral que, una vez lo crucemos, ya no podremos volver atrás. Para mí, es un momento que determinará la felicidad o amargura de mi vida universitaria. No soy de las mujeres que se toman esto como otra experiencia de la universidad. Este evento formará parte de mi historia, ya sea bueno o malo.

Apoyo mis manos temblorosas en sus hombros y lo empujo ligeramente hacia abajo. Él se da cuenta y me baja los pantalones. Se vuelve a poner de pie rápidamente y hace lo propio antes de cubrir de nuevo mi cuerpo con el suyo.

Lo siento en mi sexo, pero vacila y me estudia con prudencia.

—No soy virgen —susurro, advirtiendo que una de sus comisuras se eleva hacia arriba.

—En ningún momento pensé que lo fueras.

—Todo el mundo cree que sí —digo, girando la cabeza hacia un lado.

Lleva una de sus manos, callosas y cálidas, hacia mi mejilla y me obliga a mirarlo de nuevo a los ojos.

—He aprendido a no presuponer cosas contigo. Me sorprendes todos los días. Todos los putos días, Em.

Al notar que me penetra, cierro los ojos con fuerza. El sexo es algo emocional que nunca me he permitido disfrutar totalmente. Lo veía como una expectativa. Otro kilómetro que recorrer en el camino hacia la madurez. Pero con Drake quiero que esto sea distinto. El problema es que ahora mismo no tengo ni idea de qué es «esto» exactamente.

Esconde la cabeza en mi cuello y empieza a susurrarme cosas mientras continúa penetrándome.

—Relájate.

Otro movimiento lento.

—Voy a cuidar de ti. Te lo prometo.

Un poco más adentro. Dios, qué placer. El corazón me da un vuelco cuando se interna en mí por completo, llenándome hasta el fondo.

—Es una puta delicia estar dentro de ti.

Se retira, introduciéndose de nuevo en mí poco a poco, para darme tiempo a acostumbrarme. Repite el movimiento un par de veces más, antes de encontrar nuestro ritmo. No sabía que el sexo podía ser tan increíble. Sus manos y su boca me colman de placer por todo del cuerpo. Nunca antes había sentido algo así.

Enredo los dedos en su cabello y atrapo su torso delgado entre mis piernas para atraerlo más hacia mí.

—Dios —exhala contra mi cuello.

—Me parece que no —bromeo, alzando su cabeza para besar sus labios hinchados.

Sonríe contra mi piel.

—Ah, ¿no? —pregunta, mientras acelera sus movimientos. Esa presión que sentí con él aquella noche en el cuarto de baño da comienzo otra vez, pero esta vez es incluso más intensa. Con cada embestida llega a donde lo necesito, donde comienza el precipicio.

Adoro esa sensación. Esa que llega justo antes de caer, y esta vez caigo rápido y con mucha fuerza.

Mi cuerpo se contrae contra él.

—Joder. —Me embiste una última vez y me agarra del pelo mientras hunde su rostro en el hueco de mi hombro.

El sudor empapa su pelo y nuestros cuerpos. Esta ha sido la mejor experiencia física que he tenido en la vida. Es la primera vez que me he dejado llevar. Es la primera vez que me he dejado las luces encendidas y he dejado que alguien me vea de verdad, que me he permitido ver a otra persona.

—¿Estás bien? —pregunta, besándome en la barbilla. Todavía lo siento en mi interior, y quiero más. Esta parte de mí llevaba encerrada mucho tiempo.

—Más que bien.

—¿No te arrepientes?

—Todavía no. Dame un día o dos —bromeo, mientras le acaricio la espalda con los dedos.

—Entonces tendremos que hacerlo mañana otra vez, y pasado mañana, para que no se te olvide lo genial que ha sido —dice, restregando sus caderas contra las mías.

—Esto no se me va a olvidar fácilmente.

—A mí tampoco. —El volumen de su voz es ahora más bajo.

16
Drake

Después de que Emery se fuera enfadada de mi habitación, me quedé sentado en el mismo sitio, mirando a la pared durante más de dos horas. El hombro ya no me molestaba, o quizá sí, pero no lo sentía porque el pecho me dolía aún más.

Tenía que verla para asegurarme de que estaba bien.

Yo no lo estuve desde que se fue.

No lo estuve hasta que no me encontré en su habitación, besándola. Me perdonó. Ahora me toca a mí perdonarme a mí mismo, y para eso tengo que compartir con ella una parte de mí. Lo que tenemos va más allá del sexo, y necesito demostrárselo. Debería haberlo hecho después de que me contara lo de su madre, pero por aquel entonces aún no estaba preparado. A lo mejor ahora tampoco estoy listo para airear el pasado, pero quiero que Emery sepa que es más que un juego para mí. Significa algo.

Sus dedos me acarician la espalda, lo que me ayuda a relajarme y regularizar el ritmo de mi respiración. Ha confiado en mí. Ahora soy yo quien tengo que demostrar que me lo merezco.

—Mi padre murió cuando yo tenía once años —confieso en voz baja y con los labios pegados contra su cuello.

Sus dedos se detienen y tiran de mí hacia arriba para obligarme a mirarla a los ojos.

—Drake.

Tengo que seguir hablando o puede que nunca sea capaz de sacarlo. Me he desvinculado demasiado del tema.

—Una mañana cogió su café, nos besó a todos en la cabeza y se subió al coche. Era la misma rutina de todas las mañanas, pero aquella él estaba enfadado conmigo... —Me detengo, intentando tragarme esa parte del recuerdo. Ahora que lo pienso, tenía todo el derecho a estar cabreado. Siempre me comportaba como un gamberro con mis hermanas.

—Drake —susurra Emery, tirando de mí hacia atrás.

Me peina ligeramente con los dedos, mientras yo respiro hondo y continúo hablando.

—Unos minutos después de que se fuera, oímos sirenas, pero no le dimos más importancia porque vivíamos cerca de una carretera importante. Mi madre sacó nuestros almuerzos de la nevera y nos subimos al coche para ir al colegio.

La siguiente parte es difícil. Emery debe de notarlo porque se escurre por debajo de mí y apoya la cabeza a mi lado sobre la almohada. Estamos cara a cara. No tengo lugar al que escaparme más que a la verdad. A algo que no le he contado nunca a nadie.

—Condujimos a través del barrio, como siempre hacíamos, pero cuando llegamos a un semáforo en aquella carretera, había luces azules y rojas por todas partes. Supongo que a eso miraba cuando oí a mi madre gritar. Jamás se me olvidará ese grito —digo, bajando la voz. Incluso ahora, cuando cierro los ojos, todavía soy capaz de oír ese sonido desgarrador. Se me forma un nudo en la garganta, pero vuelvo a tragármelo.

—Dios santo —susurra, mientras apoya la palma de su mano contra mi pecho. Entra suficiente luz por la ventana como para ver que se le han llenado los ojos de lágrimas. Yo nunca me permití llorar desde el primer día, pero ahora mismo me siento tentado.

—El semáforo se había puesto verde y ya había empezado a cruzar la carretera, cuando un conductor borracho se estampó contra el lateral del coche. Dijeron que murió casi al instante.

Se me queda mirando fijamente a los ojos y lleva una mano a mi mejilla.

—Lo siento mucho. Muchísimo.

Me abrazo el abdomen, en un intento de hacer desaparecer esa sensación de náuseas que me entra cada vez que imagino el chasis de su coche totalmente destrozado. No tenía ninguna oportunidad.

—No solo perdí a mi padre aquel día. También perdí a mi madre. Desde entonces nunca ha sido la misma. Ahora es una sombra de quien era.

—¿Cómo se llamaba tu padre?

—Michael —respondo. Puedo oír a mi madre pronunciándolo en mi mente. Solía saber cómo estaban las cosas entre ellos por cómo decía su nombre; si estaba feliz, enfadada o triste... Así es como lo sabía.

—¿Cuántos años tienen tus hermanas?

—Quince y once —contesto en voz baja—. Prácticamente las he criado yo desde que él murió.

Aparta la mano de mi mejilla, por un momento, para secarse las lágrimas bajo sus ojos. No quiero su compasión... Solo quiero que me entienda, que vea por qué no soy cariñoso ni acaramelado. Por qué tengo una coraza de metal en mi corazón.

—¿Qué quieres decir con que las has criado tú? Solo tenías once años.

Le doy un besito en la punta de la nariz.

—Mi madre nos abandonó también. No literalmente, pero sí que se pasaba los días encerrada en su habitación y apenas sin comer. No me di cuenta entonces, pero cayó en una profunda depresión. Una amiga de la familia empezó a llevarnos y recogernos del colegio, y yo preparaba la cena y me aseguraba de que se bañaban y se iban a la cama a su hora.

—¿Cuánto tiempo le llevó salir de aquella depresión? —Se acurruca contra mi pecho, colocando la cabeza justo bajo mi mentón.

—Todavía no ha salido de ella. —Me seco los ojos para evitar que las lágrimas caigan por mis mejillas. Este día ha sido demasiado, sobre todo al acabar así.

Pega los labios contra mi pecho.

—¿Cómo seguiste el ritmo del fútbol? Me refiero a los entrenamientos y demás.

La imagen de mi padre en el jardín de atrás, vestido con pantalones de pinza, camisa y una corbata medio deshecha, me viene a la cabeza. Cada día, desde la primavera hasta el otoño, salíamos a ese jardín a perfeccionar mis habilidades. Al principio me encantaba por toda la atención que me dedicaba, pero había días que me parecía demasiado. A veces sigue siéndolo.

—El fútbol era su sueño. Estoy haciendo todo lo que está en mi mano para poder cumplirlo —susurro, hundiendo mi mano en su cabello.

Emery se endereza y me mira fijamente a los ojos.

—¿Es tu sueño?

Niego con la cabeza.

—Ya no lo sé.

—Drake —comienza a decir, pasándome la yema de un dedo por la frente para suavizar las arrugas—, ¿has hablado alguna vez de esto con alguien? Me refiero a si lo has hablado bien en profundidad.

—No puedo, al menos por ahora. Me trae demasiados recuerdos que preferiría olvidar. Bueno, hasta que llegaste tú. —Me detengo y acaricio el canalillo que hay entre sus pechos—. Ayúdame a olvidar, Em. Necesito hacerlo.

Toda la noche ha seguido un patrón: tristeza, sexo, tristeza. Mantuve mi promesa y le ofrecí la mayor parte de mí mismo, y la verdad es que me quitó algún peso de encima. Ahora quiero completar el patrón para volver a olvidar de nuevo.

La hago rodar hasta que queda tumbada de espaldas, me coloco entre sus piernas y me pierdo por completo en ella otra vez.

No pasé toda la noche con Emery. Mencionó que no sabía cuándo volvería su compañera de cuarto, y yo pillé la indirecta.

No sé qué esperaba sentir cuando me despertara, pero no era esto. Anhelo más de ella, aunque ya lo haya visto todo. No hay arrepentimiento ni culpa. Una gran parte de mí solo quiere estar con ella.

El teléfono vibra en mi mesita de noche y me asusta. Lo cojo y al instante veo un número que suelo evitar.

—Hola.

—Drake.

—Sí, estoy aquí.

El suspiro de siempre me llega desde el otro lado de la línea. Creo que el hecho de saber que estoy aquí la relaja.

—¿Qué tal la universidad?

Me llevo una mano a la frente y me masajeo las sienes con suavidad.

—Bien. Hasta arriba.

—¿Y el fútbol?

—El entrenador nos está metiendo caña, pero ha merecido la pena hasta ahora. Somos invencibles. —La mayoría de los padres vienen a ver, al menos, uno de los partidos que se juegan en casa, pero mi madre, no. Ni siquiera sé si mira los resultados.

—Lo sé —susurra, y la verdad es que me sorprende un poco.

—Deberías venir a un partido este año. Tenemos posibilidad de jugar el Big Ten Championship —digo, aguantando la respiración en cuanto las palabras salen de mi boca.

Hay un momento de silencio y yo me muerdo el labio para contenerme y no decir nada más.

—Veré si puedo ir. El dinero no nos sobra, pero quizá sí que puedo para finales de temporada. —Sé qué viene después, y lo odio con toda mi alma. Es la verdadera razón por la que ha llamado—. ¿Puedo pedirte prestado algo de dinero? Tessa necesita zapatos para el baloncesto y no tengo.

Ella no lo sabe, pero el único propósito por el que trabajo es para ayudar a cubrir los gastos de lo que no puede hacerse cargo. Trabajo en el estadio unas cuantas noches a la semana, y cada dólar que gano va a una cuenta para momentos como este. No significa que me guste, porque no es así. Odio esta vida a más no poder.

—Te haré una transferencia más tarde.

—Gracias. Odio tener que pedírtelo, de verdad.

—No hay problema —miento, pasándome una mano por la cara.

—He echado currículum en la oficina de seguros.

—Eso está bien.

Es otra mentira. Todo el pueblo la conoce, sabe cómo es ella. La probabilidad de que la llamen de allí o de cualquier otro sitio es escasa.

—Bueno, no te entretengo más. Llámame si necesitas algo.

—Hasta luego, mamá.

—Adiós.

—Adiós.

Tiro el móvil sobre la cama y me tapo los ojos con los brazos. Esta es la razón por la que sigo alejando a Emery. Ella se merece más que esta mierda de vida que llevo. Y estoy tan agotado entre el equipo y mi familia, que no sé si queda algo más de mí.

17

Emery

Ayer no me llamó.

Pensé en hacerlo yo y estuve a punto de marcar su número. Pero no lo hice. Estoy cansada de ser quien lo persigue. Quien siempre sale herida porque me pongo frente a sus narices y él no me ve.

Cuando pongo un pie en el aula, cojo un sitio por el centro. No quiero estar visible en primera fila, ni esconderme al fondo. Solo quiero mezclarme con los demás. Estoy tan frustrada con Drake Chambers que no sé si quiero que me vea. Supongo que dependería de lo que pasara ahora.

Mientras espero a que la profesora se coloque detrás del podio, empiezo a preguntarme si Drake va a venir siquiera. Se abrió a mí el sábado por la noche, y fue duro de escuchar. Quise llorar por él, pero era evidente que él intentaba contenerlo todo dentro. Se me escaparon unas cuantas lágrimas, pero no me permití derrumbarme. Era su historia, no la mía.

—Em. —Alzo la mirada y veo a Drake ataviado con unos vaqueros de talle bajo y una camiseta negra ajustada. Espera a que nuestros ojos se encuentren antes de continuar—. ¿Está ocupado este sitio?

—No —susurro, sacudiendo la cabeza.

Deja su bolsa en el suelo y se sienta a mi lado. Me muerdo el interior de una mejilla y espero a que él dé el próximo paso. ¿Vamos a volver a ser amigos y enemigos, o lo que pasó el otro día significó para él tanto como para mí?

Lo significó todo para mí. Drake es el único chico que ha sido capaz de romper mis reglas y salirse con la suya.

Mantengo la vista fija al frente de la clase. La incertidumbre que siento está provocando que esta situación me resulte muy incómoda.

Apoya un codo en el brazo de la silla que hay entre nosotros y se inclina hacia mí. Saber lo que su cuerpo puede hacerle al mío provoca que el corazón me lata con fuerza.

—Siento no haberte llamado ayer. Tuve un día muy liado.

—¿Cómo tienes el hombro? —pregunto, evitando sus ojos.

—Mejor. Una amiga vino y me dio unos cuantos consejos. —Esa palabra. La que esperaba que dejáramos atrás.

—¿Y los seguiste? —Todavía no puedo mirarle.

—Lo mejor que pude.

Jugueteo con las esquinas de mi libreta hasta que se quedan desgastadas. Con todos los días que hay, ¿por qué es hoy cuando tiene que llegar tarde la profesora?

Una mano grande se posa sobre mi rodilla y le da un ligero apretón.

—¿Podemos hablar después de clase?

Trago saliva, sintiendo cómo aumenta el deseo en mi sexo con ese simple contacto.

—Tengo algo de tiempo antes de Biología.

—Bien —dice, dándome un nuevo apretón en la rodilla antes de soltarla.

No sé qué tiene, pero de repente me resulta difícil respirar. La profesora McGill elige ese minuto exacto para entrar y llama nuestra atención con unos cuantos comentarios en voz alta.

Esta va a ser la hora más larga de toda mi vida.

No soy capaz de repetir una sola frase que haya dicho la profesora, pero para alivio mío, la clase ha terminado por fin y ahora, con suerte, quizás obtengo algunas respuestas de Drake.

—¿Lista? —pregunta y recoge su mochila del suelo.

—Sí.

Lo sigo con la esperanza de que hablemos de lo que pasó la otra noche y en qué punto estamos. No pregunto a dónde vamos. No importa. Iría a cualquier parte con él.

En cuanto ponemos un pie fuera, se gira hacia mí.

—¿Tu cuarto o el mío?

—¿Qué? —pregunto, atónita.

Mira a un lado y al otro antes de colocar una mano en mi nuca y atraer mis labios a los suyos.

—He dicho: ¿en tu cuarto o en el mío?

No es lo que tenía en mente, ¿pero es lo que quiero?

—Es probable que Kate esté allí. No tiene clase hasta más tarde.

Me besa otra vez, luego me coge de la mano y tira de mí en medio de la acera. Pasados unos minutos, observo que estamos encaminándonos hacia su cuarto y no el mío. Una bandada de nerviosas mariposas revolotean en mi estómago. ¿En esto se va a basar nuestra relación? En sexo. En no hablar durante días. Unas cuantas caricias robadas aquí y allá que nadie más podrá ver.

Eso no era lo que tenía en mente. Sinceramente, nunca pensé que tendría a Drake en la mente, pero no creo que haya forma de sacarlo de allí ahora mismo.

Abre la puerta de su edificio y usa su mano para guiarme. Ninguno de los dos habla. No tengo ni idea de qué estamos haciendo, y ya me ha demostrado ser un hombre de muy pocas palabras.

El silencio continúa mientras subimos las escaleras, recorremos el pasillo y abre la puerta. Cuando lo hace, deja que sea yo quien entre primero, y él hace lo mismo justo después.

Dos segundos después, me encuentro con la espalda pegada a la pared y con sus cálidos labios en mi cuello. A mi cuerpo no le lleva mucho tiempo pillar la idea y unirse a la fiesta: le tiro del cabello y restriego mis caderas contra las suyas. No sabía que lo necesitara tanto, pero así es.

Desliza las manos por mis pechos cubiertos y baja hasta mi vientre para hacerse con el último botón de mi camisa vaquera.

—¿Te gusta mucho esta camisa? —pregunta. Su aliento me hace cosquillas en el cuello.

Confusa, niego con la cabeza. Al instante, tira de los laterales de mi camisa y los botones salen disparados por toda la habitación.

—Drake —gimo. Me excita ver lo agresivo que es.

—Eres muy sexy, Em. Una puta diosa. —Sus manos tocan mis hombros y deslizan las mangas de la camisa por mis brazos hasta las muñecas. Cae al suelo con un tirón más.

Levanto su camiseta por encima de su abdomen, mientras sus dedos se centran en desabrocharme los vaqueros. Su piel es tan suave, tan cálida. Se nota el trabajo duro que realiza en el campo.

En cuanto mis pantalones y mis bragas caen al suelo junto a mi camisa desgarrada, le quito a él su camiseta. Se desabrocha los vaqueros lo bastante como para liberarse, me agarra de las caderas y se hunde en mí al momento. Ya no queda nada entre nosotros.

—Joder, Em. Llevo pensando en esto toda la mañana. —Me embiste una y otra vez. No voy a negar que es una pasada, pero también me pregunto si esto es lo que significo para él, si voy a convertirme en una liberación física para su dolor y frustración.

Vuelvo a enredar los dedos en su cabello, mientras sus labios exploran mi cuello. En cierto momento voy a tener que hablar con él de esto, pero ahora mismo, el placer que siento es demasiado intenso.

—Dios, Drake —gimo cuando él vuelve a rozar ese punto exacto de mi cuerpo. Está haciendo que me vuelva loca con cada embestida.

—¿Qué me estás haciendo? —pregunta, apoyando su frente contra la mía—. Nunca tengo suficiente. Todo lo que quiero eres tú, Em.

—No quiero que me vuelvas a dejar. —Se me escapan las palabras antes de tener tiempo de pensarlas siquiera. Lo que digo. Lo que significan.

Él se queda petrificado y me aparta unos cuantos mechones mojados de la cara.

—¿Quién te ha dicho que me vaya a ir?

—Siempre lo haces. Incluso el sábado, después de que todo pasara, te fuiste.

Él se encoge de dolor, aún metido en mi interior.

—Por favor, no pienses así. No fue así.

Asiento y me abrazo a su cuello. Vuelvo a presionar mi frente contra la suya antes de susurrar:

—Deja de huir. Te necesito. Todavía no he llegado a averiguar por qué, pero te necesito.

Cierra los ojos, pero luego vuelve a encontrarse con los míos.

—Em...

—Para. No pienses. Solo quédate conmigo. Por favor —suplico, besándolo dulcemente en los labios.

Sus ojos atraviesan los míos durante unos segundos, antes de empezar a moverse de nuevo dentro de mí. Todavía no sé si he hecho algún progreso, pero por ahora, estoy atrapada en este momento con el hombre más maravilloso que haya conocido nunca.

Mi cuerpo llega a lo más alto con rapidez, y se contrae una y otra vez, pero antes de que él encuentre su propio alivio, hace que me vuelva a correr, más fuerte esta vez. Lo hacemos juntos.

No nos movemos mientras intentamos recuperar el control de nosotros mismos. Siento cómo se relaja en mi interior, pero no estoy preparada para dejarlo marchar todavía.

Él es un nitrato y yo un ácido. Estamos poniendo a prueba nuestros límites, buscando la explosión, pero ninguno de los dos es capaz de detenerse.

Me tumba con cuidado en el suelo, utilizando los dedos para apartarme de la cara los cabellos empapados en sudor.

—¿Qué tal?

—No encuentro las palabras —contesto, antes de dar un beso a su perfecto pecho.

—Umm... ¿He dejado muda a Emery White?

Me encojo de hombros y le doy otro beso.

—Eso es nuevo. —Sus brazos me rodean y me llevan a un lugar del que nunca me quiero ir. También me recuerda que tenemos cosas de que hablar antes de continuar con esto. Cuanto más me deje caer en los brazos de Drake, más difícil será liberarme de nuevo.

Necesito saber que lo que tenemos va más allá de estas explosiones físicas. Nunca he considerado mi cuerpo un premio para el tipo que demostrara que me quería más, pero esto tampoco está bien. Ya no.

—Creo que ahora deberíamos hablar.

Me da un beso en la sien.

—¿De qué tenemos que hablar? Creo que ya hemos dicho todo lo que teníamos que decir.

Me deshago de su abrazo y recojo mi ropa del suelo.

—¿Qué haces? —pregunta, poniéndose de pie en medio de la habitación, completamente desnudo.

—Me estoy poniendo la ropa.

—Vale —acepta, colocando las manos en mis caderas—. ¿Por qué tanta prisa?

—Tenemos clase.

Se encoge de hombros.

—Sáltatela.

—No me la voy a perder. —Me subo los vaqueros antes de echar una ojeada a mi desgarrada camisa—. ¿Me prestas una camiseta? Ya que me has destrozado la mía...

Una sonrisa traviesa aparece en su rostro.

—Estás más guapa sin ninguna puesta.

—Drake.

—Em.

—Por favor —suplico, cruzándome de brazos. De repente, la habitación parece más fría. No estoy segura de si la sensación proviene de lo desnuda que estoy o de que tengo miedo a que vuelva a desaparecer y se pase días sin hablarme. No puedo seguir haciendo esto, no así.

Él sonríe mientras sus ojos inspeccionan mi cuerpo de arriba abajo, y luego se acerca a su armario para lanzarme una camiseta gris de manga larga.

—Toma, esta me queda pequeña.

Solo puedo quedármelo mirando mientras recoge la ropa del suelo y se la pone. ¿Qué narices hago aquí? Ni siquiera tuvo que pedírmelo y ya estaba desnuda entre sus brazos, empotrada contra la pared. Esta no soy yo. Este no es mi rollo. No quiero que nuestra relación, o cualquier otra, se base en esto.

—¿Sabes qué? ¿Por qué no me llamas cuando quieras tener una cita de verdad conmigo? Una que no termine con los dos desnudos. —Me voy y cierro la puerta de un portazo a mi espalda. A lo mejor estoy sobreactuando, pero la chica que he dejado allí dentro no era yo... Ya no sé quién soy.

18

Drake

No tengo ni puta idea de lo que acaba de pasar. Un paso hacia delante, dos hacia atrás. Estoy cansado de este bailecito que tengo con Emery.

Ya tengo suficientes cosas en mi vida como para añadir una montaña rusa, pero tiene algo que me impide bajarme del cochecito.

Siento algo por ella. Algo nuevo. Algo que había bloqueado desde hace mucho tiempo. Me gusta, hasta me preocupo por ella, si no no le habría contado todo aquello sobre mi padre. Esa información la he guardado con celo. El hecho de que se la confesara dice mucho. Ahora mismo solo sé una cosa con total seguridad: hemos de terminar con este juego que nos traemos, o ir cada uno por nuestro camino. Esta situación está empezando a doler demasiado.

Recojo el móvil y llamo a la persona que podría ayudarme a entenderla mejor.

—Hola —dice con voz rasposa, como si no llevara mucho tiempo despierto.

—Hola, Beau, ¿qué tal?

—Bien, bien. ¿Y tú?

Un tic se apodera de mi pie al estar sentado en el filo de la cama y hacer algo que no había hecho nunca: pedir ayuda.

—He estado mejor. ¿Te hacen unas cervezas o algo? Tengo que hablar contigo.

—Me estás asustando —responde con un deje de preocupación en su voz.

—Solo necesito ayuda con una cosa. Eso es todo.

—Tengo clase en diez minutos, pero estoy libre después. ¿Por qué no vienes a casa? Tengo la nevera llena de la última fiesta que di.

—Gracias. Allí estaré.

Alguien pica enfadado en la vieja puerta de madera. No me hace falta abrirla para saber que es papá y que no está muy contento. Cualquiera que haya presenciado el lado malo de mi padre puede asegurar que no tiene miedo a mostrar sus emociones, ya sean buenas o malas.

—*Drake, sal. ¡Ahora mismo!* —*Tengo un problema.*

—*Ya voy* —*respondo, mirándome el pelo en el espejo una última vez. He estado probando esa nueva moda de llevar el flequillo de punta. Aún no me ha salido perfecto, pero se está acercando a cómo quiero peinarme cada mañana.*

—*¡Drake, como te lo tenga que repetir una vez más, vas a tirarte toda la noche corriendo alrededor de la manzana, lloviendo!*

Pongo una mano en el tirador y apago la luz con la otra. Allá vamos.

Se encuentra de pie con las manos en las caderas y la cara roja. Quizá debí haber salido la primera vez que me lo pidió.

—*¿Qué estás haciendo? Tus hermanas todavía tienen que cepillarse los dientes y llevas encerrado ahí dentro casi media hora.*

Me encojo de hombros y hundo las manos en los bolsillos.

—*Lo siento. Perdí la noción del tiempo.*

—*Ve a tomarte el desayuno.* —*Suspira, pellizcándose el puente de la nariz.*

Siempre es duro conmigo, pero apenas lo oigo gritarle a mis hermanas. Es injusto. A veces me entran ganas de meter mis camisetas y videojuegos favoritos en una bolsa y huir. Cualquier sitio debe de ser mejor que este.

—*¿Eso es lo que te vas a poner hoy, Drake?* —*me pregunta mi madre cuando entro en la cocina. Bajo la mirada hasta la vieja camiseta roja y los vaqueros rotos en las rodillas; en realidad es uno de mis conjuntos favoritos.*

—*Es lo único que tengo limpio* —*miento, mientras vierto leche en mi cuenco de cereales.*

Mis hermanas se sientan frente a mí, mirándome con veneno en los ojos.

—Te has metido en líos —airea Quinn, sacándome la lengua.

Niego con la cabeza mientras observo cómo cae la llovizna contra la ventana. Me pregunto si el entrenador va a cancelar el entrenamiento de esta tarde. Entrenamos siete días a la semana, casi cada mes del año. Si no es fuera, es dentro. Me encanta el fútbol, pero vivirlo todos los días es un poco abrumador, sobre todo cuando mis amigos están fuera haciendo otras cosas.

—Me voy —anuncia mi padre, apartando a mi madre del fregadero para estrecharla entre sus brazos. Lo ha hecho todas las mañanas desde que tengo uso de razón. Es asqueroso.

La besa en los labios antes de darle un beso a mis hermanas en la cabeza. Cuando llega a mí, me despeina con la mano y dice:

—Te quiero. Pórtate bien.

Normalmente le correspondo. Suelo decirle que yo también lo quiero, pero no esa mañana. Rompí las reglas esa mañana y aquello casi me destroza a mí.

Todos lo vimos salir por la puerta, y mis hermanas incluso le despidieron con la mano. Devuelvo la atención a mi cuenco lleno de Frosties. Papá se enfada mucho conmigo, pero al día siguiente suele estar bien.

Mi madre termina de fregar los platos a la vez que nosotros nos acabamos el desayuno. Miro a través de la ventana, maravillado por las coloridas hojas que cubren nuestro jardín y, tras unos minutos, oigo una sucesión de sirenas en la distancia.

—Mamá, ¿qué es eso? —pregunta mi hermana Quinn acercándose corriendo a la ventana.

—Probablemente otro pequeño accidente en la carretera. A ver cuándo arreglan algunas de esas señales de Stop. —Se seca las manos en un paño y lo deja sobre la encimera—. Bueno, vámonos. Poneos los zapatos y el abrigo.

Hacemos caso a mamá sin demora. En días como este, cuando ya hemos enfadado a papá, sabemos que es mejor no empeorar las cosas.

Todos estamos en silencio cuando salimos en coche de nuestro tranquilo barrio, hacia la carretera principal que atraviesa el pueblo. Yo estoy como hipnotizado, con la frente apoyada contra la fría ventana, cuando llegamos al semáforo que controla el cruce con la autovía. Veo entonces luces azules y rojas, que resaltan más por el mal día que hace.

Estoy mirando por la ventana, preguntándome si vamos a llegar tarde al colegio, cuando oigo su grito. Nunca he escuchado a mi madre gritar así,

ni siquiera cuando está enfadada con nosotros, y cuando la observo preci-
pitarse fuera del coche, descubro el porqué. El trozo de metal desfigurado
que hay en medio de la carretera es del mismo color que el viejo Ford de mi
padre.

El corazón se me detiene... Se me detiene por completo en el pecho. Solo
tengo once años, pero no soy estúpido.

Mi madre se derrumba en el suelo, frente a nuestro coche. Mis ojos bus-
can desesperados la pegatina de los Southern Iowa Hawks en el parachoques
del coche. Es antigua, está estropeada por el sol, y nunca he visto otra igual.
Una dolorosa presión se instala en mi pecho cuando la localizo. Esto no es
bueno. Nada bueno.

Una lágrima cae por mi mejilla. Mis hermanas quieren seguirla, pero las
contengo.

—Drake, ¿qué pasa? —pregunta Tessa a mi lado.

Con una mano me seco la lágrima de la cara, y con la otra le sujeto la
suya.

—Todo va a ir bien.

Tengo que ser fuerte. Es lo que mi padre habría querido.

Aquel día, un conductor borracho se llevó la vida de mi padre y destru-
yó a mi familia, y aunque culpe de ello al cabrón egoísta, he sido muy
duro conmigo mismo. En mi mente, mis acciones habían causado el
accidente... por las cosas que no le dije esa mañana. Desde entonces me
pregunto todos los días si estaba pensando en mí cuando recibió el golpe. Si no me hubiera comportado tan mal aquella mañana, ¿habría
prestado más atención al cambio de color del semáforo? En el fondo,
creo saber que no tuvo nada que ver conmigo, pero la culpa me lo hace
creer así.

Esa fue la única vez que no le respondí «te quiero», y ese arrepentimiento lo he llevado dentro todo este tiempo... Se ha convertido en una
parte de mí. Lo que ocurrió aquel día ha afectado a cada decisión que he
tomado desde entonces. Es la razón por la que sigo huyendo, para deshacerme de los monstruos que me acechan continuamente. Pero cuando vives en una pesadilla no importa lo rápido que corras, es imposible
escapar.

Tengo que encontrar la forma de darle la vuelta a esto... El fútbol no puede ser lo único que tenga en la vida. En algún momento tendré que empezar a disfrutar de otras cosas. Necesito encontrar el perdón.

Respiro hondo y pico en la puerta del piso de Beau. De camino hacia allí, he querido darme la vuelta por lo menos cinco veces y regresar a mi dormitorio. Espero no arrepentirme de no haberlo hecho.

—Hola —dice Beau cuando abre la puerta y me invita a entrar.

—Gracias por dejarme venir, tío. —Le doy una palmada en la espalda cuando paso a su lado y me siento en el filo del enorme sofá. Ayudé a Beau y a Cory con la mudanza a principios del semestre. Por aquel entonces era un piso de soltero: paredes blancas, muebles negros y de piel, unas cuantas lámparas y una tele grande. Sus respectivas novias han hecho maravillas con el apartamento. Han añadido cuadros rojos y azules, y una gran alfombra roja. Yo creo, sinceramente, que es una locura haberlas dejado hacerlo.

—¿Quieres beber algo? —pregunta Beau, mientras abre la nevera.

—Una cerveza, gracias.

Mira a la puerta del frigorífico con el ceño fruncido.

—¿Hoy no tienes entrenamiento?

—Mierda —suelto un quejido y me paso la mano por la cara—. Odio la temporada de fútbol.

Beau se ríe y se acerca a mí con dos botellas de agua en la mano.

—Solo son unos meses al año. —Se sienta en la silla frente a la mía y me observa detenidamente. Ya es hora de empezar el espectáculo.

—Necesito ayuda.

—Vale, pero sé un poco más concreto. —Retuerce el tapón de la botella, sin dejar de mirarme en ningún momento.

—Emery. —Es una palabra, pero por cómo se relaja su rostro, creo que sabe por dónde voy.

—Sigue.

—Me gusta. Joder. Me refiero a que me gusta mucho, y no sé cómo demostrárselo sin que se enfade. Las cosas van bien unas horas, o un día, y luego lo mando todo a la mierda.

Mira al techo y suelta un suspiro.

—¿Qué cojones has hecho?

—Nada. Todo. Y yo qué coño sé. —Alzo las manos y acepto la derrota. Emery 1, Drake 0. Este partido podría continuar hasta la eternidad y, aun así, ella seguiría ganando.

Se inclina hacia mí y apoya los codos sobre las rodillas. Tiene una expresión seria en el rostro, la más seria que le haya visto nunca.

—Cuéntame qué ha pasado.

—Teníamos que hacer un trabajo en grupo, así que pasamos mucho tiempo juntos. Ya me conoces. Normalmente me importa una mierda si le gusto a una chica. No está en lo alto de mi lista de prioridades, pero Emery... Ella es distinta. Es lista, segura y le importa un comino que sea el quarterback del equipo de fútbol. Solo se interesa por mí como persona... No lo puedo explicar.

Me detengo y ensayo la siguiente parte en mi mente. Beau me conoce, pero también conoce a Emery, y no sé qué va a pensar cuando le cuente el resto.

—La besé una noche en una fiesta. Estaba tonteando con Cole, o más bien él estaba tonteando con ella. La saqué de allí y terminamos en un cuarto de baño. Desde entonces nos llevamos un tira y afloja estúpido. Yo me alejo, ella se enfada conmigo; luego repetimos todo el proceso unos días después.

—¿Te has acostado con ella? —pregunta, con los ojos cerrados.

—Eso no es de tu puta incumbencia, Bennett, pero sí. Hemos tenido sexo.

Por la forma en que sus ojos atraviesan los míos cuando vuelve a abrirlos, sé que piensa que soy un idiota integral.

—¿Habéis establecido algún tipo de relación? Si todo lo que hacéis cuando las cosas están bien es tener sexo, no vais a llegar muy lejos. No conozco bien a Emery, pero no es como las demás chicas. No es del tipo que te tiras por el simple hecho de tirártela, Drake. Ella lo hace todo con un propósito. ¿Cuál es el tuyo?

Sus palabras hacen añicos cada pensamiento que tenía sobre la razón por la que Emery y yo, a estas alturas, no funcionábamos. No es por lo que haga o lo que hagamos. Es por lo que no hago.

—Le conté algo que no le he contado a nadie. Nadie de aquí, me refiero.

—¿En serio? ¿Cuándo lo hiciste?

—Después de que tuviéramos sexo la primera vez —admito en voz baja.

Beau sacude la cabeza mientras se levanta y camina hacia la nevera; esta vez saca una cerveza.

—Estoy seguro de que te lo agradeció, pero si realmente quieres tener algo con Emery, vas a tener que hacer algo más que sincerarte con ella. ¿Citas? ¿Cenas? ¿Salir a bailar? No sé, pero esto no va a funcionar con ella. Es demasiado lista como para lidiar con tus mierdas. —Se detiene y le da un gran trago a la cerveza—. La buena noticia es que debes de gustarle un poco si te ha aguantado tanto.

—Vale, lo pillo. ¿Y ahora qué hago?

Se ríe, dejando la botella sobre la mesita auxiliar.

Me recuesto y apoyo los brazos sobre el sofá. Esta va a ser una mañana muy larga.

Tras hablar con Beau, me sentí mejor y peor. Mejor porque ya sé lo que tengo que hacer y no es imposible. Peor porque me obligó a mirarme a través de los ojos de Emery. No es una imagen bonita. De hecho, es bastante fea.

Le mandé un mensaje el lunes por la noche, diciéndole que tenía que solucionar unas cosas antes de poder verla otra vez. Y con «cosas» me refiero a mí mismo, pero eso ella no tenía por qué saberlo. Todavía no.

Pero hoy estoy en clase y no tengo más opción que verla. Ella nunca se salta ninguna. Yo quería pero tuve la impresión de que ella iba a darle demasiada importancia si no iba.

Llego pronto a propósito y escojo un asiento hacia el centro del aula. Otra vez estoy actuando como un cobarde; no quería entrar en la clase y tener que decidir si era o no una buena idea sentarme junto a ella. No estoy preparado para hablar de todo ahora.

Unos minutos antes de que la lección empiece, la veo de reojo. Se detiene por un segundo en el pasillo junto a mi fila, pero tras bajar la mirada al suelo, continúa hasta la parte frontal del aula.

Mi atención permanece fija en ella durante toda la clase prácticamente. Tiene el cabello sujeto en un moño encima de la cabeza, y lleva unas gafas de pasta negras que hasta le quedan monas.

Espero a que me mire durante sesenta segundos. Sigo pensando que quizás echa una mirada hacia atrás y me dedica una de esas sonrisas que tanto echo de menos. Es un rechazo. Es un «que te den».

Cuando la profesora McGill termina la clase, me quedo en mi sitio, ansioso por ver el siguiente movimiento de Emery. No me sorprende que salga del aula por el pasillo central sin siquiera echar un vistazo en mi dirección.

El pecho me duele, pero al final, verla ha sido lo mejor para mí. Me ha dado el empujón que necesitaba para hacer lo que tenía pendiente hace mucho tiempo.

19

Emery

Drake es un error. Una mala decisión. Formo parte de un juego al que él juega, y lo hace bien. Me ha ganado, pero si hay alguien que gana, entonces también hay otro que pierde.

Esa es la razón por la que me ciño a mi plan de juego, porque si no, pierdo.

Y esta partida la he perdido sin duda.

—¿Estás bien?

Miro a Kate, que está conduciendo en dirección a una de las fiestas de Beau. La obligué a prometerme, al menos diez veces, que Drake no iba a estar allí esta noche.

—Sí, en realidad tengo ganas de salir. Ha sido una larga semana.

Ella me sonríe con compasión y se adentra en la calle del apartamento de Beau.

—Esta noche va a estar bien. Te lo garantizo.

Inspecciono la calle, y me digo que no está tan abarrotada como suele estarlo cuando hay una fiesta de estas.

—¿Dónde está todo el mundo?

—Hemos llegado un poco temprano. Le dije a Beau que lo ayudaríamos a prepararlo todo —explica, mientras aparca y se coloca bien el cabello mirándose en el espejo retrovisor.

—¿Qué hay que preparar?

Abre la puerta, ignorando mi pregunta.

—¿Vienes?

Salgo del coche y la sigo por todo el camino, recolocándome la minifalda de cuero que me ha convencido de que me pusiera. Estaba en liquidación en una de esas tiendas outlet, y creo que había una buena razón para ello.

Los nervios no se me empiezan a calmar hasta que subimos las escaleras. Vine para disfrutar de mis últimos días de libertad antes de enterrar de nuevo la nariz en los libros, pero no me hace falta ver a Drake, ni reemplazarlo por otro nuevo.

Kate empieza a juguetear con los anillos que lleva en los dedos, cuando nos detenemos frente a la puerta del piso de Beau. Normalmente es ella quien pica a la puerta, pero todavía no lo ha hecho.

—¿Estás bien? —pregunto, intentando leer la expresión de su rostro.

Ella se encoge de hombros y junta las manos.

—Beau y yo tuvimos una discusión antes, y supongo que estoy un poco nerviosa.

—Como si tuvieras algo por lo que estar nerviosa —digo, picando a la vieja puerta de madera. Francamente, ese chico la amará hasta el día que se muera, haga lo que haga.

Cuando la puerta se abre, soy yo la que abre los ojos como platos.

Kate me agarra del brazo y me empuja hacia el interior del apartamento.

—No me odies. Esta era la única manera de hacer que vinieras.

El piso está a oscuras en su mayor parte, a excepción de unas cuantas velas encendidas y que hay colocadas por toda la mesa. Hay seis tulipanes blancos en un jarrón de centro y cubiertos para dos personas. Se escucha música suave de fondo, pero el sonido está amortiguado por culpa de los latidos de mi corazón, que están embotándome los oídos.

Me giro hacia Kate, que se está mordiendo el labio inferior.

—¿Qué es esto?

Antes de tener oportunidad de responder, veo una figura oscura aparecer por la esquina. Al principio es difícil distinguir quién es.

—Nuestra primera cita.

—Drake —susurro al reconocer su voz. Esto... no está bien.

—Em, quiero otra oportunidad para hacer las cosas bien. La cagué y esta es mi disculpa.

—¿Y por qué te estás disculpando? —Me trago el inmenso nudo que se me ha formado en la garganta. Una parte de mí quiere salir por la puerta y correr de vuelta a casa; otra quiere quedarse.

Da dos pasos hacia mí y, por fin, la luz de las velas me permite ver su rostro.

—Por tratarte como si fueras cualquier otra chica.

Con un par de pasos más, su pecho toca el mío y sus labios se posan sobre mi frente con indecisión. Huele tan bien..., como a cítricos. El calor se acumula entre mis piernas, lo que me obliga a cambiar el peso de un pie al otro. No debería resultarme tan difícil permanecer alejada de él.

¿Por qué tiene que ser mi excepción?

—Las palabras son solo palabras sin significado. Dime, Drake, ¿qué me hace diferente?

Espero que tartamudee, que tenga que pensar bien las palabras, pero no vacila ni por un segundo.

—Eres luchadora. Y no me consientes las cosas. No te importa que sea el quarterback. Eres la chica que quiere conocerme, no solo que te vean conmigo. También eres la chica que viene a mi cuarto para ayudarme con el hombro aunque me haya comportado como un capullo.

Toma mi rostro entre sus manos y me acaricia las mejillas con los pulgares.

—Eres la única que puede despertarme de mi pesadilla.

Cierro los ojos y me relamo el labio inferior. Por una vez, voy a escoger mis palabras con cuidado. Voy a filtrar mis pensamientos antes de dejarlos libres. Últimamente, tomar decisiones precipitadas no me ha funcionado muy bien.

—¿Qué quieres de mí, Drake?

—Solo quiero estar contigo, Em. Se acabó todo ese tira y afloja, esa guerra... Quiero que no dudes de lo que sientes cada vez que estamos juntos. Quiero que sepas, cada vez que me vaya, que voy a volver. Quiero que sepas que estás ahí para mí, aunque intente alejarte de mí. —Se inclina y su cálido aliento me hace cosquillas en la piel—. ¿Qué te estás conteniendo? ¿Qué puedo hacer para arreglarlo?

Estrecho su cuello entre mis brazos y atraigo sus labios hacia los míos. Él es mi vulnerabilidad, o quizá, mi fuerza. El tiempo lo dirá. Todo lo que ahora mismo sé es que han pasado cinco días desde que sus labios estuvieron en contacto con los míos, y eso es demasiado tiempo.

Este beso es dulce; sus labios se mueven lentamente con los míos. Cuando presiono la lengua contra la abertura de su boca, él me rechaza y me vuelve a besar con suavidad, una vez más, antes de separarse.

—Esta noche solo vamos a hablar.

Por una vez, esa palabra me decepciona, pero al mismo tiempo sé que lo necesitamos.

—Vale —susurro.

Sonríe.

—He hecho la cena.

—¿Has hecho la cena?

Me agarra de la mano y me conduce hasta la mesa.

—No es nada demasiado sofisticado, pero tenemos asado, patatas y zanahorias. Es mi especialidad.

—Suena mejor que cualquier otra cosa que pueda pedir en la cafetería.

Me suelta la mano y me saca la silla para invitarme a sentarme.

Lo observo mientras regresa a la cocina. Los vaqueros se amoldan a él como un guante. Su camisa azul de franela se ciñe a su pecho y a sus brazos, resaltando el trabajo duro que hace en el campo de fútbol. Podría vestirse con cualquier cosa y le quedaría bien. Cuando vuelve al salón con un gran plato lleno de comida, yo inspiro y dejo que el delicioso olor arrollara mi nariz.

—Huele de maravilla.

—Comamos. El olor ha estado tentando a mi estómago durante todo el día. Ya no puedo aguantar más. Las damas primero. —Se sienta en la silla contigua a la mía y mueve las pinzas para que pueda alcanzarlas.

—Gracias —digo antes de sonreírle.

Nos quedamos en silencio durante un par de minutos, para llenarnos el plato tanto como podemos. Es extraño que las cosas no ocurran como uno espera y, aun así, acaben haciéndolo como uno necesita. Mi muralla está cayendo poco a poco. Es como si me hubiera adentrado en un mundo completamente nuevo que me hiciera preguntarme si realmente he estado viviendo todo este tiempo.

—Estás guapa. Me gusta esa falda —dice para romper el silencio.

Siento que la cara se me pone roja como un tomate... Nunca he agradecido tanto que la única luz que haya sea la de las velas.

—Gracias.

Se ríe y estira el brazo para cogerme la mano. Me acaricia los nudillos con sus dedos.

—Me alegro de que hayas venido.

—Yo también —susurro, sintiendo un ligero apretón de su mano.

Todo se vuelve a quedar en silencio mientras disfrutamos de nuestra cena. Está deliciosa... El asado está tierno, casi se deshace en la boca. Las patatas y las zanahorias están sazonadas perfectamente. Realmente es lo mejor que he probado en mucho tiempo.

—Les preparo esto a mis hermanas continuamente. Es lo único, además del queso gratinado, que se comen las dos.

—¿Cómo se llaman, por cierto?

Las ha mencionado alguna vez, pero nunca las ha llamado por su nombre.

—Tessa y Quinn.

—Háblame de ellas. ¿Se parecen a ti?

Vacila mientras deja la mirada clavada en su plato a medio terminar. Si se abriera sin más...

—Tessa es la más pequeña. Ahora tiene once años. Le gusta el baloncesto, pero aparte de eso, es una chica normal. Le van los chicos, los zapatos y tiene una colección enorme de ropa. Quinn tiene quince, y es un poco más compleja. Supongo que se podría decir que es la versión femenina de mí: cabezota y resuelta.

Entrelazo los dedos con los de él.

—¿Y qué hay de tu madre?

Alza la vista de repente hacia mí. Abre la boca como si quisiera decir algo, pero no sale nada. Al menos, no al momento. Cuando por fin es capaz de hablar, lo hace en un tono de voz tan bajo, que apenas puedo oírlo.

—Em, hay algunas cosas de las que me resulta muy difícil hablar. Mi madre es una de ellas.

Le acaricio el interior de los dedos con mi pulgar y siento la piel callosa y rugosa a la que me he acostumbrado.

—Llegados a un punto, vas a tener que hacerlo. Llegarás mucho más lejos si dejas tu pasado atrás. Te está hundiendo.

Su mentón se mueve de forma intermitente mientras cierra los ojos. Espero paciente y con la esperanza de que, al no presionarlo, pueda ser capaz de dar este paso por sí mismo. Puede que hoy no sea el día que se abra a mí, pero lo hará algún día... Necesita hacerlo.

—Es tan difícil cuando confías en alguien para todo y después, un día, desaparece. Por completo. Es tan duro verla allí, pero no sentirla de verdad... —Me suelta la mano y apoya los codos sobre la mesa para tirarse del cabello—. Puede sonar mal, pero por muchas razones, perder a mi madre como lo hicimos fue peor que perder a mi padre. Al menos, ya sabíamos que él no iba a volver.

Arrastro la silla hasta pegarla más a él y le acaricio la espalda. Todavía sigue con los ojos fuertemente cerrados. Es una forma de mantener dentro las emociones dolorosas. Hay tanto que revelamos por los ojos sin darnos cuenta...

—Tus hermanas tienen suerte de tenerte a ti —susurro, pegando una mejilla contra su hombro.

Él apoya su cabeza contra la mía.

—Puede que no lo vean así cuando tengan edad de salir con chicos.

—Ya imaginé que no las ibas a dejar.

Se burla y me da un leve empujón en el hombro.

—Ambos sabemos que la voluntad de una mujer es inquebrantable. Van a hacer lo que quieran, las deje o no. Puede que solo establezca unas normas.

—Estoy segura de que estarán bien.

—Sí, siempre que permanezcan alejadas de los hombres como su hermano, estarán genial —dice, dándome un beso en la coronilla.

Me enderezo en la silla y busco sus ojos. Espero hasta encontrarlos antes de volver a hablar.

—¿En serio? Yo no creo que sea tan malo.

—Y tú has visto lo peor de él —dice mientras se pasa el pulgar por el labio inferior. Me lo quedo mirando y dejo que el silencio hable por mí mientras espero a que su boca toque la mía. Por suerte, no tengo que esperar mucho.

Cuando termina de comer, recoge su plato y señala el mío.

—¿Has terminado?

Empujo el plato hacia fuera, señal de que puede retirarlo. Mientras él regresa a la cocina para fregar los platos, yo guardo las sobras en algunas fiambreras y las meto en la nevera. La normalidad de toda esta situación hace que se esboce una sonrisa en los labios. Esta noche estamos actuando como una pareja normal, que hace cosas normales, y es de lejos la mejor cita que he tenido nunca.

Cuando termino, me tumbo en el sofá y lo espero. La estúpida falda se me clava en el vientre, y estoy aprendiendo que el cuero es un tejido que deberé evitar cuando planeo comer más que unas cuantas hojas de lechuga.

Cuando, un par de minutos después, todavía no ha vuelto abro el mueble de las películas que hay junto al televisor y busco una para ver. No sé cuánto tiempo vamos a estar mirando a la pantalla, pero quiero elegir algo que nos guste a ambos.

La primera que me llama la atención es *El fugitivo*. Tengo una extraña obsesión con Harrison Ford desde que era pequeña.

Me vuelvo a acomodar en el sofá, esta vez con una manta.

—*El fugitivo*, ¿eh?

Alzo la cabeza y me percato de que Drake se encuentra a los pies del sofá.

—Si no te gusta, podemos ver otra cosa.

Camina hacia mí y apoya una mano en el sofá detrás de mí, y la otra delante, para dejarme completamente acorralada.

—La película me parece bien. ¿Te importa si la veo contigo?

—Te he estado esperando.

Se inclina, besándome con suavidad en los labios.

—Pues la espera se ha acabado.

Se acopla detrás de mí, pegando su pecho contra mi espalda y enredando sus piernas con las mías. Qué sensación tan estupenda.

—Em —susurra, colocando una mano sobre mi vientre—. Necesito que entiendas que no estoy contigo por el sexo. Nunca ha sido así. Yo solo... no quiero que te sientas así.

Me giro para quedar frente a él y miro directamente a sus ojos azules. También le aparto unos cuantos mechones de la frente.

—Si alguna vez hubiera pensado que solo estabas conmigo por el sexo, ahora mismo no estaríamos aquí.

Me rodea la nuca con la mano y me atrae hacia sus labios.

—Me alegro tanto de que puedas ver a través de mí —dice antes de besarme.

—Me lo pones fácil, Chambers.

—Siento que esta noche no fuera tan emocionante como esperabas. Creo que soy un desastre en lo relativo a las citas —susurra, mientras me hace cosquillitas en el brazo.

—Esta es una de las mejores citas que he tenido nunca.

Se ríe y me peina suavemente con los dedos.

—No hace falta que alimentes mi ego. Ya lo tengo bastante grande.

—Cierto —digo, dándole un golpe en el pecho.

—Me encanta cuando estás de acuerdo conmigo.

Los párpados me pesan cada vez más. Apoyo la cabeza contra su pecho en busca de confort y cercanía.

—Estoy cansada, Drake.

—¿Quieres que te lleve a casa? —pregunta; está jugando con mi pelo otra vez—. He preparado el postre, pero podemos saltárnoslo.

—Depende. ¿Qué es?

Cuando se ríe, su pecho vibra contra mi costado.

—Helado de vainilla con frutas del bosque.

Me enderezo y beso el borde de su barbilla.

—¿Qué tal si comemos un poco de helado y luego me llevas a casa?

Me devuelve el beso, esta vez en los labios.

—Trato hecho. Oh, antes de que se me olvide. Tengo algo para ti. Espera aquí.

Me pongo de pie, viéndolo desaparecer por el estrecho pasillo. Espero pacientemente para ver qué se trae entre manos. Cambio el peso de un pie a otro y me seco las manos sudorosas en la camiseta, mientras pienso en qué podrá ser. Al final, soy incapaz de ignorar el revoloteo de mariposas que siento en el estómago y que me hacen pensar en cosas muy excitantes.

Cuando vuelve a aparecer, reconozco de inmediato la bolsa y el papel de regalo que me entregó después de nuestra presentación.

—No tenías por qué traerme nada —digo, dejando que me tienda la bolsa.

—Con esto trato de empezar de nuevo, Em. Recuérdalo.

Asiento y abro la bolsa. Tiro el papel en la mesa que hay frente al sofá y meto la mano dentro. Saco el mismo jersey que me puse hace unas cuantas semanas y otro sobre blanco.

—¿Quieres venir al partido de mañana? —pregunta, mordiéndose un lado del abio.

—Por supuesto —grito, lanzándome a sus expectantes brazos. Si alguien me hubiese dicho, hace unas semanas, que estaría así de emocionada por ir a un partido de fútbol, le habría dicho que estaba loco.

20
Drake

Cuando dejé a Emery en casa, la acompañé hasta la puerta y fuimos cogidos de la mano durante todo el camino. Fui fiel a mi palabra y no traspasé los límites que me había impuesto. Quería que fuera como una primera cita, con buenas intenciones.

Le di un beso de buenas noches y me aseguré de que, cuando se despertara por la mañana, siguiera recordándolo. Quería que fuera el tipo de beso en el que pensaría pasaran los años que pasasen, y no es que los otros no importaran, pero este fue el primer beso sincero.

—Oye, Drake, el entrenador quiere hablar contigo en su oficina.

Gimo. Es James, el agente del equipo. No tengo nada en contra de él, pero el entrenador tiende a dejarle hacer todo el trabajo sucio, y eso no puede ser bueno.

—Dile que voy enseguida.

Me pongo el jersey sobre las protecciones y me abrocho los zapatos. Quiero que el partido termine para poder pasar tiempo con Emery. Tenemos planes para después del partido, y todavía tengo mucho que demostrarle.

Pico a la puerta de la oficina del entrenador y espero a que me permita pasar. La buena educación nunca ha sido mi fuerte, pero no es inteligente hacerle enfadar antes de un partido. Tiene el poder de sentarme en el banquillo y, si eso sucede, ya puedo estar despidiéndome de una futura carrera profesional.

—¡Entra! —grita desde el otro lado de la puerta.

Entro y me siento frente a su enorme escritorio de madera. Lo primero que hago siempre es intentar leer su expresión. Si el músculo del mentón se sacude ligeramente, no son buenas noticias. Si tiene la mano cerca de la frente, entonces está preocupado por algo. Por la forma en que brilla su cabeza bajo las luces fluorescentes, es señal de que lo hace a menudo. De hecho, ahora mismo tiene los dedos apretados contra las sienes.

—¿Qué pasa?

Se recuesta en la gran silla de oficina, negra y de piel, y coloca las manos detrás de la cabeza.

—Solo quería recordarte la importancia del día de hoy. La importancia del resto de la temporada.

Suspiro y me seco el sudor de las manos en los muslos.

—Nunca dejas que se me olvide.

Se inclina hacia delante y se acerca a mí tanto como el escritorio le permite.

—¿Y qué vas a hacer para ayudarnos a llegar adonde queremos?

—Estoy aquí, ¿no?

—¿Lo estás, Chambers? Porque hay días que lo dudo. No dejes que hoy sea uno de esos días. —Hace una pausa y baja la mirada hasta su carísimo reloj de oro—. Tu padre te está viendo.

Aprieto la mandíbula, intentando contener ciertas cosas que no debería decir. Pero es tan complicado contener toda esta puta ira... Odio que el entrenador juegue esa baza. En primer lugar, porque él nunca conoció a mi padre, y en segundo, porque me recuerda que este es su sueño. No el mío.

—¿Puedo irme ya, entrenador? Tengo que calentar. —Coloco las manos sobre los reposabrazos de la silla de madera para poder salir de aquí en cuanto tenga la oportunidad.

—Adelante. Haz lo que tengas que hacer para darnos la victoria.

Me voy sin decir adiós. No tiene mucho sentido cuando voy a volver a verlo dentro de unos minutos en el campo.

El estómago se me empieza a revolver mientras me dirijo de vuelta al vestuario para recoger mi toalla. Como no llevo ya suficiente peso sobre los hombros, tiene que venir el entrenador a recordármelo.

No dejo de retorcerme la muñequera cuando me dirijo al campo. Inspecciono el césped verde, negándome a mirar a las gradas hasta no estar en medio del terreno de juego.

Cuando alzo la mirada hacia la sección de estudiantes, vuelvo a sentir los pies sobre la tierra. Una preciosa chica de cabello largo y oscuro me está saludando con la mano. Y lo que lo hace todavía mejor es que lleva mi número en el pecho. Dios, me alegro de que utilizara la entrada que le di.

Me masajeo el pecho, un gesto que espero que solo ella entienda. Sonríe e imita exactamente el mismo gesto.

Sí, puedo hacerlo. No es nada que no haya hecho antes.

Acaba siendo uno de los mejores partidos que he jugado en toda la temporada. Lancé tres touchdowns, corrí para otro y no me interceptaron ningún pase. Si soy capaz de jugar así el resto de la temporada, no me será muy difícil mantener feliz al entrenador.

—¿Vienes a la fiesta de esta noche, Chambers? —pregunta Trip. Creo que solo juega por las estúpidas fiestas pospartido.

—Hoy no.

—¿Y eso? ¿Hay algo más de lo que no me haya enterado?

Me río mientras me retiro con la toalla el exceso de agua del pelo.

—Créeme. Si hubiese algo mejor, tú te enterarías mucho antes que yo.

Cierra su taquilla de un portazo y se cuelga el petate del hombro.

—Tienes razón. Hasta luego, tío.

Niego con la cabeza mientras lo veo desaparecer por la puerta de los vestuarios. De nuevo, soy el último. Me pongo una camisa blanca de manga larga y la americana por encima. Ya es hora de que reclame mi premio.

Esta vez, mientras salgo del vestuario hacia el pasillo, no tengo que preguntarme si Emery aparecerá. Está al otro lado de la puerta, apoyada tranquilamente contra la vieja pared de cemento.

—Hola —digo, cruzando el pasillo.

Ella se endereza y esboza una enorme sonrisa en sus labios.

—Buen partido, número doce.

Llevo una mano a su mejilla y le acaricio el labio inferior con el pulgar.

—¿Me he ganado un beso de celebración?

Su lengua roza la yema de mi dedo para tentarme.

—Supongo que sí.

Mis ojos se clavan en los suyos e imitan la ternura que hay en ellos. En el momento en que muevo la mano hacia su cuello, ella me abraza con fuerza y acerca mis labios a los suyos. Era idea mía lo de ir lento esta vez, pero momentos como este hacen que resulte muy complicado. Succiono su labio inferior y escucho el suave gemido que escapa de su garganta.

Lleva la mano hasta mi nuca y me suplica que le dé más. Yo respondo enredando mi lengua con la suya. Nuestros labios encajan a la perfección. Me alegro tanto de ser de los últimos en irse.

Ya no la voy a esconder más. Si alguien quiere opinar algo sobre nuestra relación, va a tener que decírselo a mi puño.

Exploro el interior de sus labios una última vez antes de retroceder. Si no me detengo ahora, no lo haré nunca.

—¿Lista? —pregunto, cogiéndola de la mano.

Asiente y empezamos a caminar al mismo ritmo. La última vez que salimos de aquí juntos, la cagué. Esta vez no. Voy a agarrarme a ella tanto como pueda hasta que no tenga más remedio que soltarla.

—¿Adónde vamos esta noche?

—Kate me preguntó si queríamos ir con ella y con Beau a una discoteca nueva que han abierto en el centro. No le he confirmado nada todavía porque quería preguntarte primero. —Sonríe con nerviosismo y me mira de reojo.

Nadie se había preocupado nunca tanto por lo que pudiera pensar. Es agradable.

—Me apetece cualquier cosa que no tenga que ver con el fútbol. ¿Tú quieres ir?

Se encoge de hombros.

—No sé. No creo que las discotecas sean mi rollo, pero nunca he ido a ninguna, así que no sé. Podríamos ir a esa pequeña cafetería que hay en el campus. Abre hasta tarde.

¿Discoteca o cafetería? Siempre me decantaría por la discoteca. Esta será seguramente una de las muchas diferencias que siempre habrá entre nosotros.

—No hay decisión que tomar. Vamos a la discoteca.

Cuando llegamos a mi coche quedan un par de tíos en el aparcamiento, y en un esfuerzo por borrar lo sucedido la última vez, la estrecho entre mis brazos y la beso. Su cuerpo está tenso al principio, pero luego se relaja y busca más cercanía. Cuando me aparto, la beso en la punta de la nariz, dándome cuenta de lo fría que la tiene.

—¿Eso ha sido para redimirte? —bromea y me agarra los brazos con las manos.

—Puedes llamarlo como quieras, Em. No voy a dejar escapar esto que siento.

Su pecho vibra contra el mío.

—Al menos estamos de acuerdo en que ha sido bueno.

Alargo el brazo y abro la puerta del copiloto.

—Salgamos de aquí.

Sube relajada, se sienta y estira las piernas. El modo en que me mira, sonriendo y con los ojos brillantes, casi me deja sin respiración. ¿Qué me está haciendo esta chica?

Me precipito hacia el otro lado del coche y subo frotándome las manos para deshacerme del frío. Odio los guantes que me da el entrenador, y suelo evitar ponérmelos porque dificultan la recepción del balón. En días como este, me sorprende que aún me quede sensibilidad en los dedos.

—¿Quieres que te lleve a casa para que puedas cambiarte antes de salir?

—Si vamos a ir a la discoteca, entonces sí. —Muestra una expresión traviesa en el rostro, como una niña pequeña con un plan maestro para robar un tarro de las galletas. No creo que vaya a haber muchos momentos aburridos con esta chica.

—Solo asegúrate de llevar ropa de verdad, que te cubra todo el cuerpo —digo, cogiéndola de la mano.

—No tienes de qué preocuparte. —Me guiña un ojo y sé que estoy bien jodido.

Mierda.

21

Emery

—¿Seguro que esto me queda bien? Siento como si no llevara nada encima.

Kate me levanta los brazos e inspecciona la longitud de mi falda.

—Estás bien. Beau y yo ya fuimos una vez y esa falda es larga en comparación con las que llevaban allí.

De pie frente al espejo de cuerpo entero, analizo el modelito que Kate me ha ayudado a elegir. La falda es corta, ceñida y roja... No pasa el test del brazo estirado. Pero sí me siento más cómoda con el jersey negro de un hombro al aire que eligió para el conjunto. Los tacones, por otro lado, son matadores. Veo el mundo diez centímetros por encima de lo habitual. *Menos mal que Drake mide uno noventa.*

—Kate, a Drake no le va a gustar.

Kate se me acerca por la espalda y observa lo mismo que yo.

—Oh, le gustará. Lo que no le va a gustar es que a otros tíos también les guste.

Me río, colocándome unos cuantos rizos delante de los hombros.

—No creo.

—Ya verás —dice, mientras regresa a su armario.

—No te hacía del tipo de chica que disfrutara con las discotecas —admito con sinceridad. Kate se parece mucho a mí... Ambas nos esforzamos mucho y, por lo general, no desfasamos.

Saca un corsé negro y lo sostiene frente a ella.

—Yo tampoco lo creía, pero Beau pensó que debía probarlo al menos una vez y me lo pasé bien. Es diferente de las fiestas, ¿sabes? Hay más reglas y menos, eh... carne expuesta.

—Bueno, es un alivio. —Pongo los ojos en blanco.

—Te lo vas a pasar bien. Ya verás. —Ahora saca un top verde sin mangas y con la espalda al aire—. ¿Cuál te gusta más?

—El verde, sin duda.

—Sabía que dirías eso.

Mientras termina de vestirse, yo meto el dinero y mi carné de identidad en la carterita negra. Miro el móvil; qué ganas tengo de que sean las diez. Todo me parece tan nuevo... Y supongo que me da miedo que cambie de opinión y huya si pasamos demasiado tiempo separados.

—¿Cómo estoy?

Alzo la mirada hacia Kate y sonrío. Parece la típica chica country: top verde sin mangas y con la espalda al aire, minifalda vaquera y botas de cowboy.

—Estás como tú eres.

Hace una mueca y se mete las manos en los bolsillos.

—Si no te la quieres poner, no pasa nada. Quiero que estés cómoda.

—¿Sabes? Me viene bien arriesgarme de vez en cuando.

Se ríe.

—Yo a eso no lo llamaría arriesgarse.

Alguien llama a la puerta y nos interrumpe. Kate se mira rápidamente en el espejo y se coloca unos cuantos mechones detrás de la oreja.

—Es la hora.

Me alivia el hecho de que ella abra la puerta. Necesito unos cuantos segundos más para prepararme para lo que está por venir. Beau silba al instante y le hace dar a Kate una vuelta frente a él. Tiene en los labios una de las mayores sonrisas que le he visto y los ojos le brillan.

Detrás de él aparece Drake, ataviado con vaqueros y una camisa negra de manga larga, que lleva arremangada en los codos. Hace que la ropa más sencilla luzca genial. Espero allí, de los nervios y con las piernas cruzadas, mientras él camina hacia mí.

Esperaba que me mirara con una sonrisa o con los ojos abiertos como platos, pero, en cambio, tiene el ceño fruncido.

—Tienes que cambiarte de falda —comenta, con la voz lo bastante baja para que solo yo pueda oírlo.

Sigo su mirada y me miro las piernas desnudas.

—¿Qué le pasa a esta?

Me rodea la cintura con un brazo y me estrecha contra su cuerpo.

—Como te muevas o agaches durante la noche, no vas a dejar nada a la imaginación. —Se inclina y me besa justo debajo de la oreja—. Yo soy el único que no usa la imaginación, Em, y quiero que siga siendo así.

Un escalofrío me recorre todo el cuerpo. Eso de llevar las cosas poco a poco es más complicado de lo que pensaba.

—La falda es tan ajustada que no va a pasar nada. Además, soy tuya sin importar lo que la gente haga, diga o vea. Ya deberías saberlo.

—Quédate a mi lado esta noche, ¿vale?

Asiento, mirándolo con los ojos bien abiertos.

Gruñe y me alza el mentón con ayuda de sus dedos pulgar e índice.

—Me estás matando.

—Yo no establecí las reglas.

Me besa un par de veces más.

—A la mierda las reglas.

Beau se aclara la garganta a espaldas de Drake.

—¿Queréis que os dejemos a solas o venís?

—Ya vamos —responde Drake separándose de mí. Sus dedos buscan los míos y me guía hasta la puerta.

Beau solo tiene sitio para dos en su camioneta, así que Drake me lleva en su coche. En realidad, me alegra quedarme a solas con él. Es cuando estoy más cómoda.

—¿Qué vas a hacer para Acción de Gracias? —pregunta de repente.

Queda poco más de una semana y todavía no lo he pensado bien.

—Aún no lo he decidido. Debería volver a casa porque mi padre estará solo, pero no sé si quiero.

—Yo no puedo volver a casa ese fin de semana porque tenemos partido el viernes..., el último de la temporada —comenta mientras entramos en pleno centro.

Está mucho más lleno de vida que el campus, con todas esas luces fluorescentes y las aceras llenas de gente. Estuve en la ciudad de Iowa un par de meses, pero no suelo salir demasiado. Es triste pensar en todas las cosas que me estaría perdiendo si estuviera inmersa en mi propio mundo.

—¿Quieres compañía? —pregunto, tras devolverle mi atención.

Aparca en un sitio libre que hay en la calle.

—No quiero retenerte aquí. Deberías ir con tu padre.

Abre la puerta sin esperar a que responda y rodea el coche hasta llegar a mi lado. Me coge de la mano otra vez y me ayuda a salir.

En cuanto estamos en la acera, le tiro del brazo y me paro de golpe.

—Quiero quedarme aquí contigo. No te lo ofrecería si no fuera así..., ya deberías saberlo.

Con un rápido movimiento, me encuentro con mi pecho pegado al suyo y sus labios a pocos centímetros de los míos.

—Quiero que estés aquí conmigo.

Le quito algunos cabellos de la frente.

—Parece que vamos a pasar juntos Acción de Gracias.

—Te conseguiré una entrada para el partido. Es el más importante de la temporada, ¿sabes? Southern Iowa contra Nebraska. Si no ganamos, voy a estar oyendo al entrenador hasta el año que viene.

—Lo harás bien, dios del fútbol —bromeo antes de besarlo en los labios, que tiene fríos.

Me suelta y me guía hasta un edificio con una puerta roja. No tiene nada de especial por fuera, pero hay dos seguratas enormes vigilando.

—¿Cuántos años hay que tener para poder entrar aquí? —pregunto apretando la mano de Drake.

—Dieciocho. No va a pasar nada —responde, dándome un ligero empujón en el hombro.

Los gorilas comprueban nuestros carnés de identidad y se guardan el dinero antes de dejarnos pasar.

—¿Quieres algo de beber? —Pregunta Drake, abriéndose paso entre la gente que se apila en la entrada.

—¿Podemos encontrar primero a Kate y Beau? Ya deberían de estar aquí.

Se ríe, señalando hacia la esquina, junto a la pista de baile.

—Los he encontrado.

Supongo que a veces viene bien ser alto, porque yo estoy teniendo dificultades para ver lo mismo que él. Al darse cuenta de mi esfuerzo, me agarra de las caderas y me levanta.

—¿Ahora?

Kate está pegada a la pared del fondo, en la pista de baile, y Beau se encuentra entre sus piernas. Sus brazos rodean la cintura de Kate y tiene el rostro hundido en su cuello. Sí que están aquí, y se lo están pasando de maravilla juntos.

—Quiero agua.

Me baja y me da un besito en la mejilla.

—Quédate aquí. Ahora vengo.

Retuerzo las manos mientras lo veo desaparecer entre la multitud. Estar sola en medio de una discoteca llena de gente no es mi idea de pasarlo bien. Los chicos me miran cuando pasan por mi lado, y algunas chicas me miran de soslayo. Hago todo lo posible por no despegar la vista de Drake, suplicándole en silencio que se dé prisa y vuelva ya.

Cuando estoy a punto de rendirme e ir junto a él en la barra, suena una canción de Tyga y el cuerpo se me empieza a mover. Mientras crecía, siempre escuchábamos música country porque era papá el que controlaba la radio en el coche, pero en el fondo, siempre he sido fan del hip-hop. El country es para cuando estoy deprimida o necesito algo suave de fondo para estudiar. El hip-hop me enciende, me da energía cuando no me queda ninguna.

En cuanto han pasado unas cuantas estrofas, ya estoy totalmente metida en la canción. Mis hombros, caderas y pies se mueven al ritmo. Es la sensación más relajante y liberadora del mundo. Cuando la música acelera, cierro los ojos y hundo los dedos en mi cabello.

Oigo silbidos y abro los ojos. Estoy rodeada de tíos, pero justo enfrente de mí está Drake. Lo miro fijamente a los ojos, que tiene abiertos de par en par, mientras se relame el labio inferior. Habrá por lo menos trescientas personas en la discoteca, pero ahora mismo es como si nosotros dos fuéramos los únicos que estamos aquí.

Llevo viviendo diecinueve años en una caja, apartada del mundo real, y en momentos como este me pregunto por qué me he quedado allí tanto tiempo. Me siento viva de verdad.

Sin apartar la mirada de Drake, empiezo a mover las caderas otra vez. La música golpea la discoteca. El humo comienza a cubrir la sala. Las luces iluminan a ráfagas. Estoy perdida en el momento... Drake está perdido en mí.

Quiero sentir sus manos en contacto con cada centímetro de mi piel. Quiero sus labios sobre mi cuello. Se acerca hacia mí y, cuando estoy lo bastante cerca como para que pueda tocarme, me agarra de las caderas con fuerza y me acerca a las suyas. Su erección está pegada entre mis piernas; la ropa es lo único que nos está conteniendo de hacer ahora mismo lo que mi cuerpo está anhelando.

Me pasa un brazo por la cintura y me aprieta contra él mientras sus labios delinean todo mi mentón.

—Eres tan sexy, Em. Tan sexy...

La música acelera su ritmo y él enreda sus piernas en las mías. Su boca está explorando mi cuello. Nunca he estado tan cachonda en mi vida, ni siquiera me importa que los demás nos estén mirando.

Una mano me aparta algunos mechones del cuello, mientras que la otra sube por la espalda de mi camisa. Necesito salir de aquí. Ya.

—Drake —jadeo. Me odio por haberlo interrumpido. Me encanta lo que le hace a mi cuerpo.

—Salgamos de aquí, Em. Ya. —Me besa en la boca por primera vez desde que empezamos a bailar y me mira a los ojos fijamente.

Asiento, igual de ansiosa que él por salir de aquí. Mueve una mano hasta mi trasero y tira de mi falda tanto como puede hacia abajo. Está protegiendo lo que es suyo, y yo quiero ocuparme de lo que es mío.

Esta noche lo necesito.

Me agarra de la mano y me arrastra entre la multitud.

—¿Crees que debería decirle a Kate que nos vamos? —pregunto, mirando por encima del hombro.

No baja la velocidad.

—Mándale un mensaje.

No seré yo la que le diga que no.

Cuando se abre la puerta, el aire frío golpea mi piel y estoy en la gloria. Drake y esa discoteca eran demasiado.

Él sigue en silencio, guiándome tan rápido como le permiten mis tacones. Abre el coche y, justo después, la puerta del copiloto. Me bajo del bordillo para subirme al vehículo, pero él tiene otros planes para mí, ya que me rodea la cintura con un brazo y me estrecha contra él. Me besa como si hubiese estado perdido en una isla durante años y me viera por primera vez. Está hambriento... Y me está volviendo hambrienta a mí.

—No quiero parar —gime antes de besarme en la comisura de los labios.

—Yo no quiero que pares.

—Necesito estar dentro de ti, Emery. —Se me queda mirando fijamente un largo rato.

—¿Entonces por qué estamos aquí, de pie?

Me empuja prácticamente dentro del coche, antes de precipitarse al lado del conductor. Coloca la mano sobre mi muslo desnudo y conduce tan rápido como la ley le permite para poder llegar al campus lo antes posible.

—¿Estás segura? —pregunta cuando entramos en el aparcamiento.

—Drake, estoy muy cachonda. Como no te encargues de mí, vamos a tener un serio problema.

—Joder —dice para sí mismo.

Cuando detiene el coche, me bajo antes de que él tenga oportunidad de abrirme la puerta.

La anticipación.

La espera.

Me están volviendo loca.

Drake camina tras de mí con las manos en mis caderas. Uso la llave para abrir la puerta principal y empiezo a subir las escaleras.

—¿No puedes ir más rápido?

—Llevo tacones, Drake.

—Que les den —dice y me alza en sus fuertes brazos. Me lleva así el resto del camino y solo me baja cuando hemos llegado a la puerta de mi dormitorio. Abro la cerradura con celeridad y entramos. La puerta se cierra a mi espalda y, segundos después, su mano toca mi vientre y me atrae contra su duro pecho.

Quiero saborearlo. Quiero que me toque, que me bese, pero también lo necesito en mi interior más pronto que tarde.

Sus dedos acarician mi abdomen y suben hasta el espacio que hay entre mis pechos antes de continuar con mi clavícula. Me cosquillea cada nervio del cuerpo.

—Baila conmigo, Em —susurra en mi oído. Su cálido aliento me pone el vello de punta.

Echo la cabeza hacia atrás y la apoyo contra su hombro antes de empezar a hacer círculos con las caderas de nuevo para restregarme a conciencia contra su endurecido miembro. Me da un apretón en los hombros y, a continuación, desliza las manos en dirección sur hacia mis pechos; con las palmas de las manos me acaricia los pezones.

—Drake.

Me da un mordisquito en el lóbulo de la oreja y suelto un gemido. Ya no puedo más. Quiero ponerme de cara a él, pero me está agarrando con demasiada fuerza.

Me empuja hacia delante, hasta que mis rodillas llegan al borde de la cama.

—¿Confías en mí? —pregunta haciéndome circulitos en mi vientre.

Asiento. Confío en él con todo lo que tengo en este momento.

—¿Cuánto me necesitas, Em?

—Ya, Drake. —No voy a hablar más.

Oigo la cremallera de sus vaqueros y, al instante, mi entrepierna vuelve a mojarse.

—Pon las manos en la cama.

Se ha ido toda razón. No me importa lo que vaya a hacer, siempre y cuando lo haga ya. Sus dedos agarran el borde de mi falda y la levantan por encima de mi trasero. Ahora le toca a las bragas, que baja hasta mis rodillas. Ni un segundo después, la punta de su miembro está tanteando mi sexo.

Lo deseo tanto...

—Por favor —suplico, mientras muevo las caderas.

Se introduce en mí con un solo movimiento. La sensación de cómo me llena no se parece a nada que haya sentido antes. Me penetra una y otra vez. Es carnal. Erótico. Si pudiera hablar ahora mismo, estaría suplicándole más y más.

Me agarra los pechos con ambas manos y acaricia los pezones con los pulgares. Me encanta este lado de él. Me encanta que me haga sentir bien al hacer cosas que nunca habría pensado en hacer siquiera.

—¿Qué tal?

Soy incapaz de hablar, así que gimo.

Sus dedos recorren mi cuerpo hasta llegar entre mis piernas y aplica presión justo donde necesito que lo haga.

—Déjate llevar, Em.

Sus palabras son suficientes para mí. Se me contraen continuamente los músculos a su alrededor. Siento tanto placer que estoy teniendo problema para controlar los gritos.

Él me sigue y gime también, mientras se mueve contra mí y me hinca los dedos en la piel.

—Joder.

Me rodea la cintura con los brazos y pega su pecho a mi espalda. Siento el rápido latir de su corazón. Es abrumador, como si su corazón fuese el mío.

Quizá lo es.

—¿Mejor? —pregunta, besaándome en el centro de la espalda.

—No te haces una idea —murmuro, mientras apoyo la mejilla en la colcha. Me duelen las piernas; mañana voy a tener agujetas entre el baile y el sexo—. ¿Te quedas conmigo esta noche?

—¿Tú quieres?

—Sí —susurro—. Quiero saber que estarás aquí cuando me despierte por la mañana.

Su cuerpo se separa del mío y, con sus manos, me ayuda a levantarme de la cama y girarme.

—Aquí estaré.

Le rodeo el cuello con los brazos y le doy un beso en la barbilla.

—Lo sé.

22

Drake

Las piernas de Emery están enredadas en las mías y su cabeza está apoyada en el hueco de mi brazo. Así es como anoche nos quedamos dormidos, lo que demuestra lo cansados que estábamos. Nunca me imaginé que la vida fuera a ser así, al menos no tan pronto. Podría quedarme mirando el día entero sus larguísimas pestañas y sus labios rosados.

Acaricio la piel suave de su espalda con el revés de la mano, mientras empiezo a recordar todo lo que hicimos anoche. Una vez no fue suficiente... Nunca voy a tener suficiente de ella. Mis dedos continúan en dirección norte y se hunden en su cabello, largo y suave. Siempre huele a cerezas. Odiaba las cerezas hasta que la conocí.

—Umm... —Abraza la almohada con fuerza y expresión risueña.

Le aparto unos mechones de la cara y me ofrezco una mejor vista de sus mejillas sonrosadas.

—Hola, sexy, ¿has dormido bien?

—Sí. —Suspira contra su almohada y abre sus enormes ojos marrones—. ¿Y tú?

Apoyo la cabeza junto a la suya y coloco una mano sobre su mejilla.

—Como un bebé.

Pego mis labios a los suyos y los dejo allí más tiempo que de costumbre. Una chica dulce se merece unos buenos días también dulces.

Me aparto y acaricio su nariz con la mía.

—¿Qué plan tenemos para hoy?

—Tengo que estudiar para un par de exámenes y terminar un trabajo. Los profesores nos los están poniendo todos antes de las vacaciones de Acción de Gracias.

—¿Necesitas un compañero de estudio? —Me pregunto si ve el brillo de mis ojos con la luz matinal que se cuela por las cortinas.

Me da un golpecito en la barbilla con un dedo y se muerde el labio inferior.

—¿No crees que serías más bien una distracción?

Me río y la abrazo por la espalda.

—Llámame lo que quieras, pero soy tu distracción favorita.

Sus ojos se iluminan. Es como si una bombilla se hubiera encendido en su cabeza.

—Mi quarterback favorito. Mi compañero de estudio favorito. Mi distracción favorita. Mi... —Hace una pausa, pero sé lo que iba a decir, y parte de mí se está muriendo porque la palabra escape de sus labios.

—¿Qué ibas a decir?

—Nada. Me he dejado llevar un poco con todos mis favoritos. —Su mirada se clava en mi frente mientras me aparta unos mechones con los dedos.

Le agarro la muñeca y la detengo de golpe.

—Por favor, dilo.

Traga en seco y vuelve a mirarme a los ojos.

—Mi novio favorito. —Su voz suena medio tono más alto que un susurro, vacilante y temblorosa.

—Ese es mi favorito de tus favoritos —susurro y pego los labios contra los suyos. Nunca nos hemos parado a hablar de lo que somos, solo nos hemos dedicado a disfrutar de nosotros.

Ella exhala y yo la tumbo de espaldas en la cama antes de colocarme entre sus piernas desnudas. Quedarse dormido sin ropa tiene sus ventajas.

Voy a enseñarle ahora mismo a Emery qué cosa es mi favorita.

Este lugar está empezando a resultarme demasiado familiar. Tengo mi sitio de siempre... En realidad, la gente me lo deja libre. Y el olor a libro viejo también está empezando a gustarme.

Supongo que ese es el poder de una mujer en acción. Emery podría conseguir que fuera a un tour histórico por la ciudad, o que me tragara una de esas funciones estúpidas de ballet o un musical. Podría conseguir que hiciera cualquier cosa.

—¿Qué vamos a estudiar hoy? —le pregunto a Emery, mientras me siento en una silla frente a ella. Tiene el pelo recogido en un moño, las gafas negras colgando de la nariz y un lápiz colocado detrás de la oreja. Nunca intenta impresionarme, y eso la hace mucho más sexy.

Me mira de reojos y sonríe.

—Anatomía.

Froto el pie contra su pantorrilla y me acaricio el labio inferior con la goma del lápiz.

—Con eso te puedo ayudar muy bien.

—Drake, ¿hay algún tema que no te haga pensar en sexo?

Me quedo pensando durante un segundo. Pero no mucho, eso sí, porque ya me sé la respuesta.

—No se me ocurren muchos.

Se quita las gafas y se frota los cansados ojos.

—Me muero porque lleguen las vacaciones. Todo eso me está agotando.

Alargo el brazo y le agarro la mano.

—No seas tan dura contigo misma. No todo tiene que estar tan perfecto, Em.

—Yo soy todo lo que tengo, Drake. Si no me esfuerzo, podría perder la beca. Si la pierdo, es imposible que pueda pagarme un máster.

Estoy a punto de decirle que no importa. Que la universidad no va a marcar una diferencia en su vida, pero entonces recuerdo que yo estoy en su puta misma situación. Solo que, en mi caso, yo tengo que lanzar balones y ganar tantos partidos como pueda.

Asiento con la cabeza y le doy un apretón en la mano.

—Lo entiendo, pero a lo mejor podemos entremezclar algunos planes divertidos con todas estas sesiones de estudio en la biblioteca.

—Oye, yo creo que nos lo hemos estado pasando muy bien —dice, abriendo los ojos.

—Una fiesta. —Hace una mueca, pero eso no me detiene—. Sé que no son santo de tu devoción y, sinceramente, para mí tampoco, pero mis compañeros de equipo me están dando la lata por no ir a ninguna.

—Tengo un examen por la mañana —dice e inclina la cabeza hacia un lado.

—Hagamos un trato. Tú estudia toda la tarde mientras yo estoy en el entrenamiento, y cuando acabe vamos, aunque solo sea un ratito.

Soy capaz de ver los engranajes de su cabeza girar mientras se me queda mirando fijamente.

—Vale, iré, pero no me voy a quedar hasta tarde.

Me pongo de pie y rodeo la mesa para darle un beso en la coronilla.

—No te preocupes, estarás en casa para las diez.

—De la noche —añade mientras coloca una mano en mi nuca.

Me inclino, levanto su mentón con un dedo y la beso en los labios.

—A la ocho en el portal. Prometo ser puntual.

Se ríe.

—Drake es todo un poeta y ni siquiera lo sabía.

—Oh, sí que lo sabe —digo, alejándome.

Cinco horas después, he terminado un entrenamiento agotador, gracias a la necesidad del entrenador de asegurarse de que todo sea perfecto. Él jugó al fútbol en la universidad. Debería saber que no importa lo mucho que te prepares, todo acaba decidiéndose con quién tenga el mejor día. No todo se basa en habilidad.

Me suena el teléfono en el bolsillo trasero del pantalón mientras salgo al aparcamiento. Lo saco, con la esperanza de ver el nombre de Emery en la pantalla, pero en cambio veo el de mi hermana Tessa.

Al instante aprieto el botón. Ella nunca me llama.

—¿Sí?

—Hola, Drake... eh... Mamá quería que te llamara para preguntarte si vas a venir a casa para el día de Acción de Gracias.

Por supuesto que haría llamar a mi hermana en su lugar. Llevo unos cuantos días evitando sus llamadas.

—Lo siento, Tess, no puedo.

—Pero queremos que vengas —se queja. Nunca me he sentido mal al decepcionar a mamá, pero mis hermanas son otra historia. Creo que mi madre también lo sabe.

—Tengo partido ese viernes. En cuanto llegara a casa, tendría que volverme a la universidad —digo, frotándome la frente.

—¿Quién va a hacer el pavo, entonces?

—Si os mando por e-mail las instrucciones, ¿crees que podréis hacerlo Quinn y tú este año? —Es triste, pero he sabido preparar los putos pavos desde que tenía doce años.

Suspira y la llamada permanece en silencio durante unos segundos.

—Supongo.

—A lo mejor mamá puede ayudaros. ¿Qué tal le va?

—Está trabajando. Consiguió el trabajo en la oficina de seguros, y también trabaja por las noches en el restaurante de carnes a la parrilla.

Me sorprendo al oír que ha conseguido el trabajo en la compañía de seguros, pero me recupero enseguida.

—Guau, muy bien entonces.

—Sí, ha sido una buena noticia. Incluso me he podido comprar unos vaqueros nuevos en el centro comercial —dice, emocionada.

—¿Aquellos que me habías pedido? —pregunto en voz baja, pensando en todas aquellas veces que me suplicaba que se los comprara. Yo siempre le decía que no.

Bajo la mirada a mi reloj y advierto que han pasado un par de minutos desde las ocho. Voy tarde para recoger a Emery.

—Oye, Tess, tengo que irme. Te llamo el día de Acción de Gracias por la mañana para ver si va todo bien, ¿vale?

—Sí, vale. Que no se te olvide mandarme el email.

—No te preocupes.

Colgamos y, aunque me había dicho a mí mismo que no me iba a volver a enfadar con mi madre, no puedo evitarlo. He vivido en esa casa con ella durante siete años, y todos los días caminaba de un lado a otro como si fuese una especie de zombi. Yo me ocupé de todo el mundo y, ahora que me he ido de casa, ha decidido avanzar con su vida. Supongo que es una buena noticia para mis hermanas y tengo que quitarle importancia.

Conduzco hasta la residencia de Emery con los nudillos blancos de la fuerza con la que agarro el volante, pensando en aquellas veces que tuve que vender los cromos de béisbol que mi padre me había regalado para poder conseguir algo de dinero extra. O de las veces que, estando en el instituto, trabajaba más horas de las que debería haberlo hecho, agotándome hasta la extenuación.

Puede que haya llegado a tiempo para salvar a mis hermanas, pero conmigo lo ha hecho demasiado tarde.

Cuando entro en el aparcamiento, me vuelve a sonar el teléfono. Esta vez sí es Emery.

—Hola.

—Hola —dice con preocupación en la voz.

—Voy tarde, pero estoy de camino. ¿Estás lista?

—Lista y esperando.

—Vale, estoy aparcando frente a tu residencia, por si quieres salir. Dejaré el coche arrancado..., hace un poco de frío esta noche.

La llamada se corta sin pronunciar otra palabra y la veo salir del edificio ataviada con su abrigo verde de siempre. Por debajo veo sus vaqueros oscuros y ajustados, y unas botas marrones de piel que suben hasta sus rodillas. Pero lo más sexy de todo es el gorro blanco que lleva con un gracioso pompón colgando en la punta. Nunca pensé que encontraría sexy uno de esos.

Abre la puerta del copiloto y sube al vehículo frotándose las manos para quitarse el frío.

—Deberías ponerte guantes. Ya tienes todo lo demás.

Se acerca a mí en el asiento y coloca una de sus heladas manos en mi nuca.

—¿Qué sientes?

La beso. Han pasado horas... Muchas jodidas horas.

—Frío —murmuro, contra sus labios.

—Supongo que eso es lo que te mereces por obligarme a salir una noche de frío como esta. —Sus labios tocan los míos de nuevo, y están mucho más calientes que su mano—. Será mejor que merezca la pena.

Me aparto y le acaricio el labio inferior con un pulgar.

—La merecerá. Te lo prometo.

Me vuelve a besar antes de acomodarse de nuevo en su asiento y abrocharse el cinturón de seguridad. En cuanto pongo el coche en marcha atrás, me siento como un niño pequeño antes de que el suene el timbre para el recreo.

Cuando giro a la izquierda con el coche, pregunta:

—¿Las casas de fraternidad no están hacia el otro lado?

—Sí.

—Entonces, ¿adónde vamos?

—Relájate y disfruta del viaje. —Le agarro la mano y me acerco sus nudillos a los labios.

—Drake...

—En serio, confía en mí. —Todo lo que hace Emery está planeado. Si no le hubiera dicho de salir esta noche, estaríamos encerrados en su cuarto o el mío, estudiando. Es lo que hemos hecho cada noche desde lo de la discoteca, y no aguantaba otra noche más de lo mismo.

—¿Vas a llevarme al cine?

—No.

—¿Vamos a cenar?

—No, ¿has cenado?

—Sí. ¿Vamos al centro comercial?

Eso se gana una mirada de soslayo.

—¿Te parezco del tipo de tío al que le gusta ir al centro comercial?

—No.

—Ríndete. No creo que puedas adivinarlo.

Se me queda mirando con los ojos abiertos de par en par.

—No vamos a salir del Estado, ¿verdad?

Me río y aparco en uno de los sitios libres.

—Por Dios, no. Entonces no podría dejarte en tu cuarto para las diez.

Por fin se da cuenta de que nos hemos parado y escruta el tranquilo aparcamiento.

—Vale, Drake, me estás asustando un poquito.

Acaricio su mejilla.

—Quédate sentada.

Abro la puerta y me precipito hacia su lado, ansioso por revelarle la sorpresa que he podido preparar de camino al entrenamiento esta tarde. Sale del coche y apoya la mano sobre la mía. La guío hasta la acera y nos deleitamos con la vista de las luces de la ciudad. Cuando vinimos a la discoteca el fin de semana pasado, me fijé en el letrero que anunciaba viajes en coche de caballos desde ahora hasta Navidades. Es muy ñoño, pero pensé que sería una buena forma de hablar sin que las distracciones de la vida se interpusieran.

Hay un caballo y un carruaje detenido a lo largo de la calle con un letrero que dice: «Drake y Emery». Aprieto su mano y camino hacia allí junto a ella, observándola por el rabillo del ojo para no perderme su reacción.

—¿Has planeado todo esto? —pregunta con los ojos abiertos como platos.

Me froto la parte anterior del cuello, con cuidado de que no vea mucho de este lado romántico que tengo. Si se lo enseño demasiado, empezará a esperarlo, y no sé si seré capaz de sacarlo tanto.

—No había ninguna fiesta. Ninguna a la que fuéramos a ir nosotros, vaya.

Cuando estamos junto al coche de caballos, el conductor se baja y le tiende la mano a Emery para ayudarla a subir. Yo soy el siguiente, pero me las apaño sin su ayuda. Ya acomodados en nuestros asientos, el hombre nos despliega una manta de franela roja y negra, que uso para taparnos las piernas. Por último, el conductor saca los dos chocolates calientes que le pedí. Pensé que sería un buen detalle, una forma de mantenernos los dos calentitos en esta fría noche de noviembre.

—No me imaginé que fueras del tipo de hombre al que le gustaran los paseos en coche de caballos —dice, tirando de la manta un poco hacia arriba.

—No sé si lo soy o no. Esta es mi primera vez.

Sube el vaso hasta sus labios y le da unos pequeños sorbos.

—La mía, también.

Las calles están relativamente tranquilas cuando empezamos a movernos por el centro de la ciudad de Iowa. El aire frío me pincha las mejillas, pero el resto del cuerpo lo tengo calentito y pegado contra el de Emery bajo la manta.

La noche de otoño está tan despejada como lo es fría, así que tenemos una vista perfecta de las estrellas. Me paso el tiempo mirándolas, observando las luces brillantes y coloridas de la ciudad, y estudiando a la gente que pasa junto a nosotros en la acera.

De vez en cuando, le dedico unas cuantas miradas a Emery. Parece estar más relajada de lo que ha estado estos días, y ese detalle me hace sonreír.

—¿Qué está pasando por esa cabecita tuya? —pregunto, mientras entrelazo mis dedos con los suyos.

—Lo increíble que es esto. Gracias —susurra antes de darme un beso en la mejilla.

Antes de que llegue demasiado lejos, le sujeto la barbilla con los dedos.

—Creo que esto se merece más que un besito en la mejilla.

Sonríe y se muerde el labio inferior.

—¿Así que has planeado todo esto por un beso?

Sonrío y le doy un beso en las comisuras de los labios.

—No, ambos sabemos que no me hace falta. He hecho esto para que podamos desaparecer de todo y ser nosotros mismos. Hasta ahora, me gusta cómo somos cuando estamos juntos.

—A mí también —susurra.

—Pero hazme un favor, ¿vale?

—¿Cuál?

Muevo los labios más cerca de su oreja y susurro:

—No les cuentes esto a los chicos. Seguro que me placan más de la cuenta para volverme más hombre o algo.

—Eres todo un hombre. No te preocupes por eso.

Le muerdo ligeramente el lóbulo de la oreja antes de darle un beso justo debajo.

—¿Me vas a dejar que te lo demuestre esta noche?

—Todas las noches. Ya sabes que sí.

El resto del paseo está lleno de besos robados y de historias de cuando jugábamos en la nieve de pequeños. Estar con Emery es sencillísimo. No intento ser alguien que no soy, o la persona que los demás quieren que sea.

23

Emery

Día de Acción de Gracias. Es el primero que paso sin mi padre; el decimoquinto sin mi madre. Seguramente sea una tontería pensarlo así, pero es como yo he contado el paso del tiempo desde que ella se fue.

Sin embargo, hoy es el primer día de Acción de Gracias que voy a pasar con Drake, y ya estoy deseando que no sea el último. Había vida antes de Drake, ahora estoy viviendo el después... y, de lejos, es muchísimo mejor.

Lo gracioso es que vamos a comer comida congelada y precocinada en nuestro primer festivo juntos. Martha Stewart* no daría su aprobación, pero tenemos que jugar con lo que tenemos.

—He comprado el postre —digo cuando nos acabamos la última bandeja de cartón de la cena. No mucho después de empezar a quedar, me di cuenta de que a ambos nos gusta comer los platos uno por uno. No sé cuál es su excusa, pero yo odio cuando se mezclan dos sabores.

—¿Oreos? —pregunta levantando una ceja.

—No, es un poco más sofisticado.

—¿Pastel?

Alargo el brazo y saco el recipiente con barritas de calabaza con crema de queso por encima. Mis favoritas.

---

* *Nota del T.:* Empresaria, autora y presentadora de televisión estadounidense que formó un imperio con su negocio de estilo de vida y cocina.

—Yo podría haberlas hecho mejor, pero no tenía acceso a ninguna cocina.

Él sonríe y se inclina hacia adelante para besarme en los labios.

—Tienen buena pinta, pero me muero por probar las tuyas.

—A lo mejor algún día.

Mi teléfono vibra en la mesa y aparece el nombre de mi padre.

—Es mejor que lo coja. No quiero que se preocupe.

Drake asiente y devuelve la atención a su plato, aún por terminar.

—Hola —digo, mientras delineo los arañazos de la vieja mesita de madera que hemos utilizado para comer.

—Hola, cariño, ¿qué tal va la cena de Acción de Gracias con tu amiga?

—Bien. Vamos a comernos el postre ahora.

Le había dicho a mi padre que íbamos a casa de una de mis amigas. No le habría gustado que le dijera que me iba a quedar aquí para comer comida congelada con un tío.

—¿Qué vais a comer de postre? Yo me acabo de comer un trozo de pastel de calabaza que compré en el restaurante. Me han tratado muy bien allí este año —dice, con voz agotada.

Alzo la vista hasta Drake, que parece estar perdido en el mundo de la crema de queso glaseada.

—Estábamos a punto de comer también pastel de calabaza.

Lo oigo reírse al otro lado de la línea.

—Tú y el pastel de calabaza. ¿Adónde me dijiste que ibas?

Vacilo. Odio mentir y se me da fatal.

—Carrington, con mi compañera de habitación, Kate.

—Ah, sí. Llevo años sin ir a Carrington. Es un sitio bonito, por lo que recuerdo.

Me masajeo las sienes con esperanza de hacer desaparecer un incipiente dolor de cabeza.

—Sí, por ahora me lo estoy pasando genial.

—Bueno, cariño, te dejo que sigas cenando. Ah, por cierto, Clay te manda un saludo. Estaba en el restaurante con sus padres esta mañana.

—Vale, papá, dale otro de mi parte a Clay si lo vuelves a ver. Te veo en Navidad.

—Hasta pronto.

—Adiós.

Vuelvo a dejar el teléfono en la mesa y me froto la cara con las manos. Ya soy una adulta, así que lo que piense o sepa mi padre no debería importarme demasiado, pero así es. No quiero decepcionarlo como hizo mamá.

Cuando alzo la mirada, me percato de que Drake no está sentado en la silla que hay frente a mí. Está apoyado contra la pared con los brazos cruzados.

—¿Le has dicho a tu padre que te ibas a Carrington con Kate?

Abro los ojos como platos.

—Sí, le dije que me iba a casa de Kate para Acción de Gracias. No le haría ninguna gracia que me quedara aquí sola.

Apoya la cabeza contra la pared y mira al techo.

—¿Por qué no pudiste decirle que ibas a estar conmigo?

Coloco los codos sobre la mesa y hundo los dedos en mi pelo.

—Es más fácil así. Se preocupa demasiado por mí.

Se acerca y apoya las manos en el borde de la mesa.

—¿Tienes miedo de que no le guste a tu padre?

Sacudo la cabeza y le suplico en silencio que deje el tema.

—No, es que no quería explicarle cuánto llevamos juntos. Dónde nos conocimos. En qué trabaja tu familia. Para él nunca es suficiente. —Hago una pausa y espero a que sus ojos se suavicen—. Hablaré con él cuando vaya a casa para las vacaciones de Navidad.

—¿Quién es Clay? —pregunta, enderezándose.

Vuelvo a llevarme los dedos a las sienes y pienso en cómo responder a esa pregunta: con sinceridad, pero también con cuidado de no abrir ninguna herida más.

—Mi novio del instituto.

Asiente y respira hondo. Cuando digo que soy capaz de ver a través de Drake, me refiero a que puedo leer sus emociones, pero no siempre sé qué las motiva. Como ahora, que está intentando controlar la ira, pero no sé si es porque no le he hablado de él a mi padre o por la mención del nombre de Clay.

Es difícil de explicar lo que Clay y yo tuvimos exactamente. Éramos grandes amigos. Nos volvimos amantes y, al final, decidimos que estábamos mejor de amigos. Entre nosotros no había sentimiento suficiente como para quedarme con él e intentar una relación más a largo plazo, y es triste, pero creo que una parte de mí estaba aferrándose a él porque a mi padre le gustaba mucho.

—Tendría que haber sido sincera con él —susurro, viendo cómo se suaviza aún más su expresión.

Camina hacia mí y me toma el rostro entre sus callosas manos.

—No quiero pelear contigo.

—Yo tampoco quiero pelear contigo —digo, buscando más contacto con la cabeza.

—Pero es que nunca me siento lo bastante bueno. Ni para mi familia. Ni para el fútbol, ni tampoco para ti.

Le doy un beso en la palma de la mano.

—Eres bueno conmigo, Drake. Eso es todo lo que importa.

Echa mi cabeza hacia atrás y me besa en los labios. Explora con tiento, y me da un ligero mordisquito en el labio inferior antes de besarme el superior. Cuando estoy esperando, con todo mi ser, que me dé un beso más profundo, rompe el contacto y pega su frente a la mía.

—Voy a trabajar en mí mismo. Voy a intentar ver lo que tú ves.

Nunca lo admitiría en voz alta, pero me gusta ese sentimiento tan primitivo que me aflora en mí tras una discusión. Me he pasado la mayor parte de mis diecinueve años moviéndome como un autómata, encerrando las cosas muy dentro de mí. Sacarlas me hace sentirme más ligera, como si hubiera empezado una dieta mágica para el alma que funcionara de la noche a la mañana.

Ya también quiero dejar de luchar tanto. Quiero que sepa lo mucho que me importa..., lo mucho que confío en él.

Hay algo de lo que nunca le he hablado a nadie. Algo que me está matando por dentro, y creo que Drake podría ser la única persona que me entendiera.

—¿Recuerdas cuando te dije que vi a mi madre una vez después de que se marchara?

Asiente, retrocediendo lo suficiente para poder mirarme a los ojos.

—Fue en mi decimotercer cumpleaños. Había salido para respirar aire fresco y un coche pasó despacio junto a mí. Al principio tuve miedo y pensé que era algún tío raro, pero cuando vi que era ella... me dolió muchísimo. Fue como todos los momentos más dolorosos de mi vida juntados en uno solo.

—¿Qué te dijo? —Me coge de las manos y se arrodilla frente a mí.

Levanto la barbilla, intentando mantener las lágrimas a raya.

—Se fue sin decirme nada. —Eso es todo lo que soy capaz de decir. Algo más y no seré capaz de controlar las emociones. He dejado encerrado tanto dolor dentro durante estos años... Es una mierda aferrarse a ello, pero soltarlo me asusta aún más.

Drake niega con la cabeza y me da un apretón en las manos.

—¿Por qué haría eso?

Cierro los ojos y pienso en cuando se lo pregunté a mi padre hace un tiempo..., después de haber estado guardándomelo dentro.

—Mi padre sabía que estaba en el pueblo y, cuando ella le preguntó si podía verme, él le dijo que sí, si era porque planeaba quedarse. —Hago una pausa, intentando hacerme con fuerzas para continuar. Duele muchísimo—. No pensaba quedarse mucho, así que le dijo que era mejor que mantuviera las distancias. Él vio de primera mano cuánto me afectó que se fuera la primera vez, y no quería volver a verme sufrir. Pero bueno, no creo que ella tuviera intención de que yo la viera ese día, pero sucedió... y desde entonces no la he vuelto a ver.

Antes de poder darme cuenta de lo que está pasando, unos brazos me levantan de la silla y me estrechan con fuerza. Es el consuelo que nunca tuve cuando tanto lo necesitaba, así que cuando alzo los brazos para rodear su cuello, pego la mejilla contra su pecho y comienzan a caer las lágrimas.

¿Cómo puedo sentir tanto dolor después de tanto tiempo?

—Sácalo, Em. Te prometo que después te sentirás mejor —susurra Drake contra mi frente.

Por primera vez en quince años, dejo salir todo lo que sentí cuando mi madre se fue. Llevo ahogándome demasiado tiempo, y ahora me resulta más difícil recuperar el aliento.

Tengo mucho trabajo que hacer.

—Lo que hizo... no tiene nada que ver contigo. No hay nada que hubieras podido hacer para cambiarla. Eres una bella persona, por dentro y por fuera; ella es la que ha salido perdiendo, no tú.

Me aferro a su camiseta, luchando por creerme sus palabras. Dios, quiero hacerlo, pero cuando te has sentido así desde pequeña es difícil convencerte de que no es por culpa tuya.

—¿Por qué pasó a mi lado y no me dijo nada? Ya sé que mi padre le dijo que no, pero al verme...

Me abraza con más fuerza.

—Quizá no estaba segura de que fueras tú.

—Mi padre tiene la misma camioneta desde que tengo cuatro años. No podía permitirse otra cosa —digo, cerrando los ojos con fuerza.

—Joder, Em. Lo siento mucho. Cuando mi madre cayó en depresión, nunca me pregunté el porqué. Solo cuestionaba por qué no volvía. Quizá cuando seamos mayores todo cobre más sentido. —Me acaricia la espalda antes de peinarme cariñosamente con los dedos.

—¿Y qué pasa si nunca le veo el sentido?

Detiene los dedos.

—Entonces continuaremos con lo que sabemos. Seguiremos con nuestra vida intentando ser algo que no tuvimos.

Necesito algo que me ayude a olvidar. Necesito algo que detenga el sangrado de mi alma. A veces la vida es demasiado. A veces es suficiente, pero ahora mismo necesito que esté bien, y sé exactamente cómo llegar hasta allí.

Coloco las manos en la nuca de Drake y dejo que mis dedos se enreden en su cabello. Una mirada más de mis ojos, llenos de dolor y necesidad, y ya sabe lo que quiero. Su lengua se desliza por mi clavícula mientras me recoge el cabello con las manos. Cuando sus labios suben por mi cuello, pega su duro miembro entre mis piernas y provoca una deliciosa fricción.

—Sabes de maravilla —dice mientras me da besitos en la línea del mentón.

—Drake —gimo, justo antes de que sus labios atrapen los míos. Es erótico. Implacable. Me besa como si esta fuera la última vez. Como si fuera la primera. Como si fuera la suma de todos los besos que hemos compartido.

Separa los labios de los míos lo suficiente como para darme instrucciones.

—Levanta los brazos.

Le obedezco y dejo que me saque el jersey por la cabeza. Me tumbo de espaldas en la cama, pero sus manos se las arreglan para deslizarse por debajo y desabrocharme el sujetador. Ahora estoy desnuda de cintura para arriba.

Sus dedos acarician la línea de mis hombros antes de bajar hasta mis pechos. Siguen yendo hacia abajo y se detienen para desabrocharme los vaqueros.

Despliega una mano sobre mi vientre y abrasa con sus labios la piel que acaban de tocar sus dedos.

—Caderas —gime, mientras me las levanta de la cama. Sujeta la cinturilla de los vaqueros y me los baja hasta los tobillos. Me muevo y estiro las piernas para ayudarlo a deshacerme de ellos.

Estiro los brazos por encima de la cabeza, sobre la almohada, y me deleito con su propio striptease. Vuelve hacia mí y recorre mis piernas con la boca empezando por mis pantorrillas y terminando en el interior de mis muslos. Ahora mismo mi entrepierna parece un océano. Es lo que provoca en mí.

Coloca su ardiente boca entre mis muslos.

—Drake. —Usa la lengua para lamerme la sensible piel. Cierro los ojos y le tiro del cabello con las manos. Él exhala aire caliente contra mi carne excitada, enviándome más cerca del abismo.

Es la mejor sensación del mundo. Cuanto más cerca estoy de caer, más borrosos se vuelven los pensamientos, excepto los del placer que estoy sintiendo y el baile que sus dedos y lengua hacen de forma minuciosa sobre mi piel.

—Ay, Dios... —jadeo y siento el primer orgasmo cruzar todo mi cuerpo. Drake no se detiene hasta que no ha terminado, y continúa martirizándome sin parar.

Mientras sube por mi cuerpo, me da pequeños mordiscos en la piel. Es sexy. Sensual. Es puro placer. Y cuando sus labios llegan a mi garganta, se interna en mí con un suave movimiento.

—Estás hecha para mí, Em —susurra, moviéndose lentamente dentro y fuera de mí. Tiene razón... La sensación que aparece cuando nuestros cuerpos están encajados es imposible de describir.

—Eres mía, preciosa. Quiero ser tu favorito para siempre —suspira contra mi oreja. Arremete contra mí una y otra vez, susurrándome en todo momento palabras dulces. Cuando estoy a punto de explotar con un segundo orgasmo, él también se prepara para el suyo acelerando el ritmo.

—Emery —gruñe, mientras me embiste. Lo rodeo con los brazos; necesito tenerlo lo más cerca posible. Incluso tras el sexo, me siento como en casa cuando le tengo dentro. Ojalá la vida dejara de interrumpirnos para que pudiéramos seguir viviendo momentos como este.

Tras un par de minutos, me mira a los ojos en la oscuridad y me besa suavemente en los labios.

—Siento lo de antes, Em. Estoy estresado y supongo que perdí los nervios. —Me besa de nuevo, apoyando su ruborizada mejilla contra mi pecho.

—Yo debería ser la que se disculpase. Debería haber sido sincera con mi padre —susurro y acaricio su espalda desnuda con los dedos—. ¿Por qué estás estresado? ¿Hay algo que pueda hacer?

—Tenemos un partido importante mañana. Ganar o perderlo todo, ya sabes. —Su voz está más llena de emoción de lo habitual. Drake tiene pinta de tío duro, pero es frágil en realidad. Creo que yo soy la única persona que deja que lo vea así.

—Allí estaré.

Levanta la cabeza y me besa en el canalillo.

—Saber que estás cerca siempre ayuda.

—Me alegro —susurro, mientras delineo las líneas de expresión de su frente—. Lo vas a hacer genial. Como siempre.

Sin pronunciar otra palabra, sus ojos empiezan a cerrarse y se queda dormido con la mejilla apoyada en mi pecho. Hasta con la comida precocinada y la pequeña discusión de antes, es la mejor cena de Acción de Gracias que he tenido nunca.

Y al final no probé ni una de esas barritas de calabaza.

24
Drake

Este es el único viernes de todo el año en el que tenemos partido. El partidazo post Acción de Gracias entre Southern Iowa y Nebraska. Estos son los días para los que viven la mayoría de mis compañeros de equipo. Los días en los que los seguidores vienen de kilómetros de distancia. Desde que mi padre se fue, la felicidad no existe para mí en estos días. Ya no se trata de mí. Es mi trabajo. Lo hago por mi equipo. Lo hago por mi familia. No puedo decir que lo odie, porque es una parte de mi padre que todavía poseo, pero mi relación con el fútbol ha cambiado radicalmente con el paso de los años. Me muevo con piloto automático.

—¿Cómo tienes el hombro? —Miro a mi espalda y veo a Cole colocarse las protecciones.

—No hay de qué preocuparse —digo, lanzando los guantes dentro de la taquilla.

—Si necesitas que hoy corramos más cerca de ti o lo que sea, dímelo.

Cierro la puerta de la taquilla de un portazo y el estridente sonido de metal silencia todo el vestuario.

—No pasa nada. Déjalo ya.

Estos tíos me conocen lo bastante para saber que no me gusta que me consientan. Mi padre me inculcó que esa dureza mental es el aspecto más importante del partido. Soy capaz de oír su voz en mi cabeza ahora mismo: «Si te derriban, tienes que volver a levantarte, chico. Ni siquiera Joe Montana podría ganar un partido tumbado en el suelo».

Cuando salgo del túnel de vestuarios, lo primero en lo que me fijo es en el estadio, que está a reventar de gente. Este es uno de los partidos más importantes del año. Ninguno de los dos equipos ha perdido otro partido, y el ganador se lleva el billete de acceso a la nacional. Esta es una de las metas que me he propuesto alcanzar desde hace años. Lo que el entrenador quería hacerme entender, semana tras semana, en esas reuniones que yo intentaba evitar.

Sesenta minutos más.

Cuatro cuartos más.

Un partido más antes de saber si estamos dentro o si se ha acabado.

Si no lo conseguimos, ni de coña podremos luchar por el campeonato nacional. Hay muchos equipos que compiten, semana tras semana, por una de esas dos plazas. Solo se las conceden a la genialidad.

—¿Preparado, Chambers? —pregunta el entrenador colocando una mano sobre mi hombro.

Asiento, pasándome el balón de una mano a la otra.

—No es diferente de cualquier otro partido. Solo tenemos que ejecutar. Sin errores.

—Bien, bien. James tiene unos guantes para que te pruebes. Hace frío y mucha humedad ahí fuera.

El estómago se me revuelve en el primer par de jugadas. Tras trabajar conmigo durante casi dos años, mi coordinador ofensivo sabe cómo trabajo y maniobra dos jugadas bastante fáciles. Cuando voy al centro del campo por tercera vez, mis pies están firmemente plantados en el suelo y los nervios son solo un vestigio de lo que eran antes.

En la tercera jugada, a seis yardas de distancia para conseguir el primer tanto, miro atrás y busco en el campo a un receptor desmarcado. Aquí es donde la tranquilidad resulta más útil. En mi primer pase nadie está desmarcado, pero me mantengo tranquilo y ejecuto rápidamente un segundo pase. El receptor se ha liberado por mi lado derecho y ha levantado el brazo para darme la señal.

Lo agarra y gana aún más distancia tras la captura. La afición estalla y el resto de la tensión abandona mi cuerpo. Marcamos dos touchdowns antes de que Nebraska logre anotar su primero y, cuando llega el descanso tras el segundo tiempo, vamos ganando de uno.

—Buen trabajo, Chambers —dice el entrenador, dándome una palmadita en el hombro—. Si la defensa aguanta y haces lo mismo en la segunda mitad, el partido es nuestro.

Asiento, sintiendo de nuevo parte de la presión sobre sus hombros. Soy bueno haciendo las cosas, pero en cuanto alguien empieza a recordarme los detalles, siento que no tiene confianza en mis habilidades. Quizá soy yo. Quizás analizo demasiado toda esta mierda.

Cuando volvemos a salir al campo, la lluvia cae con más fuerza y se han formado charcos de barro en el césped. Ya he jugado antes en estas condiciones, y si una cosa es cierta es que vamos a correr con el balón mucho más que en la primera mitad del partido.

—¿Listo? —le pregunto a Trevon, nuestro primer corredor.

Gira el cuello y dobla las rodillas un par de veces.

—Siempre estoy listo.

—En esta mitad te voy a necesitar mucho.

—Haré lo que tenga que hacer por el equipo —dice, estirando los hombros.

Nebraska empieza con la posesión del balón en la segunda mitad, pero los aguantamos durante tres jugadas enteras. Cuando la pelota vuelve a nuestras manos, se lo paso a Trevon una y otra vez y muevo varias veces las posiciones. Se la lanzo a las manos otra vez en la zona roja y él se precipita hacia la zona de anotación, pero alguien lo derriba antes del primer touchdown de esta segunda mitad. Empiezo a alejarme, esperando que el entrenador mencione algo de la unidad para marcar. No me percato de que Trevon no se levanta hasta que veo al personal técnico correr a mi lado.

Echo un vistazo al otro lado del campo. No tiene buena pinta. No mueve ni los brazos ni las piernas, y tras un par de minutos de instrucciones por parte del cuerpo técnico, la camilla entra en el campo. Intento que no me afecte porque tenemos que terminar el partido, pero el tío es el corazón del equipo. Lo necesitamos.

Completamos el touchdown, pero Nebraska marca otro en las siguientes dos jugadas, y empezamos a perder de cuatro puntos. El corredor suplente dejó caer el balón en la primera carrera, y desde entonces, he estado pensando en otras formas de acceder al campo contrario.

Ya estamos en el cuarto cuarto. Es hora de ponerse las pilas.

Nos quedan muy pocos minutos para marcar otro touchdown, así que tomo las riendas cuando veo una abertura en la alineación. No soy tan rápido como Trevon, pero tampoco soy el peor quarterback corredor de la historia. Me deslizo entre el equipo contrario y gano un primer derribo. En la siguiente jugada, me arriesgo y lanzo la pelota al otro lado del campo, pero al receptor se le escapa entre las manos y termina sobre el suelo mojado. Si voy a hacer esto, tiene que ser ya.

En el apiñamiento, les doy la orden de hacer una carrera de quarterback, algo tan extraño que me hace ganar unas cuantas miradas de odio. Las ignoro y hago que todos se coloquen en sus posiciones. En cuanto me pasan el balón, me lo guardo bajo el brazo y salgo corriendo hacia el centro del campo de nuevo. Unos cuantos placadores fallan, y yo aumento la velocidad.

No lo vi venir.

Me caigo de boca en el suelo con fuerza y me quedo sin aire en los pulmones.

Un segundo después, algo duro y pesado me golpea en el centro de la espalda y aparece un dolor en la columna vertebral.

Entonces todo se vuelve negro.

25

Emery

Odio los hospitales. Su olor me revuelve el estómago.

Nunca he tenido que hacer noche en ninguno, ni he tenido que visitar a nadie por una razón distinta al nacimiento de un bebé. Las paredes y los azulejos son blancos, y solo hay unas cuantas alfombras azules en la pequeña sala de espera.

—Estoy aquí para ver a Drake Chambers —le anuncio a la mujer tras el mostrador de recepción.

Sus dedos escriben algo en el pequeño teclado antes de volver a mirarme.

—¿Nombre?

—Emery. Emery White —contesto, nerviosa, mientras tamborileo los dedos en la mesa.

—No estás en la lista. ¿Eres familia?

—No exactamente. Es mi novio. No creo que su familia vaya a venir, al menos no esta noche. —Me coloco algunos mechones detrás de la oreja y me la quedo mirando hecha un manojo de nervios. Si no me deja verlo, voy a tener que buscar una alternativa.

No puedo dejarlo.

Sus ojos me echan un rápido vistazo antes de levantar el teléfono.

—Siéntate. Voy a ver qué puedo hacer.

Retrocedo antes de que tenga tiempo de cambiar de parecer.

—Gracias —murmuro, recorriendo varias veces el asa del bolso con la mano.

Alzo la vista hacia el viejo televisor de tubo y espero, nerviosa, mientras reproduzco en mi mente la última jugada del partido una y otra vez.

Me quedé mirando durante unos minutos agónicos mientras los médicos se ocupaban de él. Nunca me he sentido más impotente en mi vida. Todo lo que podía hacer era rezar para que no fuera tan grave como parecía.

No podían levantarlo tras haberse ocupado de él durante unos minutos. Lo único que me ofreció un rayo de esperanza fue ver que me asintió ligeramente con la cabeza. Pero cuando la camilla salió al campo, se me encogió el estómago. La camilla nunca es buena señal.

La espera parece eterna, pero seguramente no hayan pasado más de unos cuantos minutos cuando la recepcionista me llama al mostrador.

—Puedes estar dentro una hora. El horario de visitas acaba a las nueve.

Asiento; estoy agradecida por poder verlo.

—Gracias.

—No me las des a mí. Dáselas a la enfermera. Dijo que le vendría bien un poco de compañía, —Hace una pausa y esboza una pequeña sonrisa—. Está en la habitación 214.

Recorro deprisa el pequeño pasillo y doy con el ascensor. Pulso la flechita hacia arriba y me encuentro esperando de nuevo. Odio que me esté llevando tanto tiempo llegar hasta él.

Aparece el ascensor y dos personas salen antes de que pueda entrar yo. Pulso el botón con el dos y espero una vez más. En cuanto las puertas se abren, me precipito en busca de su habitación, leyendo cada letrero dos veces para cerciorarme de que estoy en el lugar correcto.

Empujo la puerta de madera, entro y me encuentro con su cuerpo inmóvil. Supongo que tenía la esperanza de entrar y que él me saludara de pie, asegurándome que todo iba a salir bien. Pero creo que la escena no va a desarrollarse así.

Cuando me acerco, tengo que llevarme una mano a la boca para contener las lágrimas. Drake parece tan indefenso ahí tumbado... Sin embargo, cuando lo miro a la cara, su expresión es muy similar a cuando lo he visto dormir.

Una voz a mi espalda me sobresalta.

—Va a estar fuera de combate durante un tiempo. Tenía molestias cuando lo trajeron.

Una enfermera vestida con una bata azul claro se coloca a mi lado y le sujeta a Drake una de las muñecas, mientras cuenta los segundos en su reloj de pulsera.

—¿Se va a poner bien?

Sonríe con empatía.

—El médico está al caer para hablar con él. Podrá responder todas las preguntas que tengas.

—Gracias.

Me da un apretón en el hombro y abandona la habitación sin pronunciar otra palabra.

Este último par de horas ha sido una auténtica locura. No me había dado cuenta de lo tarde que se había hecho, ni de lo cansado y dolorido que tengo el cuerpo por abrirme paso entre la multitud para salir del estadio.

Localizo la silla de madera en una esquina de la habitación y la acerco a la cama de Drake. Justo cuando me siento, él parpadea varias veces. Me mira como confundido.

—Hola —digo, cogiéndole de la mano.

Él solo me observa con ojos llenos de dolor. Haría lo que fuera por hacerlo desaparecer, por sufrirlo yo.

—Solo descansa, ¿vale? —le doy un leve apretón en la mano y dejo la mía apoyada sobre la suya.

Vuelve a cerrar los ojos y me siento feliz de apoyar la mejilla contra las blancas sábanas que cubren su cama y poder mirarlo.

No estoy segura de cuánto tiempo habré dormido, pero cuando despierto, Drake me está observando. He echado de menos esos ojos azules.

—¿Cómo te sientes? —pregunto y entrelazo nuestros dedos.

Abre la boca para hablar, pero la puerta se abre y lo interrumpe.

—Buenos días. Soy el doctor Gates, y seré su médico mientras esté aquí.

Mi atención permanece en Drake y lo veo fruncir el ceño. Por primera vez me percato de los círculos oscuros que hay bajo sus ojos y me pregunto cuánto habrá podido dormir.

Una mano grande se posa sobre mi hombro.

—¿Puedo quedarme un momento a solas con el paciente? Tengo que examinarlo.

No me hace gracia dejarlo, pero Drake me da un pequeño apretón en la mano para hacerme saber que estará bien.

—Esperaré fuera —digo, inclinándome para darle un beso en la mejilla.

Salgo al pasillo y apoyo la espalda en la pared. No van a conseguir que me aleje más de él. Unas cuantas enfermeras pasan por mi lado. Quizá debería sentirme incómoda y avergonzada por mi ropa arrugada y el cabello despeinado, pero es lo último que me preocupa ahora. Me quedé dormida mirando a Drake, y nadie me despertó para decirme que se había terminado la hora de visita.

Quizá querían hacerlo, pero se dieron cuenta de que era inútil intentarlo siquiera. Mi padre siempre me dice que soy cabezota de los pies a la cabeza. Siempre hago lo que quiero de un modo u otro.

Siento que pasan horas antes de que se abra la puerta de la habitación de Drake. Miro al médico y advierto cómo ha cambiado su expresión desde que abandoné la estancia; ahora es mucho más seria.

Me enderezo.

—¿Ya puedo entrar?

El doctor Gates abre la boca para decir algo, pero rápidamente la vuelve a cerrar. Baja la mirada al suelo y luego de nuevo a mí.

—Puedes entrar.

Lo rodeo y apoyo la mano sobre la fría madera. Respiro hondo, la abro y entro vacilante.

Al principio, nada parece distinto a cuando me fui, pero conforme me voy acercando a la cama de Drake, su lenguaje corporal me dice que algo va mal. El dolor es evidente en su frente y la tensión, en su mandíbula. Lo que sea que le haya dicho el médico... no le ha gustado. Lo que me indica que yo, seguramente, odiaré a ese médico.

—Drake —susurro, colocando una mano sobre su antebrazo. Puedo sentir su tensión incluso ahí.

Traga en seco, pero sus ojos permanecen fijos en el techo.

—Tienes que marcharte. —Su voz está vacía de toda emoción. Siempre que escucho llorar a alguien, me duele el corazón, pero esta situación me hiere todavía más.

—¿Qué? —pregunto, apretando los dedos en su piel.

Sacude la cabeza.

—Ya no podemos seguir con esto, Emery.

Lleva sin pronunciar mi nombre completo una eternidad. Suena tan impersonal..., como si hubiera miles de kilómetros entre nosotros.

—¿Con qué, Drake?

—Con nosotros —dice, rechinando los dientes.

Me toco la base del cuello en busca del relicario de plata. Lo he llevado cada día desde que cumplí cuatro años. Es una constante en mi vida, una fuente de consuelo. Estoy buscando las palabras, pero él me gana.

—¿Por qué te molestas con esa cosa? Se ha ido, Emery, y no va a volver. Ha tomado su decisión.

Me tiembla la barbilla mientras deslizo el cálido metal entre mis dedos.

—¿Por qué me hablas así?

Por primera vez, sus ojos entran en contacto con los míos.

—Porque es la verdad. No puedes aferrarte al pasado para siempre... Está afectándote la cabeza. Si de verdad quieres ser alguien, tienes que madurar. Pasar página.

Abro los ojos como platos y se me inundan de lágrimas. Así no es como me había imaginado esta noche, ni ninguna otra. No puede estar diciendo todo eso en serio. Mi voz flaquea sin control cuando vuelvo a hablar.

—Drake, creo que es mejor que te vuelvas a dormir. Podemos hablar cuando los medicamentos hayan dejado de hacer efecto.

—Los medicamentos no tienen nada que ver con esto. ¿No lo pillas? Estoy diciendo todo lo que tendría que haberte dicho hace semanas. Somos demasiado diferentes. Estamos demasiado jodidos. Nunca iba a funcionar.

—Pero anoche...

—Ambos nos dejamos llevar. Ambos somos pasionales, Emery. La vida es así. —Su voz no me aporta nada. Ni empatía. Ni arrepentimiento. Es tan fría como el invierno más crudo.

—¿Y qué he sido para ti? ¿Nada? —Hago una pausa para secarme las lágrimas con la manga de mi camiseta. Me siento igual que cuando mi madre se fue. Siento que nunca soy lo bastante buena—. Si me dices que no he significado absolutamente nada para ti, voy a salir por esa puerta, Drake, pero que sepas que cuando me vaya, ¡habremos terminado! No habrá más segundas oportunidades. Ya hemos hecho esto demasiadas veces.

El pecho me arde; es un dolor que me abrasa mientras espero a que diga algo. Cuando no me mira, la agonía se multiplica. Esto no va a terminar como yo quiero.

Traga saliva.

—Solo fuiste otra curva en el camino. Otra distracción más. Tú eres la razón por la que estoy aquí, Emery. Tú.

Al dolor y la tristeza se le une la ira. Si no estuviera tumbado en una cama de hospital, encontraría la manera de que acabara en una. Por primera vez en mi vida, me siento utilizada. Antes de Drake era lo suficientemente lista como para no darle a nadie la oportunidad de destrozarme así.

La ira hierve en mi interior. Estoy cabreada con él por lo que me está haciendo, y cabreada conmigo misma por dejar que llegara a tener este poder sobre mí.

—¡Que te jodan, Drake! ¡Que te jodan!

Cierra los ojos y dispara la última bala a mi corazón.

—Estaba intentando impresionarte, ser el tipo de chico que querías, y aquí es a donde me ha llevado. Ahora estoy atrapado en una puta cama de hospital.

Al darme cuenta de que mi mano todavía sigue sobre su brazo, la retiro al instante y observo las marcas que le he dejado. Se merece eso y mucho más. Camino de espaldas con la intención de alejarme lo máximo posible de ese lugar. Con la intención de no volverlo a ver nunca más.

—Que te vaya bien y, cuando vuelvas a tener rollos que no signifiquen nada para ti y te sientas solo…, recuerda que fuiste tú quien me echó de su lado. —Hace una mueca al escuchar mis palabras, y todo lo que puedo pensar es que se lo merece. Abro la puerta con fuerza, deseando poder cerrarla de un portazo. Jamás me había hecho nada tanto daño. ¿Qué he hecho yo para merecer esto?

Los empleados del hospital se mueven a mi alrededor, tan atareados como siempre. Las enfermeras recorren el pasillo arriba y abajo, suenan teléfonos y las máquinas vibran. Siento que ya no pertenezco a este lugar ni a ningún otro.

26
Drake

No puedo verla marchar. Me duele demasiado.

Había dos cosas en mi vida de las que ayer estaba seguro: el fútbol y Emery.

Ahora ambos se han ido... y no tengo ni puta idea de lo que ha quedado de mí. Me he pasado años viviendo en ese sueño, ya fuera mío o de él, y ahora ya no queda nada. Y todo por culpa de una jugada. Una decisión que terminó con mi sueño y con cualquier oportunidad de tener una vida normal.

Siempre te dicen que tienes que luchar por tus sueños. Bueno, yo lo hice, y ahora todo lo que me queda es el recuerdo de un sueño que nunca se cumplirá.

Eso es todo lo que tengo ahora... Un montón de sueños rotos.

Cuando la puerta, por fin, se cierra con un clic, hago un gesto de dolor y abro los ojos. El corazón me duele más de lo normal, porque todo lo que acabo de soltar por la boca no es verdad. Es mentira. Pero es necesario. Ya no me queda nada. No puedo ofrecerle nada a nadie.

Cuando mi padre murió, no tuve ningún control sobre la situación. Sí lo tenía sobre lo que pasó entre Emery y yo, y duele todavía más por esa misma razón.

Este dolor es autoinfligido.

Y, sinceramente, ahora mismo preferiría estar muerto. Una parte de mí ya lo está.

No era cierta ninguna de las cosas que le he dicho a Emery, pero es lo mejor para ella. Le queda mucha vida por delante, y no seré yo quien la retenga. No podía ser sincero con ella. No podía decirle la verdadera razón por la que la estaba dejando marchar, porque se habría quedado conmigo. Conozco a esta chica demasiado bien.

Ojalá no supiera lo que sé. Ojalá no hubiese oído lo que oí.

—¿Qué tal la noche? —oigo mientras salgo del sueño. Miro a un lado y veo la cabeza de Emery apoyada en la cama junto a mí, con el pelo desparramado y cubriendo casi todo su rostro.

—Bastante bien. Hemos ingresado a un par de nuevos pacientes, este incluido, pero ambos han estado durmiendo casi toda la noche —dice la otra mujer. Solo hay un resquicio enano de luz, que entra por la ventanita de la puerta, pero soy capaz de ver a las dos enfermeras junto una pequeña pizarra.

—¿Cuál es la historia de este?

La primera suspira antes de responder.

—Juega para los Hawks. Drake Chambers, quarterback. Le clavaron una rodilla en la espalda, y los test preliminares muestran daños que podrían ser irreparables.

—¿Qué clase de daños?

Cuando la enfermera más alta vuelve a contestar, baja la voz, pero todavía puedo oírla.

—En la espina dorsal. Puede que nunca vuelva a andar, pero estoy esperando a que el doctor Gates entre y lo examine.

Los oídos me pitan dolorosamente. No oigo ninguna palabra más mientras me quedo mirando a la bella durmiente que hay junto a mí. Alguien acaba de cargarse mi sueño como si fuese un frágil trozo de papel. No solo eso, sino que me han arrebatado la vida.

Y cuando el médico entró, le pregunté por el diagnóstico y fue muy directo. Había posibilidad de que no pudiera volver a andar. Eso fue todo lo que necesitaba oír.

Toda mi identidad, todo aquello por lo que tanto me había esforzado, se ha ido. Ya no puedo ser Drake, el quarterback estrella. Ya no puedo mantener a mi familia tal y como lo necesitan. Y más importante, ya no tengo nada más que ofrecerle a nadie... incluida Emery.

Durante las dos horas siguientes, la observé dormir y sopesé mis opciones. Todas me llevaban a una sola conclusión. Tenía que dejarla marchar. Tenía que apartarme de ella porque, conmigo en su vida, tendría que sacrificar sus sueños. No necesita que nadie la retenga... Ha luchado durante años para asegurarse de que nadie lo haga.

Mi resolución casi se tambaleó cuando la vi reaccionar a mis palabras. Fue duro, lo sé, pero era la única manera. Tenía que hacer que me odiara, pero donde hay bondad, añádele fuego y gasolina, y ya verás cómo arde. Solo espero no haberle dejado demasiadas cicatrices a esta preciosidad. Nunca me lo perdonaría.

La puerta se vuelve a abrir y la luz del pasillo entra de nuevo en la habitación. Casi espero que sea Emery con los guantes de boxeo puestos, pero es la enfermera de esta mañana. La que selló sin querer mi destino con unas pocas palabras. Es mayor, probablemente de la edad de mi madre, tiene el cabello corto y rubio, y lleva unas pequeñas gafas de metal.

—Hola, señor Chambers, ¿cómo te sientes esta mañana? —pregunta, mientras me abrocha el medidor de la presión alrededor del bíceps.

—Mejor que nunca —respondo, con más de ironía de la que pretendía.

—Eso lo escucho mucho por aquí —dice con una cálida sonrisa en el rostro. Por norma general, me sentiría mal, pero estoy tan insensible por dentro que no me importa. Nada va a importarme sin Emery en mi vida.

Después de comprobar mi presión arterial, me toma la temperatura y me pregunta cómo estoy en cuanto al dolor. Estoy seguro de que físicamente me duele algo, pero no es nada comparado con el dolor punzante que me atraviesa el corazón.

—Vale, voy a llamar a uno de mis celadores y te llevo a radiología para que te hagan más pruebas. —Vuelvo la atención hacia la ventana y veo la lluvia deslizarse por los cristales. Me trae recuerdos de anoche, cuando me desperté en urgencias con profesionales médicos rodeándome. Lo que pensé que solo era una contusión o un esguince en la espalda, al final ha resultado en esto.

La habitación permanece en silencio durante unos minutos, antes de que la enfermera y el celador vengan para llevarme en silla de ruedas por el pasillo hasta el ascensor. Cierro los ojos y me obligo a dormir. Este ha sido el peor día de mi puta vida. No necesito enterarme de ninguna mala noticia más.

27
Emery

Han pasado cinco semanas desde que salí de aquella habitación de hospital. El resto del sábado lo recuerdo borroso. Kate llegó a casa y me preguntó por qué no estaba en el hospital. Recuerdo cómo se metió conmigo en la cama, mientras yo lloraba desconsoladamente. Intentó que comiera, pero sus intentos fueron en vano durante un par de días. Hasta me salté las clases el lunes y el martes, algo que nunca antes había hecho.

Después de aquello, volví a centrarme en lo que debería haberlo hecho estos últimos meses: mis estudios. Me metí de lleno en ellos. No iba a ningún sitio más que a clase y a la biblioteca, pero hasta eso me resultaba difícil. Las clases que tenía con Drake ahora eran sin él. La biblioteca a la que venía conmigo ya no era divertida.

Drake no regresó. Oí que lo habían transferido a una clínica de rehabilitación que trabaja con atletas que han sufrido lesiones graves.

Quise llamarlo muchas veces para ver cómo estaba, pero entonces sus palabras se reproducían en mi mente y la ira volvía a crecer en mi interior.

Solo fuiste otra curva en el camino. Otra distracción más. Tú eres la razón por la que estoy aquí, Emery. Tú.

Volví a casa para las vacaciones de Navidad, hace poco más de una semana. Activé el piloto automático de las fiestas con la numerosa familia de mi padre, y luego cociné un pequeño jamón para los dos en el día de Navidad. Empezaba a sentirme como en mi antigua vida..., una vida deprimente. ¿Cómo pude vivir así durante tanto tiempo?

Hace un par de semanas empecé a sentirme agotada, incluso tras haber dormido noches enteras. Pensé que era a causa del estrés por todo —Drake, los exámenes finales, los planes para volver a casa durante las vacaciones—, pero hace unos días me desperté con náuseas. La misma sensación que he tenido desde entonces cada mañana.

Y ahora, aquí estoy.

Nunca en mi vida habría imaginado que, a mis diecinueve años, iba a estar sentada en el bidé esperando a que aparecieran una o dos líneas azules en un palito blanco de plástico.

No formaba parte de mis sueños, pero últimamente me han destrozado todos los planes que tan bien había organizado. Esta es una consecuencia para toda la vida. Una a la que nunca me habría imaginado que tendría que enfrentarme sola, pero no tengo mucha más elección si el test da positivo.

Una parte de mi quiere volver a meterlo en la caja y hacer como que todo va bien. Si no lo confirmo, no puede ser cierto, ¿verdad? Pero en el fondo, sé que tengo que enfrentarme a esto. No es algo que vaya a desaparecer sin más. A lo mejor se trata de mi castigo por haberme dejado embaucar por Drake. El tío es prácticamente una señal de advertencia andante, y yo caí en su trampa. Con cada minuto, cada palabra y cada caricia, me volví suya.

Él ha sido la única persona capaz de desviarme de mi camino, y lo raro es que era mucho más feliz cuando no estaba viviendo de acuerdo a mi plan.

Mi teléfono móvil vibra, lo que es señal de que los cinco minutos de espera ya han terminado, pero vacilo. Cierro los ojos con fuerza y le rezo una plegaria a Dios en silencio. Le pido que me perdone por todo lo que he hecho para llegar hasta aquí, que me dé una oportunidad más para vivir la clase de vida que debería, que lo arregle todo para poder pasar página..., para poder olvidarme de Drake.

Sintiendo las náuseas, agarro con dedos temblorosos el mango blanco y lo levanto para poder verlo más de cerca.

Mis sueños han cambiado.

Mi vida ya no solo me incumbe a mí.

Decidí pedir cita con el médico antes de decirle nada a mi padre o a alguien más. Necesito saber que no estoy reorganizando mi vida entera para nada. Se supone que debo volver a la universidad dentro de una semana, y tengo decisiones importantes que tomar.

—Emery White —llama la enfermera con la puerta abierta.

Llevo aquí sentada en la sala de espera, rodeada de bebés llorones y mujeres embarazadas, casi media hora. Por mucho que haya temido esta cita, estoy feliz de entrar a consulta.

Sigo a la enfermera por un pasillito estrecho, hasta que se detiene frente a una báscula para comprobar mi peso.

—Cincuenta y cinco kilos, trescientos gramos —señala, apuntándolo en su portapapeles.

Peso un par de kilos menos que antes, pero mi malestar no ha hecho más que aumentar desde que me hice el test hace un par de semanas.

—¿Crees que puedes ir al baño? Necesito una muestra de orina.

—Sí, bebí agua antes de venir —respondo, intentando no pensar demasiado en lo que estoy a punto de hacer.

—Vale, hay un tarrito en el lavabo. Llénalo todo lo que puedas y luego déjalo dentro de una pequeña puerta de metal que hay junto al retrete. Vamos a ir a la consulta tres, así que te espero aquí.

Cierro la puerta y echo el pestillo antes de coger el tarrito de plástico con mi nombre en un lateral. Estar aquí lo está volviendo todo muy real, y cuando el médico entre para comunicarme los resultados ya no voy a poder seguir negándomelo a mí misma.

Lo lleno enseguida y lo dejo en el interior de la puerta de metal con manos temblorosas. Me subo de nuevo los vaqueros y uso el lavabo mientras aprovecho para mirarme al espejo. O bien la luz de aquí es horrible, o todo por lo que he pasado este último par de meses me está pasando factura, tanto física como mentalmente.

Tengo unas ojeras enormes.

Mi pelo está hecho un desastre, sobre todo porque esta mañana estaba demasiado cansada y enferma como para hacer algo con él.

Tengo las mejillas hundidas y la piel, cenicienta.

Aun así, creo que estoy peor por dentro. Me parece que todo está roto ahí dentro.

De camino a la consulta tres, me froto las manos en un intento de placar los nervios. No funciona... Estoy a punto de sufrir un ataque de pánico. Lo sé por el modo en que me cosquillean las manos y la mandíbula. Ojalá acabe esto pronto.

La enfermera me espera con una mirada que delata lo que sabe. Estoy segura de que no soy la única adolescente que ha visto por aquí.

—Siéntate en la camilla. Voy a tomarte las constantes vitales y hacerte unas preguntas y luego llamaré al doctor.

Asiento. Soy incapaz de hacer mucho más.

Me pide que abra la boca e introduce un termómetro bajo mi lengua. Su único comentario es: «perfecto». Seguidamente me toca la presión arterial y la apunta en un papel. Tras repasar todo mi historial médico, por fin llega al verdadero motivo por el que estoy aquí.

—Aquí dice que te hiciste una prueba de embarazo en casa y que salió positivo. ¿Cuándo fue eso?

—Hace un par de semanas.

—¿Y cuándo fue la última vez que te bajó el periodo?

Respiro hondo. Odio hablar de estas cosas.

—No me acuerdo del día exacto porque estaba agobiada con las cosas de la universidad, pero fue a mediados de noviembre. Entre el diez y el quince, puede ser.

Asiente y vuelve a anotar algo más.

—Veo en tu historial que el doctor Brandt te había estado administrando inyecciones anticonceptivas estos últimos años. ¿Te las han administrado en algún otro sitio que no sea aquí?

Niego con la cabeza e intento calcular cuándo fue la última vez que me la pusieron. La primera conclusión a la que llego es que hace demasiado. Un error más que añadir a todos los que he cometido últimamente.

—Bueno, Emery, voy a llamar al doctor.

Mientras espero, balanceo los pies bajo la camilla y golpeo los cajones de metal, una y otra vez, con la suela de goma de mis zapatos. Ojalá no tuviera que pasar por esto yo sola.

Un toque en la puerta me sobresalta y el doctor Brandt entra ataviado con una bata blanca de laboratorio. Lleva tratándome desde que era pequeña, así que cuando empecé a tener relaciones, las revisiones anuales se volvieron algo incómodas. Pedirle anticonceptivos no fue nada fácil, pero me dije a mí misma que si era lo bastante mayor como para tener sexo, también lo era para hablar de ello con mi médico.

Se sienta en su silla redonda de piel y se acerca a donde estoy yo sentada con una expresión en el rostro más compasiva de lo normal.

—Bueno, tengo los resultados de tu análisis y confirman el test de embarazo que te hiciste en casa. Estás embarazada.

La cabeza me empieza a dar vueltas cuando las palabras «estás embarazada» se repiten en mis oídos. Una cosa es verlo y, otra completamente distinta, escucharlo de la boca de tu médico.

—¿Estás bien? —me pregunta con suavidad.

Asiento, pero las lágrimas humedecen mis ojos. El doctor Brandt acaba de dibujar una equis negra en mi futuro. En realidad, he sido yo quien lo ha hecho, al no llevar el control de las inyecciones, y Drake no usó protección ni una sola vez conmigo. Tampoco se lo pedí.

Respiro hondo unas cuantas veces e intento recuperar la compostura todo lo que posible.

—¿De cuánto estoy?

Baja la mirada al portapapeles, que es el mismo que llevaba antes consigo la enfermera.

—Desde tu último periodo, diría que alrededor de ocho semanas. El feto fue concebido más o menos en Acción de Gracias. Haremos una ecografía en tu próxima cita para confirmarlo.

Mi mente vuela a aquel día. Fue el penúltimo que estuve con Drake... La última vez que nos acostamos.

—Bueno, Emery, puede que no sea el mejor momento para esto, pero tengo que preguntártelo. ¿Has usado protección? Según el historial, ibas como un mes de retraso para la inyección anticonceptiva, pero esto se podría haber evitado si...

—No, no la usé —digo, cerrando los ojos con fuerza.

—Si te parece bien, me gustaría realizarte un análisis de sangre. Solo como precaución.

—Solo fue un chico —susurro. A saber lo que se le está pasando por la cabeza. Drake ha sido el segundo chico con el que he estado; yo no soy de esas chicas.

—Solo es por precaución.

Asiento, demasiado cansada como para discutir.

Después de que el médico me recete unas vitaminas prenatales, la enfermera vuelve a entrar para extraerme la muestra de sangre y me darme unas directrices sobre lo que no debo hacer o comer. Asimilo toda la información que puedo, pero tengo la cabeza en otra parte.

¿Cómo voy a hacer esto?

En cuanto llego a casa, me meto bajo la vieja y calentita colcha de mi cama, y dejo que las lágrimas corran por mis mejillas. Me pregunto qué pensaría Drake de todo esto. Si yo solo he sido una curva en el camino, ¿qué será nuestro bebé?

Una piensa que conoce a alguien hasta que ese alguien te demuestra lo equivocada que estás. No tengo ni idea de cómo reaccionaría a esto. El Drake que creía conocer me habría ayudado con todo el proceso; el que vi en el hospital... no sé siquiera qué pensar de él.

Cojo mi móvil de la cama y llamo a la única persona que sé que no me va a juzgar ahora mismo.

—Gracias a Dios. Por fin te has decidido a devolverme las llamadas.

—Perdona. He estado liada. —No soy capaz de contener el llanto que le sigue.

—¿Estás llorando? —pregunta Kate, con la voz más alta de lo normal.

—No. Estaba, pero ya me siento un poco mejor.

—¿Qué pasa? ¿Has hablado con Drake?

Me tapo los ojos con el antebrazo, deseando que se haga de repente de noche para poder irme a dormir.

—No. No lo he visto ni he hablado con él.

—¿Entonces? Vamos, Emery, puedes contármelo.

El silencio se instala entre nosotras, mientras escojo las palabras adecuadas. Advierto que todavía no lo he dicho en voz alta. Esta será la primera vez.

—Estoy embarazada —susurró, y las lágrimas vuelven a anegar mis ojos.

—Espera, ¿qué?

—Estoy embarazada, Kate. Estoy embarazada del bebé del maldito Drake Chambers, que no quiere saber nada de mí.

Días y días de frustración salen a la luz, no puedo evitarlo.

—Dios santo —susurra.

—Ocho semanas. Estoy de ocho semanas.

—Madre mía, ¿qué vas a hacer? ¿Se lo has dicho a tu padre? —Ahora suena más frenética, tal como yo me siento.

Suspiro.

—Todavía no he pensado en ello. Es decir... voy a tener el bebé. Eso lo tengo claro. —Me detengo un segundo y me giro para mirar la foto de mi padre y de mí que tengo en la mesita de noche—. Todavía no se lo he dicho a mi padre. No sé qué me dirá.

La voz de Kate es suave cuando responde.

—Irá bien. Tienes amigos y una familia que te quieren. Yo te ayudaré todo lo que pueda.

—Eso espero, porque no puedo hacer esto sola.

—¿Se lo vas a decir a Drake?

Solo de pensar en decírselo me pongo enferma. No me imagino que esa conversación vaya a terminar bien. Probablemente me diga que lo hice a propósito... para atraparlo. No voy a darle la oportunidad.

—No. No puedo.

—Merece saberlo. Yo crecí sin saber realmente quién era mi padre y fue una mierda, Emery. No dejes que tu bebé pase por lo mismo.

—Ni siquiera sé si me lo voy a quedar —digo con franqueza. ¿Qué le puedo dar yo a un bebé? No tengo un título universitario, ni un trabajo.

—Tienes que pensar en eso. Pero pensar de verdad.

—Creo que necesito un tiempo para asimilarlo todo. Ahora mismo parece que lo esté mirando desde fuera..., como si realmente no me estuviera sucediendo a mí —gimoteo, secándome las lágrimas con la manga de mi camiseta.

—Emery, eres una de las chicas más listas y fuertes que he conocido nunca. Si alguien puede lidiar con esto, esa eres tú.

—Espero que tengas razón. —Oigo la puerta principal cerrarse de un portazo y miro por la ventana. La vieja camioneta de mi padre está aparcada frente a nuestra casa—. Te tengo que dejar. Mi padre ha llegado a casa.

—Vale, te llamaré en unos días para ver cómo estás. Descansa y habla con tu padre.

—Se lo diré pronto. Necesito tiempo para pensar en ello antes de pedir opinión a los demás.

—¿Hablamos pronto, pues?

—Sí. Y gracias por escucharme.

—Siempre estaré aquí si me necesitas.

—Adiós, Kate.

—Adiós, Em.

Em. Así me llamaba él siempre, pienso mientras apoyo la cabeza en la almohada. Podía conseguir que hiciera casi cualquier cosa con esa voz.

Las lágrimas vuelven a caer. Espero que esto sea algo temporal de las hormonas, porque es una mierda. Yo no soy tan sentimental.

Decido seguir el consejo de Kate, así que cojo el teléfono de la mesilla y marco el teléfono de Drake.

Muevo las rodillas con nerviosismo mientras espero. Un tono de llamada. Dos. Tres. Respiro hondo y me preparo para dejar un mensaje en el contestador, pero alguien responde al cuarto.

—Hola. —Parece una chica.

—Ay, debo de haberme equivocado —digo, frotándome la frente. Todo este estrés y ahora tengo que empezar de cero otra vez.

—Si estás llamando a Drake Chambers, entonces no te has equivocado. He respondido yo porque está durmiendo. ¿Quieres que le deje un mensaje?

Debe de ser su hermana. Al menos eso espero.

—Sí, ¿puedes decirle que llame a Emery? Es para algo importante —contesto, cerrando los ojos con fuerza.

—No te preocupes. Se lo diré.

—Gracias —digo y finalizo la llamada.

Puede que haya cometido un grave error, porque ahora puede volver a decepcionarme, pero me estoy aferrando a la posibilidad de que todo salga bien.

Un rato después, oigo las pisadas de mi padre en el pasillo. Va a comprobar que esté bien antes de irse a la cama. Siempre lo hace. Me doy la vuelta para quedar de espaldas a la puerta y aprovecho de la oscuridad para fingir que estoy dormida. Como un reloj, abre la puerta y se adentra unos cuantos pasos. Espero hasta que la vieja puerta vuelve a crujir y luego, por primera vez desde que sé que voy a ser mamá, me llevo una mano al vientre.

Las lágrimas no dejan de correr durante toda la noche.

Realmente no quiero enfrentarme a esto yo sola.

28

Drake

—Drake, ¿qué quieres para cenar?

—No me importa. Sorpréndeme.

—¿Hay algo que te importe? —pregunta Tessa, con las manos en las caderas.

Llevo sentado en el sofá todo el día, excepto por un par de veces que me he levantado para ir al baño. En esto se ha convertido mi existencia, junto con unos cuantos viajes a rehabilitación a la semana.

—Tessa, es comida. No me importa.

—Joder, Drake, ¡no tienes por qué comportarte como un gilipollas todo el tiempo! —grita, mientras sale enfadada de la cocina.

—¡Vigila esa boca! —le grito yo también. Si pudiera moverme un poco más rápido en esta estúpida silla de ruedas, ahora mismo estaría frente a ella.

Tras la lesión, estuve en el hospital más de una semana, y luego me transfirieron a una clínica de rehabilitación, donde estuve casi dos meses. Llevo aquí desde entonces... Dos meses de puta miseria.

Quinn entra y se sienta en la vieja y raída mecedora.

—¿Puedes mirar si están dando alguna peli? Estoy harta de ver esos estúpidos programas sobre coches.

—Bueno, Quinn, tú sales de casa. Este es el único entretenimiento que tengo yo.

Gira su cabeza hacia mí y me atraviesa con la mirada.

—¿Sabes qué? Creo que, si de verdad quisieras, podrías andar. Pero no quieres. Por alguna razón, te contentas con regodearte día sí, día también en tu miseria.

Me muerdo la lengua para contener unas palabras que no debería decirle nunca a mi hermana. Además, tiene razón.

Cuando me dieron los resultados en el hospital, descubrieron que mis lesiones podrían no ser permanentes, como en un principio habían parecido. A esas alturas, yo ya me había cerrado en banda.

Tengo que quedarme así. Si no, todo lo que le dije a Emery habrá sido para nada. No sería capaz de vivir conmigo mismo si la hubiese dejado sin razón alguna.

Mi vida está metida en un círculo vicioso ahora mismo, y no sé a dónde me llevará.

Lo que sí sé es que no la merezco.

—Drake, ¿puedo entrar? —pregunta mi madre, con voz dulce y asomándose por detrás de la puerta entornada.

—Como si pudiera negarme. —Llevo horas sentado en la oscuridad de mi habitación, mirando fijamente la luz que entra del exterior y se refleja en la pared.

Mi madre ha mantenido las distancias la mayor parte del tiempo. Me he desquitado con ella igual que con mis hermanas. Nadie es inmune.

Lo intenta.

De hecho, desde que volví a casa, ha estado en mejor forma que yo. Mencionó que su médico le ha dado unas pastillas nuevas para tratar su depresión. No salía tanto de su habitación desde que murió mi padre. A veces, hasta cocina cuando no tiene que trabajar por la noche.

—Tess dice que estabas de mal humor, así que vine a ver cómo estabas antes de irme a dormir.

—Lo que pasa es que Tess sabe cómo meter el dedo en la llaga. Estoy bien —respondo, recogiendo el pequeño balón de fútbol que tengo en la mesita de noche. Lanzarlo al aire me da algo que hacer. Algo en lo que enfocar mis energías para mantener a raya el mal humor—. Puedes sentarte en la cama, ¿sabes? No muerdo.

Se ríe con nerviosismo y se sienta en el filo de la cama.

—¿Sabes, Drake? No me comporté como una buena madre cuando murió tu padre. Os fallé a ti y a tus hermanas. Sobre todo a ti, pero Drake, no puedo dejar que te hagas esto a ti mismo. No voy a dejar que te conviertas en lo que soy yo.

Niego con la cabeza mientras observo cómo sube y baja el balón hasta mis manos.

—Ahora escúchame bien —dice, elevando el tono de voz—. Te mereces algo mejor que esto. Tú *eres* mejor que esto; no dejes que sea tu final... Solo es un contratiempo.

No sé de dónde ha salido esta mujer tan de repente. ¿Dónde estaba cuando la necesitaba?

—Dijo que había un cincuenta por ciento de que nunca pudiera volver a andar.

—Sí, ¿y qué pasa con el otro cincuenta por ciento? —Se acomoda mejor en la cama.

—No quiero fracasar —digo con sinceridad.

—¿Qué estás haciendo ahora mismo, Drake? —susurra, mientras me da un apretón en el pie. Hace unas semanas, no habría sido capaz de sentirlo, pero ahora sí. Debería darme esperanza. Debería hacerme ser positivo, pero me está destrozando.

—Hice algo que ya no puedo cambiar. No es relevante si vuelvo a andar o no.

Quiero hablarle de Emery, pero no puedo.

Todavía no.

—La lesión no fue culpa tuya, y si ya no vuelves a jugar al fútbol, tu vida seguirá adelante. Eres un chico listo y guapo, Drake. Concéntrate en lo que tienes. —Se detiene y se cubre la boca con una mano; los dedos le tiemblan. Su voz no sale tan firme cuando vuelve a hablar—. Debí haberme centrado en vosotros cuando vuestro padre murió, pero no lo hice. Perdí muchísimo tiempo. Te costé demasiado.

—Dame algo más de tiempo para solucionar todo esto. Ya ni siquiera sé qué es lo que quiero.

Me da un golpecito en el brazo y se levanta despacio de la cama.

—Dime si necesitas ayuda. Aquí estoy.

La observo salir de mi habitación y, cuando se ha marchado, me quedo inmóvil durante más de una hora, con la mandíbula tensa y reproduciendo en mi cabeza, una y otra vez, las palabras de mi madre.

Quizás estoy siendo estúpido.

Quizá me queda algo en este mundo.

¿Pero el qué?

Me impulso sobre los codos, como hago siempre que voy a sentarme en la silla de ruedas, pero esta vez cojo las muletas. Volver a aprender a estar de pie es muy jodido. Me caigo cuatro veces antes de poder enderezarme sobre los pies, con las pantorrillas apoyadas contra el canapé. Mi terapeuta me obliga a intentar esto continuamente, pero nunca lo había conseguido porque no me entregaba al cien por cien.

Deslizo mi pie derecho por las tablas de madera del suelo e intento dar un pequeño paso, pero me caigo de nuevo. Si alguna vez vuelvo a andar, me va a llevar muchísimo trabajo.

Lo intento una y otra vez, con el mismo resultado.

—Mierda —murmuro en voz baja, antes de decidir que ya es hora de dejarlo por esta noche.

Quizás he vuelto a decidir que no merece la pena.

Hoy es mi primera sesión de rehabilitación desde que mi madre me diera su charla de motivación. He pensado mucho en todo lo que me dijo, y es cierto que me lo debo. Puede que mi vida ya no vaya a ser perfecta, pero no tiene por qué ser tan mala... Al menos debería merecer la pena vivirla.

Cuando entro en silla de ruedas a la sala de ejercicios, mi terapeuta esboza una sonrisa. No he sido fácil a la hora de trabajar, pero eso está a punto de cambiar.

—Hola, Drake, ¿cómo estás? —Me pregunta Keith, mi terapeuta, mientras se cruza de brazos.

Hasta ahora, siempre le he dado la misma respuesta: «¿Cómo crees que estoy? Estoy atrapado en una puta silla de ruedas». Hoy puede que le sorprenda.

—Pude ponerme de pie con las muletas.

Abre los ojos como platos y es incapaz de esconder una amplia sonrisa.

—Eso es bueno. ¿Quieres intentar apoyarte en las barras y andar entre ambas? Puede que te ayude a ganar más fuerza en las piernas.

He temido este momento y el posible fracaso, pero no voy a dejar que eso me domine.

—Hagámoslo.

Me ayuda a ponerme de pie y espera a que guarde el equilibrio, apoyándome sobre todo en los brazos. Cuando por fin me suelta, muevo los pies despacio, decidido a ir de un extremo al otro. Cuando me resulta complicado, me imagino a Emery esperándome al otro lado. Es un sueño que desearía que se hiciera realidad; un sueño que me duele incluso más porque lo llegué a vivir. Ahora mismo seguiría viviéndolo si no la hubiese dejado escapar. Quizás este es el lugar al que pertenezco..., una pesadilla.

Mi soledad. Mi tristeza. Mis esfuerzos... Todos me pesan y la cura ha desaparecido de mi vida para siempre.

Me lleva casi toda la sesión, pero consigo llegar al otro extremo gracias a los recuerdos de Emery, que me han guiado hasta allí.

29

Emery

Mi mundo está patas arriba desde la última vez que vi a Drake Chambers.

Después de llamarlo, esperé en casa durante días, pero no me devolvió la llamada. Tras dos días comiendo tarrinas de helado, viendo películas tristes y gastar unas cuantas cajas de pañuelos, decidí que tenía que pasar página... Me resigné a criar un bebé yo sola. Drake no me quiere, y quizá nunca lo hizo, y ahora tengo que hacer frente a las consecuencias.

Hay una parte de ambos creciendo en mi interior y, aunque la idea en un principio me aterraba, ahora ya me estoy acostumbrando a ella.

La primera vez que sentí a nuestro bebé moverse en mi vientre, algo cambió. Es real. Mi amor por esta criatura es real. Tuve que dejar de correr para poder darle al bebé el hogar que se merece.

Durante mi última cita, el médico me preguntó si quería saber el sexo del niño y le dije que no. No hay muchas sorpresas en la vida y, cuando esté de parto, con ganas de rendirme, el deseo de saber si voy a tener un hijo o una hija me ayudará en el proceso.

Esperé unos cuantos días después de ver a mi médico para hablarle a mi padre sobre el bebé. Fue exactamente como esperaba.

—*¿Quieres que te prepare algo para desayunar?* —*me pregunta, desapareciendo tras la puerta de la nevera.*

Tan solo pensar en comer se me revuelve el estómago, sobre todo huevos.

—*No, no tengo hambre.*

Me mira por encima de la puerta con el ceño fruncido.

—¿Estás bien? Últimamente no comes mucho.

Vacilo, intentando formular la mentira perfecta en mi cabeza, pero al final, sé que es inevitable.

—Estoy embarazada —susurro, mientras mantengo las lágrimas a raya.

La puerta de la nevera se cierra de repente con un portazo.

—¿Qué? —pregunta, con los ojos abiertos como platos.

—Estoy embarazada, papá.

—¿Qué quieres decir con que estás embarazada? ¿Cómo?

Si fuera otra persona, me reiría de él ahora mismo, pero la situación no tiene ni pizca de gracia. Todo lo que soy capaz de hacer es tamborilear en la mesa con los dedos y esperar.

—¡Voy a matar a ese hijo de puta! —grita mientras se apoya sobre el fregadero.

—Ni siquiera lo conoces, papá.

Se gira tan rápido, que casi me parece imposible.

—¿Qué quieres decir con que no lo conozco? ¿No es de Clay?

Niego con la cabeza. Ojalá no hubiese escogido este preciso momento para contárselo.

—Entonces, ¿de quién es, Emery?

—No lo conoces. Lo conocí en la universidad.

—Bueno, ¿y dónde está ahora?

Me encojo de hombros. Sinceramente, no lo sé, pero lo último que supe es que estaba en una clínica de rehabilitación para sus piernas.

—¿Tiene en mente ayudarte?

Niego con la cabeza y dejo que una lágrima se deslice por mi mejilla.

—No lo sabe. Intenté contárselo, pero no me ha devuelto la llamada.

Mi padre se pasa una mano por el cabello.

—Dios, Emery.

—Lo siento mucho, papá.

Vuelve a mirar por encima del fregadero, hacia el inmenso prado que tenemos enfrente. Yo era su orgullo y felicidad. Alardeaba de lo lista que era cada vez que podía.

Ahora ya no me siento tan lista.

—¿Qué pasa entonces con la universidad? Has luchado mucho por esa beca. —No quiere mirarme.

—Voy a tomar unas cuantas clases este semestre en el colegio universita-
rio, y luego ya veré qué pasa cuando nazca el bebé. No voy a rendirme. —
Pronunciar esas palabras me mata por dentro.

Asiente, mientras se agarra con fuerza al borde del fregadero. Se queda
en esa misma posición un buen rato, sin mirarme ni pronunciar palabra. Son
los peores minutos de silencio que he tenido que vivir nunca.

—Voy al campo. Llámame al móvil si me necesitas —dice, cerrando la
puerta a su espalda de un portazo.

Me paso la mayor parte del día llorando. Nunca me he sentido tan
sola.

—Emery, voy al campo. ¿Estarás bien?

Mi padre me ha estado tratando como si fuese de nuevo una niña pequeña. Me cocina y se asegura de que tenga todo lo que me hace falta antes de irse, aunque solo sea por un corto periodo de tiempo. Me gusta.

—Estoy bien. Además, Clay va a venir y los dos bajaremos al pueblo a ver una película.

Mi padre entorna los ojos. Lo hace mucho cuando quiere decir algo pero no cree que sea de su incumbencia.

—¿Clay?

—Sí, ya conoces a Clay. Y antes de que te hagas una idea equivocada, somos amigos —digo en un intento de poner punto final a la conversación. A mi padre siempre le ha gustado Clay, y creo que es porque son muy parecidos en muchos aspectos. Clay decidió dejar los estudios para ponerse a trabajar en la granja de su familia, tal y como hizo mi padre. Clay es amable, predecible, y cuando se compromete a algo, lo cumple hasta el final..., igual que mi padre. No hay nada de malo en ello, pero hace mucho tiempo que me di cuenta de que Clay no era la clase de chico para mí.

—Ya veo —comenta mi padre con una sonrisa. Debería aplastar su sueño como haría con un maldito bicho, pero no me escucharía. Nunca lo hace.

Pero al tener a Kate tan lejos, mi padre y Clay son todo lo que me queda.

—¿Quieres que te lleve el almuerzo al tractor? —pregunto, pelándole la piel a una naranja. Antes odiaba la mayoría de las frutas, pero ahora parece que nunca tengo suficiente.

—Ya me he preparado un sándwich. Pásatelo bien hoy —me desea, acercándose a darme un beso en la frente.

Asiento y lo veo salir por la puerta. Lo hace durante horas todos los días de primavera y otoño. Creía que era infeliz, porque yo no era capaz de entender que a alguien pudiera gustarle esa vida. Pero estos últimos meses, me he dado cuenta de que sí que está satisfecho con su vida. Ojalá tuviera a alguien con quien compartirla.

En cuanto mi padre desaparece en la cabina del tractor, me dirijo a la planta de arriba para empezar a prepararme para mi viaje al pueblo. Puede sonar extraño, pero es un plan de lo más emocionante para las personas que viven en el campo. Llevo encerrada en esta casa casi una semana, viendo películas antiguas y poniéndome al día con las lecturas.

La emoción disminuye cuando abro el armario y estudio mis opciones de vestuario. Estar embarazada de siete meses hace inservible la mayor parte de mi ropa. Al menos, la mayor parte del peso que he cogido se ha acumulado en la barriga y en los pechos.

Saco un vestido azul de tirantes anchos para darme la sujeción que necesito. Luego, me recojo el cabello en una cola de caballo y me aplico una ligera capa de máscara de pestañas y brillo de labios.

Justo cuando termino, suena el timbre de la puerta. Bajo las escaleras tan rápido como puedo y abro la puerta antes de que Clay tenga oportunidad de volver a pulsar el timbre.

—Hola —me saluda, mirándome de arriba abajo. Su sonrisa se ensancha y el ambiente se vuelve algo incómodo, como me siento cada vez que nos quedamos solos.

—Hola, ¿listo?

—Más que listo. Tengo una sorpresita para ti.

—Clay, odio las sorpresas. —Recuerdo la última que me dieron... El viaje en coche de caballos con Drake. El gran peso del que llevo tiempo intentando escapar vuelve a aflorar en mi pecho.

Odio las sorpresas. Las odio con todas mis fuerzas.

—Vamos. Este es el sueño de toda mujer embarazada —dice inclinando la cabeza hacia un lado y esbozando esa engreída sonrisa que conozco desde hace años. No se parece en nada a Drake. Solo es unos centímetros más alto que yo, y tiene el cabello moreno y los ojos verdes claro.

Es mono; eso no lo puedo negar. También ha estado ahí desde el día que le conté lo del bebé.

—Vale. —Cojo el bolso del perchero y lo sigo hasta su camioneta. Hace tanto calor que siento cómo se me riza el cabello en el cuello—. ¿La sorpresa incluye helado? Porque si no, no puedo considerarlo un sueño.

Se ríe y me abre la puerta.

—Por supuesto.

—Bien. Entonces, salgamos de aquí.

30

Drake

Todos los veranos llevo a mi familia a la feria estatal. Es una tradición y, por muy triste que suene, se ha convertido en nuestras vacaciones en familia... Nuestra escapada no incluye pasar ni una noche fuera de casa, pero mis hermanas siempre se mueren por que llegue.

Aún no he pensado qué voy a hacer con mi vida, pero al menos ahora sé que puedo tener una. Me llevó unas cuantas semanas, pero en cuanto me lo propuse, pude volver a andar sin las muletas. Los progresos fueron lentos, pero quitando que me siento un poco débil tras caminar largas distancias, puedo decir que ya casi he vuelto a la normalidad. Puede que nunca vuelva a correr, y el fútbol ya no es una opción viable para mí, pero por ahora lo estoy sobrellevando lo mejor que puedo.

Lo peor de toda esta situación fue culpa mía. Dejé marchar a Emery, pero no lo hice por mí. Lo hice por ella, y todos los días me pregunto si hice bien o no. ¿Estará ahora más feliz? ¿Habrá pasado página? ¿Seguirá pensando todavía en mí?

He cogido las llaves para a ir tras ella más veces de las que puedo contar, pero siempre acabo convenciéndome de no hacerlo. Se merece más que la vida que yo puedo darle. Creo que siempre lo he sabido y la lesión solo me ha puesto en mi lugar.

—Drake, ¿podemos comprar buñuelos? —pregunta Tessa cuando entro en el aparcamiento que hay junto a la zona ferial.

—Sí, podemos comprar buñuelos, pero tienes que compartirlos con Quinn. —Alzo la mirada hasta el espejo retrovisor y veo cómo sacude la cabeza.

Tras aparcar, me giro hacia mis dos hermanas, que me están esperando, pacientes, en el asiento trasero.

—Quiero que os quedéis cerca de mí, ¿entendido?

Quinn pone los ojos en blanco.

—Tengo quince años. Ya no hace falta que me trates como si tuviera cuatro, Drake.

Las chicas no son fáciles de tratar. Quinn me lo deja cada día más claro.

—Aquí hay miles de personas. No voy a pasarme horas buscándote cuando tengamos que irnos.

—Si me dejaras comprarme un móvil... —dice, cruzándose de brazos.

Respiro hondo para calmarme antes de responder. Controlar mi temperamento siempre me ha supuesto un problema, y más desde la lesión.

—No vamos a tener de nuevo esta conversación. Venga, vámonos.

—Me bajo del coche antes de que tener tiempo a responder. Ni siquiera me puedo permitir dos raciones de buñuelos, ¿cómo cojones voy a comprarle un móvil?

—Si papá estuviera aquí, me lo compraría.

Odio que juegue esa carta conmigo. Saca a la superficie recuerdos que me he esforzado mucho por olvidar y me llena de culpabilidad. Todos los días me pregunto si mi padre se sentiría orgulloso de mí. ¿Pensaría que estoy haciendo un buen trabajo con mis hermanas? ¿Qué diría sobre cómo he tratado a mi madre?

Nunca lo sabré.

—Lo digo en serio. Deja el tema o te quedas ahí sentada. —La observo detenidamente mientras sale y, para mi sorpresa, no vuelve a pronunciar palabra.

De camino a la entrada, saco los billetes y la chatarra del bolsillo y me aseguro de que tenemos suficiente. Pago a la mujer que hay detrás del mostrador y devuelvo el resto al bolsillo.

—¿Adónde queréis ir primero? —pregunto, echándome a un lado.

—¡A las atracciones! —grita Tessa.

—A la caseta de los conciertos —añade Quinn.

—Vale, hagamos un trato. Iremos todos a la caseta de los conciertos y, cuando se acabe, a las atracciones y luego a los puestos de comida. ¿Os parece bien?

No me responden, pero el silencio también me vale con estas dos.

Mientras nos abrimos paso entre la multitud, mantengo a Tessa a mi lado y a Quinn frente a mí. Sé que ambas piensan que soy un cabrón controlador, pero es mi deber protegerlas. Lo es desde que mi padre murió.

Cuando ponemos un pie en la caseta de conciertos, está tocando una banda country local. Son bastante buenos, así que nos resulta complicado encontrar sitio donde sentarnos. Tras escrutar la estancia un par de veces, localizo dos sillas desocupadas al fondo y las conduzco hasta allí.

—Sentaos aquí. Yo voy a quedarme de pie al fondo.

Camino hacia una esquina de la caseta y me apoyo contra un pilar grande de madera. Nunca lo admitiría en voz alta, pero caminar unos cuantos minutos seguidos todavía me deja hecho polvo. Cuando el médico me dijo que no podría volver a jugar al fútbol, no pensé que también se refería a estos dolores que sufro mucho después del accidente. Lo peor de todo es que me estoy acostumbrando a ellos.

Me empiezo a relajar con el sonido de la guitarra. La banda está cantando una canción típica country sobre un tío que haría cualquier cosa por estar con la mujer que ama. La voz del cantante se alarga. «No debería haberla dejado marchar, porque ahora no estaría aquí...». Y es entonces cuando la veo sentada al otro lado de la caseta, de espaldas a mí. La reconocería desde cualquier ángulo, porque cuando estuvimos juntos nunca dejaba de mirarla.

Me había convencido de que me iba bien sin ella. Me convencí de que ella estaba mejor sin mí.

Pero ahora no sé a quién cojones estaba engañando. Me he sentido solo, triste, y he sido un auténtico coñazo para los demás. Y todo porque la echaba de menos.

Siempre me había atraído hacia ella algo como una fuerza magnética o una fuerte corriente. Ahora mismo también la siento. Cuando doy un paso hacia ella, de repente se pone de pie. Y es entonces cuando me doy cuenta.

El bulto de su vientre. La curva de sus pechos. Cuando alzo la mirada, veo el brillo en sus mejillas. El peso de mi pecho me mantiene clavado en el sitio. Se me están pasando por la cabeza tantas cosas... ¿Es mío? ¿Por qué no me lo ha dicho? En realidad, sé por qué no me lo contaría; le dije que no quería saber nada de ella la última vez que la vi. ¿Qué me esperaba?

Mis pies vuelven a moverse hacia delante, despacio, mientras me intento convencer de plantarle cara. Nunca he estado más asustado en mi vida. Imagínate... Drake Chambers asustado por tener que hablar con una chica. Unos cuantos pasos más y lo veo a él. Aparece a su lado y coloca una mano en su zona lumbar. No tengo ni idea de quién es, pero lo odio con todas mis fuerzas. Mis ojos se mueven otra vez y lo veo poner la otra sobre su vientre.

La veo sonreírle y, de repente, me pongo enfermo. Es suyo. El bebé que ha devuelto el brillo al semblante de Emery es suyo, y cualquier oportunidad que hubiera tenido de recuperarla, ahora ya no existe. Por un momento me imagino acercándome a ella. La imagino contándome lo del bebé y que las cosas ahora son diferentes entre nosotros. Quizá quiero que sea mío.

No importa. Puede que nunca me haya querido, porque no parece que le haya llevado mucho tiempo pasar página. Yo ni siquiera soy capaz de mirar a otra mujer sin sentir que la estoy engañando y no estuvimos juntos ni siete meses.

El dolor me atraviesa el corazón. Pensé que lo que habíamos tenido Emery y yo había significado algo, y ahora verla aquí con él, embarazada de él... duele. Duele muchísimo.

Esto era precisamente lo que quería para ella cuando la dejé marchar... o eso pensaba.

Emery siempre ha buscado cumplir sus sueños y tener una estabilidad. Yo no puedo hacerlos realidad y no tengo ni idea de lo que es la estabilidad.

Tras verlos salir de la caseta, reúno a Tessa y a Quinn para marcharnos a las atracciones y poder salir de aquí. Lo último que quiero es encontrarme con la feliz pareja, aunque imagino que, dado el estado de Emery, tampoco van a montarse en ninguna.

—No quería irme todavía —se queja Tessa, quedándose detrás de Quinn y de mí.

—He leído que puede llover, así que es mejor que nos demos prisa o no podremos hacer todo lo que queremos —explico, mientras ralentizo el ritmo para que pueda alcanzarnos.

—¿Vamos a tener tiempo para los buñuelos? Me lo prometiste.

—Si dejas de quejarte, compraremos buñuelos antes de irnos. —Estoy comportándome como un auténtico gilipollas, pero no podría controlarlo ni aunque quisiera. La ira, la tristeza y la decepción me recorren las venas y no hay nada que pueda hacer mientras estemos aquí. Lo único que va a lograr tranquilizarme es una docena de cervezas y unas cuantas rondas con mi saco de boxeo.

—Eres un borde —se burla Tessa, mientras me adelanta.

Como no tengo nada más que decir, la sigo. Tras comprarles a cada una entradas para varias atracciones, me aparto y las veo saltar de una a otra. Esto me da algo de tiempo para intentar contener al monstruo de emociones con el que estoy forcejeando en mi interior. No funciona y, para cuando han gastado todos los tickets, tengo unas ganas inmensas de salir de aquí.

De reojo veo un vestido azul que me resulta familiar. Aprovecho la oportunidad y giro la cabeza. Veo a Emery al otro lado del camino, junto al chico con el que estaba en la caseta. Está jugando a lanzar tres pelotas para meterlas en un aro imposible. Debería marcharme antes de que me vea, pero la curiosidad me mantiene inmóvil. Está incluso más guapa con el vientre abultado. Hasta con este torbellino de sentimientos y confusión que tengo dentro soy capaz de admitirlo.

La observo mirar una gran rana verde de peluche que cuelga a su lado, mientras sonríe y le aprieta una pata. Ya he visto esa mirada antes: es de deseo y emoción. Si yo fuera ese tipo, haría lo que fuera por conseguírselo.

Tras unos cuantos intentos más con la pelota, se gira hacia ella y echa los brazos hacia abajo, derrotado. Emery se encoge de hombros y lo sigue hasta el siguiente puesto, pero no pierdo detalle de que vuelve a mirar la rana y que está a punto de verme.

Tengo que marcharme. Necesito salir de aquí. Encuentro a mis hermanas mirando los autos de choque y me dirijo hacia ellas.

—Vamos a por tus buñuelos y luego nos largamos, antes de que empiece a chispear —murmuro mientras camino hacia un puestecito que hay en medio del camino.

Quinn se lleva una mano a los ojos y alza la mirada al cielo.

—No hay ni una nube, Drake.

—Vendrán —digo, aunque no refiriéndome realmente al tiempo. Es la vida o, al menos, la mía. Siempre hay una nube formándose en el horizonte.

Pido dos raciones de buñuelos para apaciguar un poco la precipitada vuelta y cojo servilletas suficientes para una clase de guardería antes de dirigirme hacia el coche.

Ojalá no tuviéramos por delante un viaje de una hora, pero con suerte se quedarán dormidas y podré pensar. Las chicas están detrás de mí, pero oigo sus pasos en la gravilla, así que no me molesto en bajar el ritmo. Estoy perdido en mi propio mundo cuando oigo una voz familiar pronunciar mi nombre. Me quedo congelado al mirar a la izquierda y verla de pie, junto a una camioneta Ford nueva de color blanco y el imbécil aquel a su lado.

Me giro y casi me choco con Tessa y Quinn, que no están prestando atención a otra cosa que no sean sus buñuelos.

—Esperadme en el coche. Voy en un minuto.

Le tiendo a Quinn las llaves y las sigo con la mirada para cerciorarme de que siguen mis órdenes por una vez. Parece ser que es más fácil conseguir que hagan algo cuando tienen comida.

Cuando mis ojos vuelven a encontrarse con Emery, está inmersa en una acalorada discusión. Camino hacia donde están, por si acaso ella precisa de mi ayuda.

—Clay, dame solo unos minutos. Necesito hacer esto sola —la oigo decirle en un susurro. *Clay,* su novio del instituto. No sé si eso convierte la situación en mejor o peor.

El chico me mira y luego de nuevo a ella, apartándole unos cuantos mechones del rostro. Se supone que eso debería hacerlo yo.

—Voy a sentarme en la camioneta. No te vayas muy lejos, ¿vale?

—Estaré aquí mismo.

Clay asiente y me lanza una mirada de disgusto, antes de dar la vuelta para subirse al asiento del conductor. No sé por qué está tan enfadado.

Emery y yo avanzamos unos cuantos pasos hasta encontrarnos cara a cara. Es extraño tenerla así de cerca y no poder tocarla como hice una vez.

—Vuelves a andar —dice, lo bastante alto para que pueda oírla. ¿Eso es todo lo que tiene que decir?

—He estado yendo a rehabilitación.

—Oh, creía que los daños eran irreversibles. —Se cruza de brazos, pero hoy me parece un gesto frío.

—Eso fue lo que me dijeron —aclaro. Miro a la derecha y veo a dos cabecitas de pelo largo y rubio por el espejo retrovisor. Enseguida vuelvo a mirar a Emery—. Parece que ya has pasado página. ¿Es ahora cuando se supone que tengo que darte la enhorabuena?

Sus ojos se llenan al momento de lágrimas. Debería sentirme culpable por hablarle así, pero la ira es lo único que tengo dentro ahora mismo.

—¿Qué? —Le tiembla la voz por la emoción.

Quiero hacerle daño. Quiero que sienta aunque sea un ápice de lo que yo siento en este momento.

—El bebé, Emery. ¿Clay era tu plan B? ¿Cuántos días esperaste antes de meterte en su cama? ¿Uno? ¿Dos? —El dolor que veo en sus ojos y el tembleque de su labio inferior debería ser suficiente para detenerme, pero solo alimentan mi ira—. Supongo que no importa, porque solo fuiste una más.

Una lágrima se desliza por su mejilla, pero todavía no puedo parar.

—¿Te ha pedido matrimonio ya? ¿Os habéis comprado una casa y un perro? —Me detengo y me tiro del cabello—. Dios, no sé por qué me importa siquiera. Adiós, Emery. Que tengas una bonita... lo que sea.

Soy demasiado cobarde como para mirar antes de irme el daño que he provocado. Pensé que las cosas que he dicho me ayudarían a sentirme algo mejor, pero no ha sido así. Ahora solo me siento otra vez como un cabrón enfadado y triste.

—¡Drake! —oigo sus pasos acercarse tras de mí, pero no me molesto en darme la vuelta.

—Si piensas que lo que tuvimos me importó tan poco que me tiré a otro justo después de que me dejaras, te equivocas. Aunque tú no me quisieras, yo sí que lo hice. Significabas tanto para mí que estaba dispuesta a cambiar mis planes de futuro para estar contigo. Eres un idiota, Drake Chambers.

Alzo la mirada hacia el cielo oscuro.

—Nunca pretendí ser nada más.

—Sí, supongo que yo también me equivoqué contigo —me dice, alzando la voz.

Acelero el paso hacia el coche. Necesito salir de aquí y separarme de ella. Cuando pongo la mano en el tirador de metal, vuelvo a oír su voz.

—El bebé no es de Clay. Es tuyo, Drake. Tuyo y mío.

Me quedo petrificado en el sitio mientras vuelvo a reproducir sus palabras en mi cabeza. El bebé que está creciéndole dentro es nuestro. Podría estar mintiéndome, pero sé que Emery White no lo haría. No es de esa clase de chicas, y esta es una de las razones por las que me sentía tan atraído por ella. Es lo más auténtico que he tenido nunca.

Cuando por fin reúno el coraje suficiente para enfrentarme a ella, se está subiendo a la camioneta de Clay. No va a esperar a ver mi reacción y, después de todo lo que le he dicho, probablemente ni le importe.

Hasta que no estoy en mi coche, abrochándome el cinturón, no se me enciende la bombilla. No solo me ha dicho que lleva nuestro bebé en su seno, sino que también ha admitido, por primera vez, que me quería. Yo no se lo he correspondido, pero este inmenso dolor que siento en el pecho me dice que yo también la quiero. Si no la quisiera, no me dolería tanto.

Y si el día de hoy me ha enseñado algo, es que de verdad se merece a alguien mejor que yo.

31
Emery

—¿Ese era él? —pregunta Clay en cuanto arranca el coche.

Las lágrimas empañan mis ojos, pero no lo bastante para no percatarme de la tensión que hay en su mandíbula. No necesita explicarme a quién se está refiriendo.

—Sí —susurro.

—¿Qué ha pasado ahí fuera, Emery? ¿Qué cojones quería después de todo este tiempo?

Cierro los ojos con fuerza y niego con la cabeza. Las lágrimas caen rápido y no tengo energía para contenerlas.

—Solo llévame a casa, Clay. Necesito irme a casa.

De reojo lo veo echar chispas. Solo conoce una parte de la historia. En realidad, ni siquiera sabe que... Cree que volví a casa porque me quedé embarazada. Desconoce lo que Drake me dijo. No sabe que, hasta hoy, Drake no era consciente de que íbamos a tener un bebé.

Y ahora que se ha enterado, ojalá lo hubiese hecho de un modo distinto. Ojalá se lo hubiese dicho antes para habernos evitado la situación de hoy. No importa que lo intentara... Tenía que haberlo intentado más. Debería haberlo obligado a escucharme.

Cuando la camioneta se detiene en un semáforo, siento a Clay darle un apretón a mi rodilla. He estado tan absorta en mi propio mundo, reproduciendo las últimas horas en mi cabeza, que casi me había olvidado de que no era la única que estaba aquí.

—Emery —dice en voz baja, sin quitar la mano de mi rodilla—. Ya sabes que estoy aquí. Siempre lo he estado y siempre lo estaré.

Apoyo la frente contra la ventana del copiloto y pierdo por completo la compostura. Llevo meses muriéndome por oír esas palabras, pero no de Clay.

Sin advertencia alguna, Clay se detiene en un lateral de la carretera y pone punto muerto.

—¿Emery?

Advierto la preocupación en sus ojos y no puedo evitar derrumbarme. En ese mismo momento siento sus brazos a mi alrededor. No me parece correcto que me consuele un chico que me quiere, mientras yo lloro por otro que no lo hace. Supongo que la vida no ha sido justa para ninguno de los dos.

—Todo va a salir bien —susurra mientras me acaricia la espalda—. Superaremos esto.

Sus palabras me petrifican. No hay ningún «nosotros»... No del modo que Clay quiere. Me aparto, me seco los ojos y respiro hondo.

—Estaré bien. No era como quería que se enterase.

—¿No lo sabía? —pregunta Clay, acomodándose de nuevo en su asiento.

Las lágrimas vuelven a caer de mis ojos.

—No. O sea, le dejé un mensaje una vez, pero no me devolvió la llamada. No quiere saber nada de mí, y tampoco iba a obligarlo a hacerse cargo de un bebé.

—Es un idiota por no quererte —dice en voz baja, dándome un apretón en la mano y arrancando de nuevo el coche.

El resto del camino transcurre en silencio, lo que agradezco porque estoy segura de que cualquier cosa que pueda decirme Clay va a hacerme aún más daño. Sé lo que es querer a alguien pero no ser capaz de estar con esa persona. Es un chico dulce, pero no es para mí. Es el camino seguro de la acera, cuando lo que yo realmente quiero es cruzar la calle sobre una cuerda. Poco a poco estoy aprendiendo, eso sí, que aunque uno sea más divertido, con el otro es menos probable que salga destrozada.

Para cuando aparcamos en la gravilla que hay frente a mi casa, el cielo se ha vuelto completamente negro, y la única luz que sigue encendida en mi casa es la de la hornilla de la cocina, lo que significa que mi padre ya se ha ido a dormir.

—Espera —dice Clay antes de salir de la camioneta. Me acomodo en el asiento, esperando que mi puerta se abra en cualquier momento.

Cuando Clay la abre, se coloca justo en medio, impidiéndome la salida. Me sudan las manos de ver cómo me está mirando.

—¿Quieres que me quede contigo esta noche?

—No, creo que necesito estar sola. Además, Clay, no puedo volver a ser el «nosotros» que quieres que seamos. Necesito averiguar quién es Emery ahora mismo —digo sin vacilación.

Alza las manos y me seca las lágrimas de los ojos con los pulgares.

—Yo sé quién eres. Eres una mujer inteligente, decidida y cabezota. No eres una mujer corriente, pero eso es lo que te hace tan especial.

Niego con la cabeza e intento liberarme de sus manos. No es el momento para esto.

—Emery, por favor, escúchame.

—Estoy cansada, Clay.

—Solo hazme un favor... Hagas lo que hagas, acabes donde acabes, asegúrate de ser feliz. Te has esforzado demasiado para conformarte con menos. —Me suelta y retrocede.

Nos clavamos la mirada. No me he sentido así de vulnerable y sensible en mucho tiempo. Ni siquiera cuando mi madre se fue, o el día que la volví a ver conducir frente a la camioneta de mi padre. O bien no me permití a mí misma tocar fondo, o aquello no me afectó tanto. Soy mayor. He visto más cosas. Siento más cosas.

Y sé algo con certeza... El chico que tengo frente a mí, con ojos tristes y derrotado, es la persona más desinteresada que he conocido nunca.

—Siento lo de hoy —susurro para romper el silencio.

Me agarra de la mano y tira de mí con delicadeza, hasta ponerme de pie en el suelo. Cuando pega sus labios a mi frente, cierro los ojos y me dejo consolar por su contacto.

—La primera parte fue divertida —dice con una sonrisa triste—. Vamos, te acompañaré hasta la puerta.

Asiento y lo sigo. Todo lo que quiero hacer ahora es apoyar la cabeza en la almohada. Con suerte, pronto me quedaré dormida.

Nos detenemos frente a la puerta principal. Me recuerda tanto a nuestra primera cita... Ninguno de nosotros sabe exactamente qué decir o hacer ahora.

—Gracias por todo, Clay.

Sus labios tocan mi frente una vez más.

—Cuídate.

Asiento, abro la puerta y desaparezco en el interior.

32
Drake

Tras dejar a mis hermanas en casa, conduzco en la oscuridad y sin rumbo. Estoy demasiado insensible para procesar las consecuencias de lo que ha ocurrido hoy o de las decisiones que tomé en el hospital hace meses. Quiero irme a algún lado y olvidar todos mis problemas con alcohol, pero sé que cuando despierte por la mañana me sentiré exactamente igual que ahora. Nada puede ser peor que esto, y es justo lo que me merezco.

Esta va a ser mi vida para siempre... La que estaba destinado a tener de una forma u otra.

Las carreteras de los pueblos tienen algo especial. Nunca te llevan demasiado rápido adonde quieres ir, pero cuando llegas te sientes tan liberado como si hubieses ido a terapia. Es curioso lo mucho que puede ayudarte un rato a solas para pensar.

Un par de horas después, aparco frente a B&B's. Es uno de los dos bares del pueblo, y mi favorito porque es el más sencillo. No es el lugar indicado para ir a pillar cacho o buscar pelea. Es solo un espacio donde poder pensar tranquilamente.

Cuando entro por la puerta, veo a los clientes habituales sentados en la barra, con sus bebidas en las manos. Ese no es mi sitio hoy, ya que luego tengo que volver a conducir.

—Hola, Chambers, ¿qué te pongo? —me grita Bill, el propietario, por detrás de la barra.

—Una Coca-Cola. —Se me queda mirando con curiosidad durante unos segundos, antes de echar hielo en un vaso y sacar una lata de la nevera. Suelo beber cuando vengo aquí, pero esta noche no tengo a nadie que me lleve a casa, y algo que nunca haré será conducir borracho... No después de lo que le ocurrió a mi padre.

Mientras espero a mi bebida, enciendo la diana y extraigo los dardos del centro. Esto es lo que hago cuando necesito centrarme en algo que no sea lo que me está dando vueltas en la cabeza.

—¿Dónde te la dejo? —pregunta Bill.

Ni siquiera me molesto en mirarlo.

—Ponla en la mesa junto a la gramola.

Cuando acabo de lanzar la primera ronda de dardos, oigo el sonido del cristal contra la mesa.

—¿Qué vas a comer, chico?

—No soy ningún chico.

Su voz es más dulce cuando vuelve a hablar.

—Para mí siempre lo serás.

Saco los dardos de la diana sin responder y vuelvo a echarme hacia atrás para lanzar una segunda ronda. No he venido aquí para hablar.

—¿Cómo le va a tu madre?

Joder.

—No he venido para hablar, Bill. —Lanzo otra ronda de dardos, con la esperanza de que lo pille y vuelva detrás de la barra.

—Tu padre y tu madre eran los reyes de este pueblo. He rezado por ella desde el día en que él murió.

—No estoy de humor para esto, Bill —murmuro, de nuevo con la esperanza de que se aleje.

Suelta una risotada.

—Todas las mujeres estaban celosas de tu madre, porque tu padre era un muy buen partido. Guapo, y encima había ido a la universidad. Válgame Dios, hasta los hombres lo envidiaban porque consiguió que una mujer lo mirara como lo hacía tu madre. Era un cabrón con suerte. —Cuando por fin lo miro, la última palabra se ha desvanecido. Puede que mi padre hubiera tenido suerte en vida, pero esa misma se le acabó demasiado pronto. Y todos estamos pagando por ello.

—Pues qué suerte —digo, tras tragarme el nudo que tengo en la garganta. Mi padre era mi mejor amigo y todavía no he superado su muerte como debería haberlo hecho, porque he estado demasiado ocupado con todos los demás.

—Oye, lo siento. No me refería a eso.

Asiento. Es mi forma de decirle que estoy bien en silencio. O al menos eso es lo que quiero que crea.

—En fin, si alguna vez necesitas algo, aquí estoy. Sé que no me conoces bien, pero tu padre y yo éramos buenos amigos. Te quería y sé que odiaría verte así.

Me detengo y me froto la frente. Me he esforzado mucho para mantenerlo todo dentro; esconderlo tan profundo para que nadie pudiera verlo, y ahora este tío que apenas conozco me está leyendo como si fuera un libro para niños.

—Ha sido un día largo. Creo que me voy a ir a casa.

—La evasión no va a resolver el problema —comenta, poniendo una mano en mi hombro.

Se aleja antes de pueda replicarle, aunque tampoco es que tenga mucho que decir. Tiene razón. Llevo huyendo desde que tengo uso de razón. Cuando mataron a mi padre, me ocupé de todos los demás para no tener tiempo de superar mi propio dolor. Entrenaba al fútbol cada día, durante horas, para no tener que pensar cuando no estuviera en las clases. Colegio. Fútbol. Dormir. Eso era todo lo que hacía. Cuando fui lo bastante mayor para trabajar, conseguí un trabajo en la tienda de comestibles del pueblo para los fines de semana y los veranos.

Monopolicé mi tiempo. Evité las relaciones serias. No tenía muchas amistades. ¿Y adónde me ha llevado?

A una vida de puta pena. Aunque pudiera jugar al fútbol y llegar a la NFL, seguiría estando igual de jodido. Todavía no puedo creer que me haya llevado tanto tiempo darme cuenta.

Cojo las llaves de la mesa y salgo por la puerta. Ya es hora de dejar de huir. Estoy demasiado cansado... Llevo así mucho tiempo.

Esta vez, de camino a casa, libero mi mente y pienso en lo que de verdad quiero. ¿Qué me haría feliz? Lo he liado todo tanto que ahora es difícil desenredar el nudo.

En cuanto llego a casa, apago las luces del coche con cuidado de no despertar a mi familia. Solo quiero entrar y tirarme en la cama.

Tras lograr abrir la puerta principal sin hacer ruido, subo las escaleras con cuidado de no pisar ninguna tabla de madera que pueda crujir.

—Drake, ¿eres tú? —La voz de mi madre suena adormilada.

—Sí, mamá. Vuelve a dormir —digo, pasándome la mano por el cabello.

Diviso su oscura silueta en el sofá.

—Debo de haberme quedado frita viendo *Pretty Woman* con tus hermanas. No se cansan de verla.

No puedo evitar soltar una risa. He visto esa película más veces de las que cualquier hombre debería.

—¿Dónde estabas? No habrás estado bebiendo, ¿verdad?

—No, fui al B&B's a jugar a los dardos —digo, mientras giro la cabeza a ambos lados para soltar algo de tensión.

Se pone de pie, camina hacia mí y escruta mi rostro.

—¿Estás bien? Tess me ha dicho que te comportaste de un modo extraño en la feria y que te vio discutir con una chica. Puedes hablar conmigo, Drake.

Miro al techo y respiro hondo.

—Conocí a una chica en la universidad y salimos juntos un tiempo. Me la encontré hoy en la feria y digamos que las cosas no fueron bien.

—Solo se me ocurre una razón por la que te moleste de esa forma. Debe de haber significado algo para ti.

Mi madre me habría venido muy bien todos estos años.

—Lo sé —respondo, subiendo deprisa los escalones.

Ya no quiero hablar.

Sé lo que quiero, pero no sé cómo voy a conseguirlo.

O incluso si puedo hacerlo.

33

Emery

Solo quedan seis semanas para tener a mi bebé en brazos. El tiempo ha pasado tan rápido que apenas he podido asimilarlo. Me pregunto si a todo el mundo le pasará lo mismo. Me he pasado meses preparándome, asegurándome de que lo tengo todo listo, ¿pero se siente alguna mujer preparada emocionalmente?

Esta noche voy a disfrutar por fin de un poco de tiempo para mí misma. Mi padre me asfixia. Clay me agobia. Sé que solo quieren lo mejor para mí, pero estoy empezando a perder el sentido de autonomía. Y también la cabeza.

Mi padre apenas me pierde de vista, y a Clay le gusta pasarse una vez al día para ver si estoy bien. Como norma general vemos la tele y, si no hace demasiado calor, nos sentamos en el porche y hablamos. Y me ha dado más espacio, por lo que nuestra amistad se ha afianzado. Ya no siento la presión de ser nada más que su amiga.

Meto una bolsa de palomitas en el microondas y me sirvo un vaso de limonada. Las noches se están volviendo más calurosas, y cada vez es más difícil en esta casa evitar la humedad. En cuanto el sol se puso esta tarde, abrí las ventanas y encendí los ventiladores.

El microondas emite un pitido y el olor a maíz recién cocinado inunda mis fosas nasales, lo que hace gruñir mi estómago.

Justo cuando estoy a punto de sentarme en mi sitio favorito del sofá, suena el timbre. Miro el reloj y compruebo que son casi las diez. El corazón se me acelera. Mi padre está fuera de acampada y, por lo que sé, Clay se fue con él.

Vacilo unos segundos, durante los cuales bajo la mirada a mis pantalones cortos de algodón y a mi camiseta blanca extragrande. Podría esconderme, pero todas las luces están encendidas y mi coche está aparcado fuera del garaje. Es un poco demasiado obvio.

Me aprieto la cola de caballo y decido echar un vistazo por la ventana lateral. Cuando estoy dirigiéndome con cautela a la pared, el timbre vuelve a sonar. Y luego otra vez.

¿Conoces esa sensación, cuando estás viendo una película de miedo, de que algo malo está a punto de ocurrir? Así es como me siento yo ahora al abrir ligeramente la cortina. He visto muchos episodios de esas series de asesinatos... y siempre empiezan así.

Al principio no soy capaz de reconocer el rostro de mi visita en la oscuridad, pero cuando miro más allá, diviso un coche que me resulta familiar aparcado frente a mi casa. El corazón me empieza a latir al doble de velocidad y tengo que alargar el brazo para apoyarme en la pared y no perder estabilidad en las rodillas.

La última vez que vi ese coche fue hace casi tres semanas, en el aparcamiento de la feria, lo que significa que la oscura figura que hay al otro lado de la puerta es alguien a quien no quiero ver ahora mismo. O quizá nunca.

Pero, aun así, quiero saber por qué está aquí. Drake Chambers no hace nada a menos que lo quiera de verdad. ¿Por qué querría estar aquí?

Respiro hondo, intentando recuperar el control de mis emociones. Me ha hecho tanto daño... Me ha hecho cosas que jamás olvidaré. Y me he preguntado una y otra vez si sería capaz de perdonarlo algún día.

Sinceramente, no lo sé.

Despacio, agarro el pomo y cierro los ojos antes de abrir la puerta. Cuando me siento segura, vuelvo a abrirlos y escrutino el rostro de la persona de la que me enamoré hace meses. El chico que puso mi vida patas arriba, que me mareó y luego me dejó de pie y sola, sin equilibrio alguno.

—Hola. —Su voz es dulce y está llena de temor. Nunca había visto a Drake Chambers así. Ya había jugado en campos mayores.

Sus ojos permanecen clavados en los míos, hasta que bajan y escrutan mis pechos y mi vientre. Se quedan ahí parados y, cuando sus ojos vuelven por fin a centrarse en mi rostro, su cabeza continúa inclinada. El remordimiento es más evidente en ellos que en cualquier palabra que pueda pronunciar.

Me quedo de piedra, sorprendida todavía de que esté aquí..., en el porche de mi casa. Me fijo en ciertos detalles en los que no había reparado hace unas semanas. Lleva el cabello un poco más largo a cuando estábamos en la universidad y ha perdido peso. Me percato de ello porque sus bermudas cuelgan bajas de sus caderas y porque su camiseta ciñe unos abdominales más delgados.

—¿Em, estás bien? —pregunta a la vez que da un paso hacia mí.

Me estremezco de dolor; no quiero que invada mi espacio.

—¿Qué haces aquí? ¿Cómo sabes dónde vivo?

Ahora es su turno para conmoverse. Se agarra con fuerza al poste de la puerta y se me queda mirando con esos ojos azules en los que tanto solía perderme. Con ellos podía conseguir que hiciera cualquier cosa.

Me pregunto si todavía podría hacerlo, si siguiera mirándome como está haciendo ahora mismo.

—Tengo que hablar contigo, y no es difícil encontrar a alguien en este Estado. No somos tantos.

—¿Qué tienes que decirme que no me hayas dicho ya? —pregunto, mientras me cruzo de brazos. Son mi armadura..., la protección de mi corazón.

Ojalá eso fuera posible.

—Dame unos cuantos minutos, Em. Es todo lo que te pido.

Por el modo en que pronuncia mi nombre... mi decisión de alejarlo de mí flaquea.

Estoy cayendo.

Más y más.

Al menos tengo que saber por qué está aquí. Si no, me quedaré con la duda. Igual que con mi madre. No quiero tener que pasar por eso otra vez.

—Espera ahí —digo, señalando el viejo banco que hay en el extremo del porche—. Voy a por otra camiseta.

Mira a mi espalda, frotándose la nuca.

—¿Hay alguien en casa?

Sacudo la cabeza y me agarro al lateral de la puerta.

—Quédate ahí —digo, y vuelvo a cerrarla.

Cuando entro en casa, me inclino sobre el fregadero y me tomo unos cuantos segundos para recuperar el aliento. Verlo me está provocando todo tipo de sensaciones, y ninguna es una reacción que esperara tener. Pensé que le gritaría hasta quedarme sin voz, pero lo que realmente necesito ahora es pasar página. Ambos necesitamos decir lo que tengamos que decir y después que cada uno se vaya por su camino.

¿Y si quiere formar parte de la vida de nuestro bebé?

Tras coger una camiseta gris del lavadero, regreso a la puerta principal y la abro despacio. Drake está sentado en una de las dos mecedoras de madera, por lo que puedo escoger entre sentarme en el banco o en la otra silla.

—No muerdo —bromea, apoyando los codos en las rodillas.

—Eso es discutible.

—Entiendo que estés enfadada conmigo, ¿pero te vas a sentar, por favor, y me vas a dejar decir lo que necesito decirte? Creo que ambos lo necesitamos.

Me masajeo las sienes. Los dolores de cabeza que he tenido estas últimas semanas están empezando a afectarme.

—Cinco minutos —le advierto, y por fin me siento en la silla contigua a la suya.

No hace nada más que mirarme durante un rato. Está oscuro y el único sonido que se oye en el campo es el canto de los grillos..., el mismo sonido que me duerme cada noche.

—Tengo que preguntarte una cosa primero. Lo que dijiste hace unas semanas sobre que el bebé era mío...

—Es tuyo —lo corto. Si ha venido para interrogarme sobre Clay y el bebé, esta conversación no va a durar ni cinco minutos. Va a terminar ahora mismo.

Se pone de pie y comienza a pasear por el porche.

—¿Por qué no me lo contaste?

—Lo intenté. Te llamé un día y te dejé un mensaje —replico, apoyando los codos en las rodillas. Desde que me encontré con Drake en la feria, me he sentido culpable por no haberlo intentado más veces. Incluso después de que me dijera todo aquello, se merecía más esfuerzo por mi parte.

—No me llegó el mensaje —dice antes de detenerse frente a mí con las manos en las caderas.

Suspiro; yo también siento su misma frustración. Toda, todita.

—Se lo dejé a una chica. Me dijo que te lo pasaría.

—¡Joder! —grita y seguidamente se vuelve a sentar—. Debió de cogerlo Tess. Le he dicho un millón de veces que no toque mi móvil.

—Quizá debería haberlo intentado de nuevo, pero pensé que no querías saber nada de mí. No pude hacerlo, Drake.

Se inclina hacia delante en la silla y hunde el rostro en las manos.

—Lo siento. —Se tira del cabello dolorosamente—. Lo siento mucho.

—¿Por qué? —le increpo, alzando los brazos—. ¿Sientes haberme echado del hospital? ¿Sientes haberme dicho que tu lesión fue por mi culpa? ¿O sientes haber pensado que me he acostado con otro justo después de que me partieras el corazón? ¿Por qué, exactamente, estás diciéndome que lo sientes, Drake?

Levanta la cabeza, pero es difícil ver su expresión bajo la pálida luz de la luna.

—Por todo eso. Y también por no haber estado contigo cuando te enteraste. Siento no haber ido contigo a la primera cita con el médico. Siento que lo que hicimos juntos te haya traído de vuelta aquí.

Hace una pausa y clava la mirada en las estrellas.

—También siento no haberte dicho que te quería, porque sí que te quiero, Em. Te quiero tanto que todo lo que te hice me duele muchísimo. Aquí, en el pecho, Em.

Me inclino hacia delante e imito la postura que tenía de antes: apoyo la frente sobre las palmas de mis manos. No quiero mirarlo. Estoy perdiendo resolución. Estoy cayendo. Más y más.

—Lo que me dijiste en el hospital... nunca lo olvidaré. ¿Por qué me dijiste todo eso si tanto me querías? Por favor, ayúdame a entenderlo.

Antes de darme cuenta siquiera, se arrodilla frente a mí y me levanta el mentón con sus dedos.

—Mírame. Por favor.

Le hago caso y lo miro con lágrimas en los ojos. Su voz nunca ha sido más dulce y sincera. Está calando en mi corazón y todo lo que soy capaz de hacer es escucharlo.

—Esa mañana, en el hospital, oí a las enfermeras hablar de mí. De cómo no era probable que volviera a andar. Y no podía obligarte a pasar por aquello. Sabía que te quedarías a mi lado, pero también conocía tus sueños. Si te quedabas conmigo, habrías tenido que escoger, así que yo lo hice por ti.

—Drake —digo, mordiéndome el interior de las mejillas para mantener las emociones a raya. He derramado demasiadas lágrimas por culpa de esto. He pasado tantas noches tendida en la cama, escuchando las canciones lentas más tristes que fui capaz de encontrar, mirando al infinito...—. ¡Mira dónde estoy ahora! —grito, levantando de nuevo los brazos.

Su rostro se acerca al mío y su aliento encuentra a mis labios.

—Ya te he dicho que lo siento.

—Me hiciste sentir odiada. Me hiciste sentir estúpida. Nadie me había hecho sentir así nunca... Ni siquiera mi madre.

Toma mi rostro entre sus manos.

—Sabía que la única manera de que me dejaras era haciendo que me odiaras. Creía que esa era la única manera. ¿No lo entiendes?

—No —lloro, negando con la cabeza—. No lo entiendo. Yo nunca podría hacerle daño a alguien de esa forma, y menos si lo quiero.

Me sujeta el rostro con más fuerza, y la tenue luz ilumina el suyo en el ángulo adecuado. Tiene los ojos llenos de lágrimas, y el rastro de una es evidente en su mejilla.

—Es una forma de amor un tanto retorcida, pero es la única que conozco. Llevo años protegiendo a mi madre y a mis hermanas... Pensé que te lo estaba demostrando dándote lo que deseabas. No quería interponerme en tu camino.

—¿No te paraste a pensar que, quizás, eras tú lo que yo quería?

Niega despacio con la cabeza.

—No veía razón alguna por la que me quisieras tanto que renunciaras a todo. El fútbol siempre ha sido mi vida y ya no lo tengo.

—¿Y qué ha cambiado ahora? —susurro; estoy embelesada con cada palabra que sale de su boca.

—He tenido tiempo para pensar en qué es importante para mí. El fútbol era importante para mi padre. Era su sueño, y ¿sabes qué? Cuando me dijeron que, seguramente, no volvería a jugar, me vine abajo, pero no tuvo nada que ver con el deporte. Siempre has sido tú. Te echaba muchísimo de menos.

Quiero aferrarme a cada una de sus palabras, pero hay un muro que no se derrumba. No puedo alcanzarlas.

—¿Y por qué has venido ahora? ¿Después de todos estos meses? —pregunto, sujetando sus muñecas con las manos. Intento alejar las suyas de mi rostro, pero o bien es demasiado fuerte o yo no deseo realmente que me suelte.

—Por fin siento que te merezco —susurra.

Esas palabras prenden mi corazón con una fuerza descomunal. Espero no haber hecho nada que le hiciera sentir que no me merecía. Era tan bueno que consiguió que me olvidase de todos mis sueños durante un tiempo. Ojalá supiera que solo una persona especial es capaz de lograr algo así.

—Rompí todas las normas por ti. Eso debería decirte algo.

Me acaricia la mejilla con el pulgar.

—Ahora lo sé —dice, bajando la mirada hasta mi vientre.

—¿Y qué quieres exactamente?

Me suelta y se sienta sobre los talones para sacarse algo del bolsillo trasero de sus pantalones. Cuando se vuelve a arrodillar frente a mí, una cajita negra aparece en la palma de su mano.

Cierro los ojos con fuerza y respiro hondo. Esto es demasiado. No puedo manejar este ir y venir de emociones en una sola noche. Hace diez minutos estaba enfadada. Hace cinco, confundida y herida. Y ahora, bueno, ahora no tengo ni idea de qué pensar.

Abre la caja y, aunque el contenido es difícil de ver, algo brillante resalta en el centro. La fase del enfado está regresando... Así no es como esperaba este momento de mi vida, y no voy a aceptarlo.

—No —digo, alcanzando la cajita con la mano y cerrándola. Se la devuelvo y me pongo de pie para obligarlo a retroceder—. No puedo hacer esto ahora mismo. Así no.

—¡Emery! Por favor...

Camino hacia la puerta, fingiendo que ni siquiera está aquí. Pero no me deja. Siento su presencia justo a mi espalda cuando me giro para dejarle clara mi decisión.

—Si realmente fueras mi media naranja, las cosas no serían tan complicadas.

Me giro de nuevo, pero él se aferra a mi mano.

—No voy a rendirme, ni contigo ni con nuestro bebé. Voy a estar aquí.

Miro por encima del hombro.

—No voy a negarte que veas a nuestro hijo, si eso es lo que te preocupa.

Me suelta y se pasa la mano por el cabello.

—¿Eso es lo único que crees que me preocupa?

—Es todo lo que importa ya. —Doy unos cuantos pasos rápidos y entro en mi casa sin mirarlo una segunda vez.

Cierro la puerta y echo el pestillo por si se le ocurriera seguirme. Cuando estoy a varios pasos de allí, oigo más golpes en la puerta. No me lo pienso dos veces y me giro para abrir la puerta. Necesito que se vaya; ya ha dicho todo lo que tenía que decir.

—Drake, por favor.

—Se me ha olvidado darte algo —dice con dulzura y mirándome con ojos tristes.

Abro la boca para protestar al pensar que va a sacar de nuevo el anillo, pero saca una enorme rana de peluche de detrás de su espalda. Siempre he sentido debilidad por los animales pequeños y verdes, pero nunca se lo había dicho.

—Te vi mirando uno como este en la feria. Quería demostrarte que puedo darte lo que quieres, así que busqué hasta que encontré uno igual. —Traga saliva y levanta un dedo vacilante para acariciarme el mentón—. Quiero dártelo todo..., sobre todo las cosas que te hagan sonreír.

—Drake, yo...

Me pone un dedo sobre los labios.

—No digas nada. Solo piénsalo... Te esperaré.

Antes de volver a meterme en casa, me coloca la rana en los brazos y sonríe con tristeza. Quizá no debería aceptarlo, pero la verdad es que no quiero soltarlo.

—Adiós, Drake —susurro, justo antes de cerrar la puerta a mi espalda.

Agarro el bol de palomitas de la mesita auxiliar y lo tiro entero a la basura. Tras apagar todas las luces de casa, me voy al piso de arriba e intento acomodarme en la cama con mi nuevo regalo bajo el brazo. No quiero que me guste, pero así es. Es suave y huele a él.

Cierro los ojos e intento quedarme dormida. Estoy haciendo lo que mejor se me da: bloquearlo todo y hacer como que nada ha ocurrido. Pero es imposible, porque Drake es todo en lo que puedo pensar.

Anoche apenas pegué ojo. Todo en lo que podía pensar era en sus palabras, en la proposición que me hizo...

Llegó un poco tarde.

Creo...

No quiero pensar en sacarlo de mi vida y arrepentirme luego. Tengo mucha ira acumulada en mi interior por todas las cosas que me dijo, pero también hay algo en mi corazón que me empuja a aceptarlo de nuevo en ella. Sobre todo cuando se presentó en mi puerta con esa expresión triste y un peluche. Me ve de un modo que nadie más lo haría nunca.

Me entiende.

—¡Emery! —salto al oír mi nombre. Es mi padre. Debe de haber vuelto a casa temprano.

—¿Sí, papá? —grito, poniéndome la bata.

—¿Puedes bajar un segundo?

Después de atarme bien la bata, abro la puerta y recorro el pasillo. Cuando doblo la esquina para bajar las escaleras, veo llover a través de la ventanita del descansillo. Por eso ha vuelto pronto hoy.

Acabo de bajar los últimos peldaños y lo veo al pie de las escaleras con el brazo apoyado en la barandilla y los ojos fijos en la ventana.

—Hola, cariño, he vuelto a casa un poco antes y me he encontrado a un joven sentado en nuestra puerta. Dijo que no se iría hasta que no hablara contigo.

Abro la boca para hablar, pero no me sale una sola palabra. ¿Cuánto le habrá contado Drake, o cuánto se habrá imaginado él por su cuenta?

—¿Todavía está aquí? —pregunto en algo más que un susurro.

—¿Qué quieres decir con «todavía»?

Me froto la frente, intentando divisar a Drake por la ventana.

—Vino anoche. Es probable que no se haya movido de ahí desde entonces.

—Voy a decirle que se vaya. El idiota ni siquiera es de aquí. —Se encamina hacia la puerta,

—No. Yo me encargo.

Se detiene y se vuelve a girar hacia mí.

—¿Ese es el hijo de puta que te ha hecho esto?

Levanto la cabeza de golpe y se me nublan los ojos. He pensado muchas veces en lo que significaría para mí ser madre. No le había dedicado mucho pensamiento a Drake. Asiento y me masajeo las sienes con las yemas de los dedos.

—Sí. ¿Me dejas un momento a solas con él? Hay unas cuantas cosas que tengo que decirle.

Me observa, probablemente sopesando mi capacidad para lidiar con esta situación yo sola. Me pregunto si alguna vez me verá como algo más que una niña pequeña.

—Estaré en la cocina, por si me necesitas —responde al fin. Y se marcha antes de poder cambiar de opinión.

Vacilo por un segundo, ensayando en mi cabeza lo que quiero decir. Creo que hay una pequeña oportunidad de que algún día nos volvamos a reencontar. Ahora no es el momento, pero quiero que se involucre tanto como quiera en lo que queda de embarazo y en la vida del bebé.

Descorro el pestillo y abro la puerta. Busco a Drake en el porche, pero caigo como un paracaidista sin paracaídas.

Se ha ido.

He llegado demasiado tarde.

Vuelvo entrar en casa y cierro la puerta de un portazo, antes de apoyarme en ella.

Me deslizo lentamente hasta el suelo, mientras las lágrimas se me forman en los ojos. Tenía una segunda oportunidad y la di por sentada. Anoche, en algún momento, empecé a perdonar a Drake porque lo que dijo tenía sentido.

Y ahora mi cabezonería lo ha echado todo a perder.

Con las mangas de algodón me seco las lágrimas de la cara, aunque sé que pronto las reemplazarán otras nuevas. Siempre he pensado que la vida se volvería más fácil conforme fuera creciendo. Tendría más control sobre las decisiones que me afectaran, pero me equivoqué. Al principio Drake sacó lo mejor de mí; ahora, saca mis emociones.

Esta es una lección de vida para mí. Una que nunca olvidaré. Una de la que nunca podré recuperarme.

Oigo un ruido procedente del porche y me asusto. Me pongo de pie y apoyo las manos contra la pared para echar un ojo por la ventanita lateral. Me quedo sin respiración cuando veo a Drake juguetear con una bolsa pequeña y dos vasos de cartón. Ha vuelto o, mejor dicho, nunca se fue realmente.

Cierro los ojos y rezo una plegaria mientras coloco la mano sobre el pomo de metal. Cuando por fin abro la puerta, Drake está justo detrás, de pie y con la bolsa agarrada bajo la barbilla. Alargo el brazo y la cojo mientras él me estudia con cuidado. Probablemente se esté preguntando qué se me está pasando por la cabeza... La mayor parte del tiempo, yo misma me pregunto lo mismo.

—Te he traído el desayuno —enuncia por fin, mientras señala la bolsa que tengo en la mano.

Asiento, pero soy incapaz de hablar por miedo a derrumbarme por completo.

—También te he traído un café. Me refiero a que, sé que te gusta, así que te he traído uno descafeinado para ti y el bebé —explica antes de tenderme uno de los vasos. Lo cojo, pero ya no soy capaz de contener las lágrimas durante más tiempo. Es una de las cosas más dulces que alguien haya hecho por mí, y que ya esté pensando en nuestro bebé me provoca algo por dentro.

—Gracias —consigo decir, mientras me limpio las lágrimas de las mejillas.

Se va acercando lentamente y me acaricia con el dorso de la mano la mejilla sucia por las lágrimas.

—Dame otra oportunidad, Em. Quiero demostrarte lo mucho que significas para mí. Lo mucho que te quiero, y lo mucho que quiero tener este bebé contigo... Por favor, Em, déjame.

34

Drake

Odio tener que esperar a que me den una respuesta, y nunca he persistido tanto como ahora. Cuando anoche le di la rana, sentí una pizca de esperanza por el modo en que sus ojos se iluminaron. Resultó ser falsa, pero no me arrepiento. Quiero que esté conmigo, pero para mí es más importante aún que sea feliz.

Ahora vuelvo a estar esperando, aferrándome a un rayo de esperanza. Este podría ser uno de los mejores días de mi vida... o, por el contrario, uno de los peores. Sea como sea, va a cambiarme la vida, de un modo u otro.

—Sé que no me lo merezco, ¿pero me das otra oportunidad? Te necesito, Emery, y más importante aún, te quiero. Eres la única a la que quiero.

Su rostro se retuerce cuando cae otra lágrima por su mejilla. La estoy rompiendo poco a poco..., pero esta vez en el buen sentido. En el sentido que espero que nos haga felices a ambos.

—No soy perfecto y nunca lo seré, pero quiero ser todo lo que necesites.

La veo derrumbarse y cubrirse el rostro con las manos. Mis brazos están suplicando ir a por ella, darle el consuelo que debería haberle dado estos últimos meses.

Ojalá hubiera sabido lo que quería de mí.

—Emery —susurro, acariciándole el antebrazo con los dedos.

Ella baja las manos lo suficiente como para poder ver sus preciosos ojos marrones. Contengo la respiración, esperando alguna señal por su parte. Niega con la cabeza y me apunta con un dedo.

—Si me vuelves a hacer daño así otra vez...

—No lo haré —digo, acariciando esta vez la mejilla con el dorso de los dedos—. Te quiero.

—Yo también te quiero. —Su labio inferior tiembla, mientras su boca esboza una pequeña sonrisa. Es la primera que la veo en mucho tiempo.

Vamos progresando.

Le correspondo a la sonrisa y la estrecho entre mis brazos. Ella es mi todo. Me hace ser mejor y voy a cerciorarme de que yo también consigo lo mismo en ella.

—¿Estás bien? —le susurro al oído.

Asiente y pega la frente contra mi hombro.

—No pensé que volveríamos a este punto.

—Te doy permiso para pegarme la próxima vez. Grítame. Lo que sea que tengas que hacer, pero no me dejes pasar otro día más sin ti.

Se ríe, mirándome por encima de sus largas pestañas.

—¿Puedo empezar ya?

—Todavía no he hecho nada.

—¿No debería poder sacar toda la frustración contenida para que podamos empezar de cero? —bromea, sonriéndome ahora con mucha más energía.

Deslizo las manos por su redondo vientre y describo pequeños círculos con las palmas.

—¿Me puedo poner las protecciones de fútbol primero? Creo que me va a doler.

—Bueno, estoy embarazada, así que eso juega a tu favor. Se supone que no debo hacer nada que me resulte agotador.

El pinchazo de dolor en el pecho regresa. Odio pensar que ha tenido que enfrentarse a todo esto ella sola. Odio haberle hecho creer que no podía llamarme y hablar sobre ello. Van a tener que venir muchos días buenos para poder sentirme bien conmigo mismo.

El pasado es algo que no puedo cambiar.

—Sabes que voy a pasarme años recompensándote por estos siete meses. Me tienes comiendo de la palma de tu mano.

Sus ojos están clavados en mis labios, pero parece nerviosa. He querido besarla desde que la vi ayer por la noche.

Le tomo el rostro en las manos y delineo su mentón con los pulgares.

—Quiero besarte, Em.

Se muerde el labio y la mirada de nerviosismo es reemplazada ahora por otra traviesa.

—¿Cuánto? Si me lo pides bien, a lo mejor te dejo.

Me inclino hasta estar tan cerca que cierra los ojos.

—¿Creías que te iba a besar?

Abre los ojos y me vuelve a mirar.

—Ahora mismo no te estás portando muy bien.

—Intentémoslo de nuevo, entonces. —Ladeo su cabeza y acerco sus labios a los míos. Durante un buen rato, no me muevo. Me gusta ser capaz de sentir su cálida piel contra la mía. Nunca pensé que sería capaz de volver a hacer esto. Son tal y como recordaba —suaves y voluptuosos— y cuando hago más intenso el beso y presiono la lengua contra la abertura de sus labios, recuerdo lo bien que saben.

No hay nada en esta mujer que no me parezca perfecto y, el hecho de que esté aquí es un milagro. No voy a olvidar eso.

Cuando me separo, beso la punta de su nariz, sus mejillas y el punto sensible que hay bajo sus orejas.

—Aún tenemos que hablar de algunas cosas —digo mirándola a los ojos.

Asiente, mordiéndose el labio inferior con nerviosismo.

—¿Te sentirías incómodo con mi padre?

Después de lo que le hice a su hija, ese hombre me aterroriza. Pero tengo que superarlo si vamos a tener un futuro juntos.

—No; traigo donuts para todos.

Se ríe y me coge de la mano.

—Vamos a ver cuántos puntos ganas con ellos.

Siento un escalofrío mientras sigo a Emery tras la puerta principal. Creo que todo el mundo se asusta a la hora de conocer a los suegros, pero esto está en otro nivel completamente diferente.

—No te preocupes —susurra mirándome por encima del hombro—. Le gustarás.

Todo en lo que puedo pensar ahora es cómo me sentiría yo si un tío embarazara a mi hija el primer semestre de universidad y luego la dejara sola para que se las apañara. Es probable que Emery no tenga razón con respecto a su padre... En el fondo, sé que quiere darme una paliza.

Cuando cruzamos el pequeño salón, lo veo apoyado contra la encimera con una taza de café en la mano. Me convenzo a mí mismo de que no va a ser tan malo como pienso, pero entonces sus ojos se encuentran con los míos.

Estoy jodido, muy jodido, pero lo superaré por Emery.

—Papá —dice Emery, mientras me empuja hacia delante—. Quiero que conozcas a Drake.

Tras dejar la taza en la encimera, se frota las manos en los vaqueros. La expresión de su rostro me aterroriza cuando me tiende la mano.

—John —se presenta.

—Drake. —Me estrecha la mano con fuerza; casi como si se me hubiera quedado atrapada en una trampa para ratones. Quizá debería meterme de lleno en la boca del lobo y acabar con esto—. Solo quiero decir que siento lo de estos últimos siete meses. Fui inmaduro y egoísta... No volverá a ocurrir.

Su ceño fruncido no cambia ni un ápice. Me está asustando más que cualquier defensa contra la que me haya enfrentado nunca en el fútbol.

—Quiero a su hija. Voy a cuidar de ella y de nuestro bebé. Eso puedo prometérselo.

—Ella es todo lo que tengo —señala, aflojando un poco su mano.

Asiento y miro a la chica que me ha cambiado para siempre.

—Lo significa todo para mí.

—¿Cómo planeas cuidar de ella?

—Voy a buscar un apartamento en la ciudad de Iowa para que ambos podamos acabar la Universidad. Sé lo importante que es para su hija y quiero que lo consiga. Las cosas serán difíciles por un tiempo, pero trabajaré lo que sea preciso para que ella y el bebé tengan todo lo que necesiten. Y algún día, cuando esté preparada, voy a casarme con ella. Eso lo sé con certeza, y esperaré tanto como sea necesario.

Mira hacia Emery, que está sonriendo expectante. Esta situación tampoco debe de ser fácil para ella. Veo claramente que se intercambian algunos mensajes en un lenguaje secreto; echo de menos tener a mi padre, porque él solía hacer lo mismo conmigo.

Cuando los ojos de John vuelven a centrarse en mí de nuevo, trago saliva con nerviosismo. Siento que estoy al borde de un precipicio con las manos atadas a la espalda, a la espera de ver si me van a empujar, y el silencio solo está empeorando la situación.

—¿Quieres café? —pregunta.

Miro a Emery, cuya sonrisa se ensancha.

—No, señor, no me gusta mucho el café —respondo también con una amplia sonrisa.

—Bueno, tampoco es tan bueno para la salud —dice, estirando el brazo para levantar su taza. Emery me da un ligero apretón en la mano, y sé que todo va a salir bien. Por primera vez en mucho tiempo, las cosas son como se supone que deben ser. La vida ha cambiado a mejor.

35

Emery

Quedan dos semanas para la fecha prevista del parto y ya estamos instalados en nuestro apartamento. No es gran cosa, pero está cerca del campus y tiene dos dormitorios para poder acoger a nuestra nueva familia.

—¿Lista para tu cita con Kate? —pregunta Drake, mientras me abraza por la espalda. Ha desempaquetado todo él solo estos dos últimos días, y lo adoro por ello.

—Sí, solo me hace falta encontrar unos zapatos que me estén bien todavía. ¿Este vestido me queda bien?

Me giro y sigo sus ojos mientras examina el largo vestido azul marino que le he cogido prestado a Kate. No es de maternidad, pero es ancho y me queda como un guante.

—Digamos que... si no te vas pronto, el vestido va a acabar en el suelo y tú debajo de mí en la cama.

Sonrío y me tomo su respuesta como un sí. Mi teléfono vibra. Es Kate, que me ha mandado un mensaje para decirme que ya está aquí.

—Me voy. Ya está aquí.

Toma mi rostro en sus manos y me besa despacio. Deja sus labios junto a los míos durante un rato y, antes de separarse, me besa en las comisuras de los labios.

—Pásatelo bien, pero no tardes mucho. Ya te echo de menos.

—Yo también te echaré de menos —digo, apartándole algunos cabellos de la frente.

Me agarra la mano y se la lleva a los labios para darme un beso en la palma.

—Te quiero, Em.

—Yo también te quiero.

Sonríe cuando paso delante de él en dirección a la puerta. Las cosas han ido muy bien estas últimas semanas. Tras haber estado en mi casa, ambos nos tomamos un par de semanas para atar cabos sueltos y poner algo de orden en nuestras vidas. Después de mucho buscar encontramos este apartamento. No fue fácil, porque no nos podíamos permitir cualquier cosa, pero Drake fue escrupuloso en cuanto al vecindario. Quería que fuera seguro para el bebé y para mí cuando él no estuviera en casa. Creo que hemos elegido bien.

Yo vendí mi coche para conseguir dinero suficiente para ayudar con la fianza y el primer mes de alquiler. Vamos a tener que arreglárnoslas con un solo coche, pero Drake y yo crecimos con lo que teníamos en casa. Somos supervivientes natos.

Cuando salgo, diviso el cochecito rojo de Kate frente al edificio. Me saluda con la mano y baja del vehículo para abrirme la puerta. Todo el mundo me trata como si fuera a romperme si no me mimaran. Pero es verdad que solo me quedan un par de semanas, así que se lo permito.

—¿Lista? —pregunta, mientras vuelve a subirse al coche.

Me río, y cuando lo hago siento al bebé contra mi caja torácica.

—Mientras haya comida, me puedes llevar adonde quieras.

—¿Como frutas y verduras? —bromea, mientras se incorpora a la carretera.

—Espero que estés de coña. Necesito queso y salsas. Ay, ¿vamos a un mexicano? —sugiero, mientras coloco un brazo sobre mi vientre.

—Es una sorpresa... ¿Cuántas pueden disfrutarse en la vida?

Bajo la mirada.

—Bueno, en este último año, yo diría que ya he tenido más que suficientes.

—Pero eres afortunada.

—Lo sé, pero me resulta extraño decirlo, porque estoy embarazada a los veinte, vivo en un apartamento pequeño y tengo que volver a currármelo para que me concedan la beca. Supongo que no importa lo que tenga o haya conseguido. Lo que me hacía falta era felicidad.

—Eso podría habértelo dicho yo —declara, mientras estaciona en el aparcamiento de un salón de belleza y spa.

—¿Qué hacemos aquí?

—Bueno, como no hemos podido celebrar tu embarazo como se merece, quería prepararte algo especial. Tengo cita para que nos hagan la pedicura a las dos, y luego nos vamos a comer.

—De verdad, Kate, no tenías por qué hacerlo.

—Quería hacerlo. Te lo mereces. —Apaga el motor y alarga el brazo hacia el asiento trasero para alcanzar una bolsa de regalo verde—. Toma.

—Esto es demasiado —digo, colocando la bolsa sobre mi regazo. Nunca he tenido una amiga tan buena como Kate.

—Ábrelo —me ordena, mordiéndose el labio.

Meto la mano dentro, saco un papel de regalo blanco y aparece una suave manta de lana. Es amarilla claro con lunares verdes y lacitos en los bordes. Enrollo el material entre mis dedos y me imagino a mi bebé tumbado encima, arrullando y pataleando. Una sonrisa aparece de inmediato en mi rostro, pero también las lágrimas.

—La he hecho yo —dice en voz baja—. Sé que no es mucho.

—Me encanta. De verdad. —Vuelvo a meter la manta en la bolsa y estrecho a mi mejor amiga con un abrazo—. Gracias.

—De nada —musita al tiempo que me devuelve el achuchón. Cuando se separa, vuelve a alargar el brazo hacia atrás y saca otra bolsa, esta vez amarilla y más pequeña—. Rachel quería estar aquí, pero no ha podido por lo que pasó con Cory. Me dijo que te diera esto.

Mi vida no ha sido perfecta, pero no me podría imaginar estar en la piel de Rachel ahora mismo. Fui al funeral de Cory, pero desde entonces no la he visto. Abro la bolsita y encuentro una tarjeta regalo de Target, con una notita muy mona escrita por ella: «COMPRA LO QUE TE HAGA FALTA. CON AMOR, RACHEL».

—¿Has hablado con ella? —pregunto, mientras devuelvo la tarjeta a la bolsa.

—El otro día, cuando me llamó para asegurarse de que me hubiese llegado esto. Está mal. No parece que vaya a volver este semestre a la universidad.

—Ojalá hubiese algo que pudiéramos hacer. —Deslizo los dedos por el borde de la bolsa de regalo e intento imaginarme por lo que está pasando. Con toda sinceridad, creo que a mí me costaría mucho pasar página..., casi imposible, vaya.

—Solo necesita tiempo. Le dije que llamara si quería venir, pero creo que va a pasar un tiempo hasta que se sienta preparada.

—Es totalmente comprensible. Pero es una mierda.

Agarra su bolso del asiento de atrás y coloca la mano en el tirador de la puerta.

—¿Lista para que te consientan?

—No sé. Es mi primera vez —digo con una sonrisa.

—Bueno, ahora vas a ver lo que te has estado perdiendo y, cuando terminemos, te llevaré a comer patatas y enchiladas.

—¿Te he dicho alguna vez que eres mi mejor amiga?

—Todos los días, pero no me importa seguir escuchándolo.

Para cuando regreso al apartamento, estoy reventada. Al terminar de hacernos la pedicura, ambas nos comimos un plato entero de enchiladas, y luego fuimos a Target para comprar unas cuantas cosas con la tarjeta regalo que Rachel me había regalado. Me lo pasé bien relajándome y pasando el rato con Kate, pero ahora necesito tumbarme en la cama y poner los pies en alto.

Me percato de que la única luz encendida es la lamparita que tenemos junto al sofá, y Drake no parece estar por ninguna parte. Normalmente me espera en la puerta. Tampoco está en la cocina, así que me concentro en el pasillo que lleva a los dormitorios y veo que una tenue luz sale de debajo de la puerta del cuarto del bebé. No hemos avanzado mucho en él, pero tenemos planes de ponernos a ello mañana.

Me quito las sandalias y sigo la luz.

—Drake —grito, mientras abro la puerta.

Me cubro la boca con las manos e intento asimilar todo lo que veo. Cuando me fui, la habitación estaba vacía: las paredes eran blancas y la moqueta de un color claro. Ahora, en las paredes aparecen dibujados los personajes de mis libros favoritos de Dr. Seuss*, y también una cuna, un cambiador y una mecedora. La rana gigante

---

* *Nota del T.:* Theodor Seuss Geisel, escritor y caricaturista estadounidense, conocido por sus libros infantiles.

que me regaló Drake hace un tiempo está apoyada contra una esquina de la cuna. Un toque perfecto, el símbolo del comienzo de nuestra nueva vida.

Las lágrimas me anegan los ojos, mientras siento el abrazo de Drake.

—¿Te gusta? Hice lo que pude teniendo en cuenta que no sabemos si el bebé será niño o niña.

Asiento, aún demasiado sorprendida como para pronunciar palabra. La cuna es la misma que aparece en todas mis fotos de pequeña. El cambiador parece nuevo, pero la mecedora de madera también era mía. Las cortinas y la ropa de cama son de color verde, amarillo, marrón y naranja claro con detalles en crema. Es precioso..., más de lo que podría haberme imaginado nunca.

—Em —susurra Drake en mi oído—. Cuando dije que quería que tanto tú como el bebé lo tuvierais todo, lo decía en serio. Te quiero.

Mueve las manos en círculos sobre mi vientre, mientras un reguero de lágrimas empieza a caer.

—Es perfecta. Yo no lo podría haber hecho mejor.

—Tenía miedo de que te enfadaras por haberlo hecho sin ti, pero quería darte una sorpresa. Llamé a tu padre y él me ayudó a ponerlo todo en orden. —Me da un beso en la coronilla y me vuelve a dar un achuchón.

—Tengo fotos con mi madre en esa mecedora. No sabía que mi padre aún la tuviera.

—Parece ser que lo guardaba todo en vuestro ático. Incluso trajo el traje de cristiandad en caso de que sea niña, igual que algunos juguetes. Creo que se lo pasó pipa ayudando.

—¿Sigue aquí?

—No, se fue hace una hora. Quería que este momento fuera nuestro.

A lo largo de estos últimos meses, me he dado cuenta de lo mucho que me quiere mi padre. Lo hizo lo mejor que pudo mientras crecía, y creo que va a ser un abuelo fantástico.

Me giro entre los brazos de Drake y le rodeo el cuello con los míos antes de depositar un beso en su clavícula. Me abraza con tanta fuerza que juraría que no me va a volver a soltar.

—Te quiero, Chambers.

—Y daré gracias por ello todos los días, porque yo también te quiero muchísimo, Em.

Tras dejar un reguero de besos por todo su cuello, alzo la vista hasta sus ojos azules y recuerdo el primer día que me topé con él. Es extraña la forma en que la vida nos lleva de un punto a otro.

—¿Te acuerdas de cuando me dijiste que te casarías conmigo cuando estuviera preparada?

Asiente y me observa con curiosidad.

—Lo estoy. No quiero volver a pensar siquiera en la idea de no estar contigo.

Abre los ojos como platos y se inclina para darme un beso en la frente.

—Vuelvo enseguida —dice y sale corriendo de la habitación.

Mientras lo espero, examino la habitación un poco más. Ha puesto una estantería en la esquina, junto a la mecedora, y está llena de mis libros favoritos de la infancia. Leer es importante para mí y Drake lo sabe. Me muero por poder leerle a mi bebé cada noche, antes de que se duerma. Ese era uno de mis momentos favoritos con mi madre.

Cuando me vuelvo a girar, Drake se encuentra arrodillado frente a mí. Por segunda vez hoy, me llevo las manos a la boca. Ya lo he visto así antes, pero esta vez estoy preparada.

—Emery —dice con la voz colmada de emoción—. Hay dos versiones de futuro: con la que soñé todos los días desde que era niño, y la que he creado para mí después de que esos sueños desaparecieran. Aquellos sueños no eran para mí, pero este sí lo es. Tú eres mi futuro. Tuve que equivocarme unas cuantas veces antes de encontrarte, y ahora que lo he hecho, no quiero volver a vivir sin ti. ¿Quieres casarte conmigo?

Sus manos tiemblan mientras sujetan una cajita negra con un anillo dentro. Es sencillo, pero perfecto. Igual que quiero que sea mi vida.

Asiento y me arrodillo para quedar más cerca de él.

—Tú has cambiado mi idea de perfección, y esta versión me hace feliz. No me imagino tener que irme a la cama sin ti a mi lado, o despertarme y no ver tu cara.

Sus dedos temblorosos sacan el anillo de la cajita. Me sujeta la mano con una de las suyas, y con la otra me coloca el anillo en el dedo.

—Te quiero —declara, y me estrecha entre sus brazos.

—Yo también te quiero —añado, rodeándolo también con mis brazos.

Epílogo

Cinco años después

Emery

Cuando echo la vista atrás a todo lo que ha cambiado en mi vida a lo largo de estos cinco años, es como si estuviera inmersa en un sueño. No todo ha sido perfecto, pero he aprendido que cuanto más luchas, más aprecias luego lo que tienes.

Drake lo es todo para mí, pero cuando lo pienso con objetividad, también es todo lo que quería evitar. No quería conocer a nadie en la universidad. No iba a dejar que nadie se interpusiera en mi camino, y menos un tío arrogante y cabezota de Iowa. No es un hombre de la gran ciudad. No será médico ni abogado, pero me quiere de un modo que me hace desear ser mejor persona. Me ha demostrado que el día a día vale más que la carrera que me haya sacado o el código postal de mi casa.

Él ha cambiado mi idea de futuro. Me ha enseñado que un rosal puede crecer en cualquier parte si reúne las condiciones adecuadas.

Y el pequeño Michael completa nuestra perfecta estampa. El tiempo ha pasado tan rápido, que es difícil creer que, en unos pocos meses, vaya a empezar preescolar. Posee el talento atlético de su padre y el cerebro de su madre, así que a ambos nos llena de orgullo. Nos hemos esforzado en no presionarlo demasiado, porque queremos que desarrolle sus propios sueños.

—Em, ¿has terminado? Necesito prepararme para ir al trabajo.

Bajo la mirada hasta el temporizador de mi móvil y grito:

—Dame dos minutos.

—Será mejor que te des prisa, o me aseguraré de que los dos lleguemos tarde al trabajo —bromea a través de la puerta. Ambos trabajamos en el mismo colegio de un pequeño pueblo a las afueras de Des Moines. Yo, como orientadora escolar; y Drake, como profesor de educación física. No es lo que habíamos planeado en un principio, pero somos felices.

Suena el bip que indica el final de la cuenta atrás y levanto el familiar predictor blanco..., muy similar al que me cambió la vida hace casi seis años. Drake y yo llevamos meses hablando de tener otro bebé, pero queríamos que la naturaleza siguiera su curso.

—Em, venga.

Descorro el pestillo de la puerta, consciente de que si no lo hago, encontrará otra manera de entrar. Como norma general, Drake siempre consigue lo que quiere.

En cuanto se abre la puerta, se adentra y se acerca a mí como un gato al acecho. Está muy sensual con el musculoso torso desnudo y los pantalones cayendo de las caderas. Puede que ya no juegue al fútbol, pero todavía sigue en forma. Cuando toco la encimera con la espalda, sé que estoy en problemas. Tenemos un jueguecito al que le gusta jugar.

—¿Y Michael?

—Durmiendo todavía —responde, echándome el cabello hacia atrás. Pega los labios a mi cuello y me agarra de los hombros.

—Drake.

—Ummm... —gime y me desliza el camisón por el hombro para dejarlo al descubierto y tener un mejor acceso.

—¿No vamos a llegar tarde al trabajo?

Levanta la cabeza y me penetra con la mirada mientras me da un apretón en los muslos y, poco a poco, me sube el camisón por las piernas.

—Solo me hacen falta unos minutos —susurra y me besa en la comisura de los labios.

Rodeo su cuello entre mis brazos y él se desabrocha los pantalones de pijama, dejándolos caer al suelo. Desliza los dedos entre mis muslos y masajea la piel sensible que los une.

—Otra vez sin bragas, ¿eh? —musita, penetrándome con dos dedos.

—Me gusta facilitarte las cosas, señor Chambers.

—Qué considerada —dice y reemplaza los dedos por su miembro—. Siempre preparada para mí, ¿eh, señora Chambers?

Gimo contra su oído, sintiendo la presión aumentar con rapidez. Sus manos conocen cada centímetro de mi cuerpo, dónde me gusta que me toquen y me provoquen, y cómo llevarme al borde del precipicio.

Se detiene un segundo y me quita el camisón por la cabeza. Vuelve a embestirme mientras me sujeta por la espalda, gesto que me permite apoyarme contra sus brazos. Su lengua juguetea con mis pezones.

—Drake.

—¿Sí? —pregunta, levantando la cabeza.

—Más fuerte. Estoy a punto.

Obedece y se mueve en mi interior hasta que mi cuerpo se pone a mil por hora. Me llena a la perfección y crea la fricción exacta entre nuestros cuerpos.

—Córrete, Em. Déjate ir, nena.

La sensación de euforia total me embarga casi al instante. Increíble. No mucho después, Drake me vuelve a penetrar una última vez y se corre también.

Me encanta que, después de todos estos años, sigamos compartiendo estos pequeños momentos de forma habitual. Quizá somos una de esas parejas afortunadas, para las que cada día parece una luna de miel.

—No estás enfadado conmigo por haber invadido el baño, ¿verdad? —pregunto, hundiendo el rostro en su cuello.

—No, creo que el enfado ya se me ha ido.

Me acaricia la espalda con los dedos.

—Bien, porque tengo que decirte algo.

—¿Has vuelto a comprar algo en Internet?

—No, es más que eso. —Muevo una mano a tientas a mi espalda y saco el test de embarazo, que coloco entre nuestros cuerpos.

Su ceño se frunce mientras lo examina.

—¿Estás embarazada?

Asiento y se me llenan los ojos de lágrimas. Así es como siempre me imaginé que anunciaría un embarazo. Casada con el hombre al que amo, teniendo un hogar y un trabajo estable. La última vez no fue la más ideal.

—Dios mío, Em —dice, rodeándome con sus musculosos brazos—. ¿Estás bien? No te he hecho daño, ¿verdad?

Sonrío y lo peino con los dedos.

—No, no me has hecho daño. De hecho, recuerdo que en los primeros meses del primer embarazo, estaba cachonda perdida.

Se separa y me toma el rostro entre sus manos.

—Ya sabes lo mucho que siento haberme perdido todo eso. —Me da un beso en la punta de la nariz y me acaricia los pómulos con los pulgares.

—Me aseguraré de que me recompenses.

—Será un placer para mí.

—¡Mamá!

—Mierda —murmura Drake en voz baja—. Espero haber cerrado el pestillo.

Recojo el camisón de la pica y me lo pongo, mientras Drake sale de mi interior y se vuelve a poner los pantalones rápidamente.

—Voy corriendo, Michael.

—No, ya no te estás corriendo —susurra Drake con una sonrisa enorme en el rostro. Me bajo del mueble y le doy un golpe en el hombro, lo que hace transformar su sonrisa en una mueca.

—Vamos, mami, tengo que ir a hacer pipí. —Odio decirlo, pero vivimos en una casa de un solo baño, igual que en la que yo crecí. Pero no pasa nada, porque adoro a las personas con quienes lo comparto. Me gusta la cercanía.

Drake abre la puerta y nuestro monito entra corriendo.

—¿Por qué siempre os encerráis en el baño? ¿Y si tengo muchas ganas de ir?

Me froto la nuca y espero a que Drake venga y nos salve con una respuesta.

—A papi le gusta pasar tiempo con mami antes de que se vaya a trabajar.

—Sí, a mí también —responde Michael—. Me muero por ir al cole de mamá.

—Yo también tengo ganas, cariño —respondo, acariciándole el rubio cabello. Se parece muchísimo a su padre ahora mismo, pero el pelo se le está oscureciendo a cada año que pasa. Quiero a este niño con todas mis fuerzas, pero me gustaría también tener una niña.

En cuanto acaba, vuelve a salir corriendo del baño. Me apostaría cualquier cosa a que van a dar dibujos en la tele en menos de un minuto, seguidos de sus gritos pidiendo cereales de frutas.

Drake se inclina para darme un beso en la mejilla y apoya una mano en mi abdomen.

—Me ocuparé de él mientras acabas de prepararte, mamá.

—Prometo no tardar mucho. —Me guiña un ojo antes de dejarme sola. Me miro en el espejo y toco el relicario que todavía cuelga de mi cuello. Aunque ahora, en una parte estamos yo y mi madre, y en la otra hay una foto de Drake, Michael y yo. Están reflejados mi pasado, mi presente y mi futuro.

Aunque hay cosas que desearía que no hubiesen sucedido en mi vida, hay muchísimas decisiones que me alegro de haber tomado. Mi padre se ha comportado genial al llevarse a Michael algún que otro fin de semana para poder darnos a Drake y a mí un respiro. Kate y Rachel siguen en mi vida y, aunque vivimos en diferentes partes del Estado, todavía nos juntamos unas cuantas veces al año.

Drake y Michael son las razones por las que me levanto por la mañana. Son mi todo, y eso no va a cambiar.

Dicen que hay que soñar como si fuéramos a vivir para siempre, y vivir como si fuéramos a morir mañana. Esta es mi vida y mi sueño... Solo me ha llevado un poco de tiempo darme cuenta de que, para tenerlos a ambos, tenía que cambiar mi idea de futuro.

Agradecimientos

Primero, y antes que nada, tengo que dar las gracias a mi marido y a mis hijos por ser tan pacientes conmigo cuando necesito tiempo para mis amigos imaginarios. Vuestro incesante apoyo es lo que me permite hacer lo que hago.

También me gustaría darle las gracias a mi familia y amigos, que han sido más que comprensivos. No podría haberlo hecho sin vosotros.

A mis lectoras cero: Autumn, Melissa, Amy, Jennifer y Megan. Vuestros comentarios me han ayudado muchísimo con este libro. Un «gracias» no parece suficiente.

Jessica, eres una estrella. Me has ayudado muchísimo con mi escritura y en el proceso te has convertido en una amiga genial. Tu turno se acerca.

A mi editora, Madison. Gracias por soportarme incluso cuando quiero usar clichés y estereotipos. Prometo provocarte esas escurridizas mariposas en mi próximo proyecto.

A mi agente, Jill, porque sin tu guía, Drake y Emery no existirían. Gracias por presionarme y empujarme.

Y por último, pero no menos importante, a los lectores y blogueros que han apoyado mi trabajo: ¡GRACIAS! Nunca pensé que estaría donde estoy hoy y eso os lo debo a vosotros.

ECOSISTEMA DIGITAL